KB081316

1_ 제18회 현대문학 신인문학상 시상식(1973년, 서울대 교수회관).

2_ 『화산도』를 쓴 김석범 소설가와 5·18묘역에서(1990년경).

3_ 암태도사건의 유일한 생존인물 서동오 옹과(1979년).

4_ 경남 하동 섬진강변 마을에서 동학농민전쟁 현지조사(1987년).

5_ 민족문학작가회의 회장 자격으로 일본 토오꾜오를 방문한 자리에서 영화감독 이장호와(1994년).

6_ 전남 장흥 동학농민전쟁기념탑에서 동학농민전쟁 당시 석대들 전투에 대해 설명하며(2004년경).

사진 제공
송기숙 가족, 장흥별곡문학동인회

개는 왜 짖는가

송기숙 중단편전집 4

개는 왜 짖는가

조은숙 엮음

창비

| 책머리에 |

2009년 10월 1일 송기숙 선생은 선암사 해천당 앞에 있었다. 당시 그는 건강이 어느정도 회복되어 『송기숙의 삶과 문학』(역락 2009)을 집필하고 있던 필자의 궁금증을 해소해주기 위해 인터뷰에 응하거나 직접 작품 속 장소를 찾아 작품의 배경 등을 설명해주곤 했는데, 이날은 그의 소설 『녹두장군』을 집필했던 선암사 해천당을 찾은 것이다. 이처럼 당시 필자는 작가와의 만남이 잦아지면서 자연스럽게 그의 중단편 작품 대부분이 절판 또는 품절 상태여서 연구에 어려운 점이 많다는 점과 중단편전집을 발간해야 할 필요성을 말씀드렸다. 이에 선생은 "작가 살아생전에 전집을 낸다는 것은 최고의 선물이지. 근디, 나 좋자고 출판사 힘들게 하면 안 되지"라고 하면서 전집 발간을 미뤘다.

이후 필자는 2010년 스승의날을 맞아 선생을 모시고 선운사를 방문했다. 그때 선생은 도솔암 미륵불 앞에서 불현듯 곧 출판사에서 중단편전집에 대한 연락이 올 것이라고 하면서 함께 전집 작업을 하자고 했다. 그러나 곧 연락이 올 것이라고 한 출판사는 끝내 연락이 없었고, 그사이 선생의 건강도 악화되었다. 그로부터 6년이라는 시간이 속절없이 흘러갔고, 이제는 더이상 기다릴 수 없다는 생각에 필자는 몇몇 출판사에 선생의 중단편전집 출간을 제안했다. 그리고 다행스럽게도 2016년 5월 선생과 굳건한 신의 관계를 유지해오던 창비에서 중단편전집 출간 의사를 밝혀왔다.

선생은 1965년 문단에 데뷔한 이래 「백포동자」 「부르는 소리」 「우투리—산 자여 따르라 1」 「고향 사람들」 「길 아래서」 등의 단편뿐 아니라, 『자랏골의 비가』 『암태도』 『이야기 동학농민전쟁』 『녹두장군』(전12권) 『은내골 기행』 『오월의 미소』 등 장편과 대하소설을 모두 창비에서 발표했다. 선생은 평생토록 한국사회의 모순과 진실을 문학이라는 장르를 통해 독자들과 공유하고자 했는데, 이러한 그의 바람이 창비의 이념과도 상통했기 때문이었다. 이에 독자들도 그의 이러한 작가정신과 올곧고 용기있는 비판의 목소리에 호응하며 그의 작품이 다시 발간되기를 고대하고 있었다. 그런데 이번에 절판 또는 품절 상태인 그의 중단편전집까지 창비에서 발간되면서 명실상부 당대의 모순과 싸워온 행동하는 지식인이자 작가로서의 궤적이 담긴 작품들이 모두 한 출판사에서 엮어지게 되었다. 따라서 이번 중단편전집의 발간은 송기숙 소설의 전체적 모습과 그의 인간적 면모를 이해하는 데 밑거름이 될 것으로 확신한다.

이 전집에는 이미 출간된 여덟권의 단편소설집 『백의민족』(형설출판사 1972), 『도깨비 잔치』(백제출판사 1978), 『재수 없는 금의환향』(시인사 1979), 『개는 왜 짖는가』(한진출판사 1984), 『테러리스트』(한겨레출판사 1986), 『어머니의 깃발』(심지 1988), 『파랑새』(전예원 1988), 『들국화 송이송이』(문학과경계 2003) 등에 실려 있던 작품 가운데 꽁뜨 열네편을 제외하고, 위의 작품집에 누락된 「백포동자」「신 농가월령가」「우투리 ― 산 자여 따르라 1」「제7공화국」 등의 네편을 새로 추가하여 송기숙의 중단편을 모두 수록했다. 전집의 편집 체제는 기존 작품집에 실린 순서를 따르지 않고 작가가 발표한 순서대로 재구성했다.

선생은 지난 몇년간 새로운 작품을 쓰기보다는 기존 발표작을 마음에 들 때까지 끊임없이 수정했다. 이 때문에 작품의 정본은 가장 최근에 실었던 작품집의 것으로 결정하고, 전남대학교 국어국문학과 박사수료 또는 과정에 있는 연구자들의 도움을 받아 기초작업을 완료했다. 다만 이 과정에서 사투리를 표준어로 고친 경우가 많아 선생만이 가지고 있었던 사투리의 구수함도 함께 사라져버렸다. 그래서 다시 연구자들의 도움을 받아 작품마다 기존 발표본과 대조하는 작업을 거쳤다. 일이 거의 완성될 무렵, 2009년 10월 선암사에서 작가가 "기존에 썼던 작품 중에서 마음에 안 든 부분을 다시 손봤어"라고 한 말이 떠올랐다. 이미 개고(改稿)되었을 가능성이 있다고 보고 가족에게 급히 연락을 취하니, 다행히 노트북에 개고한 자료가 남아 있었다. 이러한 우여곡절을 거친 뒤, 정본은 가장 최근 작품집에 실었던 작품과 작가가 최근에 개고한 작품을 일일이 대조하여 확정했다. 정본으로 확정된 작품은 다시 발표한 시기에 따라 다섯권으로 분류한 뒤 교감(校勘)을 시작했다. 이로써 전집 작업에서 가장 험난했던 산을 하나 넘을 수 있었다.

하지만 다섯권의 체제를 일치시키는 과정은 더 험난했다. 선생은 2003년 이후 개고하는 과정에서 국민학교를 초등학교로, 「재수 없는 금의환향」을 「김복만 사장님 금의환향」으로, 「북소리 둥둥」에서 '김명수'를 '김명호'로, '유상수'를 '유기수'로 바꿨다. 그뿐 아니라 문장을 삭제하거나 문단을 삭제하면서 의미가 불분명해진 경우가 발생하기도 하고, 새로운 단어와 문장, 문단을 덧붙이기도 했다. 아마도 작가가 중단편전집 작업을 하면서 한번 더 검토하려고 했다가 갑자기 건강이 악화되어 미처 손을 대지 못한 것으로 보인다. 이처럼 의미가 불분명해진 경우에는 최근의 작품집 및 『송기숙 소설어 사전』(민충환 편저, 보고사 2002)을 참조하여 수정했다.

송기숙 중단편전집 작업은 그의 전체 작품을 한데 묶음으로써 독자나 연구자에게 그의 작품세계에 쉽게 접근할 수 있는 기회를 제공하는 데 그 의도가 있다. 연구자에게 무엇보다 필요하고 소중한 것은 온전한 전집을 구비하는 일이다. 이제 송기숙 연구의 기초 자료가 확보된 만큼 연구자들의 다양한 연구도 가능해질 것으로 생각된다. 또한 송기숙 소설이 독자층에 따라 다채로운 재미를 줄 것을 확신한다. 그의 소설을 읽으면서 독자들은 '도끼'처럼 가슴을 후벼 파는 문장과 만나게 될 것이다.

전집 작업은 송기숙을 사랑하는 이들의 도움이 있었기에 가능한 일이었다. 이미 단행본으로 출간한 출판사 측의 양해가 없었다면 전 작품을 한자리에 싣기가 어려웠을 것이다. 이를 흔쾌히 허락해 주신 출판사 대표들께 다시 한번 깊은 감사를 드린다. 아울러 누구보다 전집 간행을 축하하며 기꺼이 전집의 의의를 짚어주신 염무웅 선생님, 강의 때문에 바쁘신데도 정성껏 작품 해설을 써주신 공종구 임규찬 임환모 김형중 교수, 작업 시작부터 끝날 때까지 애정을 가지고 지켜봐주신 이미란 교수께 감사드린다.

그리고 어려운 여건에서도 전집 작업을 기꺼이 맡아주신 창비의 강일우 대표, 편집과 교정 등 세세한 부분에 신경을 써준 박주용 편집자께도 감사드린다. 한결같은 마음으로 사랑과 격려를 아끼지 않았던 송기숙 선생의 가족들께도 고마움을 전한다. 마지막으로 이 전집을 최고의 선물이라고 웃어주실 송기숙 선생께 바친다.

2018년 1월

엮은이 조은숙

| 소개의 글 |

민중적 인간상의 다채로운 소설화

송기숙의 소설세계

염무웅(문학평론가·영남대 명예교수)

1

내가 송기숙 선생을 처음 만난 것은 1975년 여름방학 때였다. 이렇게 똑똑히 기억하는 데는 사연이 있다. 당시 나는 덕성여대 국문과에 전임으로 재직하고 있었는데, 그해에도 학생들을 데리고 전남 구례 쪽으로 학술답사를 나갔다. 민요반 설화반 방언반 따위로 팀을 꾸려 주로 할머니, 할아버지 들을 면담하고 자료를 채록하는 것이 일이었다. 하지만 학생들은 '학술'보다 '여흥'에 더 관심이 많았고, 인솔교수들도 그 점을 묵인해주었다. 이렇게 시늉뿐인 답사를 끝내고 마지막 날엔 쌍계사 입구에 이르러 여관에 짐을 풀었다. 잠시 앞마당 평상에 앉아 쉬고 있는데, 한 학생이 와서 나를 찾는

분이 있다고 알린다. 이런 곳에 나를 아는 사람이 있을 리 없는데, 하면서 그 학생을 따라 여관 뒤꼍으로 돌아서자 거무스레하게 생긴 40대 사나이가 얼굴 가득히 함박웃음을 지으며 덥석 내게 손을 내민다. "염 선생이오? 나 전남대 있는 송기숙이오."

사실 나는 그때까지 송기숙에 대해 아는 바가 많지 않았다. 여자가 아닌 남자라는 것, 술이 들어가면 자못 요란해진다는 것, 『현대문학』 출신의 소설가라는 것…… 이런 정보도 아마 '문단의 마당발'인 이문구(李文求)를 통해 얻어들었을 것이다. 그러고 보니 그 몇 해 전 소설집 『백의민족』을 받았던 기억도 났다. 하지만 한두편 읽고서 매력을 못 느껴 밀쳐둔 터였다. '송기숙'이란 말을 듣자 대뜸 그런 점들이 떠올라 찜찜했지만, 그가 하도 반가워하는 바람에 나도 곧 친근감이 생겨 그가 이끄는 대로 가까운 냇가로 나갔다. 그리고 갓 낚은 은어회를 안주로 송 선생의 동료교수들과 소주잔을 나누었다. 그들은 대학에서 쓸 교과서 원고를 집필하느라고 방학 동안 거기서 장기투숙 중이었다.

이렇게 안면을 튼 뒤로 그는 서울 올 때마다 창비 사무실을 찾았고, 사무실에서 한바탕 떠들고 나면 으레 나를 끌고 근처 술집을 향했다. 어떤 때는 평론가 김병걸(金炳傑) 선생과 함께 오는 수도 있었다. 사실 두분은 함께 다니는 것이 의아해 보일 만큼 서로 다른 개성의 소유자였다. 김병걸 선생은 키도 작고 약골에다 술도 전혀 못하는 샌님 같은 함경도 출신인 데 비해 송 선생은 강인한 체력에 애주가요 왁자지껄 활기에 넘치는 왈짜 같은 전라도 출신이었다. 그런데도 무슨 인연이 어떻게 맺어졌는지 아주 가깝고 서로를 존

중하며 깊이 통하는 데가 있는 듯했다. 이런 신변사를 이야기하는 것은 다름 아니고 송기숙 문학의 이해와 무관치 않다고 생각되기 때문이다.

원래 송기숙은 평론가 조연현(趙演鉉)의 추천으로 『현대문학』에 문학평론을 추천받고 문단에 나왔다. 그가 쓴 평론이 이상(李箱)과 손창섭(孫昌涉)에 관한 것이라는 점은 '소설가 송기숙'을 생각하면 뜻밖이다. 알다시피 이상은 1930년대 전위문학의 대표자라 할 수 있고 손창섭은 1950~60년대 전후문학의 상징적 존재라 할 수 있는데, 송기숙의 소설은 이상이나 손창섭의 세계와는 완전히 대조적인 것이기 때문이다. 어쨌든 그는 더이상 평론을 발표하지 않고 소설가로 변신했다. 별다른 추천절차 없이 1966년 단편소설 「대리복무」를 『현대문학』에 발표했고, 1972년 간행된 소설집 『백의민족』으로는 이듬해 제18회 『현대문학』 소설부문 신인문학상을 받았으며, 이어서 1974~75년에는 첫 장편소설 『자랏골의 비가』를 『현대문학』에 연재할 수 있었다. 이것은 『현대문학』 주간이자 문단 실력자의 한 사람인 조연현의 특별배려가 아닐 수 없었다.

그런데 송기숙의 경우 평론가에서 소설가로의 변신은 단순히 장르 선택의 문제가 아니었다. 짐작건대 그것은 송기숙의 삶과 문학 전체가 걸린 일대 전환이라 할 만했다. 고백하거니와 나는 송기숙의 평론 「창작과정을 통해 본 손창섭」도 「이상 서설」도 읽어보지 못했다. 하지만 그럼에도 확신할 수 있는 것은 이 평론들과 단편 「대리복무」 이후 그의 수많은 소설들 사이에는 단순한 장르의 차이로 설명할 수 없는 거대한 세계관·문학관의 격차가 존재할 것이라는 점이다. 송기숙의 경우와 같은 극적인 전환은 아니라 해도 완만하지만 비슷한 변화가 김병걸에게서도 일어났을 터인데, 1970년대 접어들어 점점 죄어오는 박정희 유신독재의 압박은 김병걸·송기숙 같은 분들의 문학적 발상뿐 아니라 그들의 일상적 발걸음도 '현대문학사'에서 '창비'로 향하게 하지 않았을까 하는 것이 내 짐작이다.

2

글이 곧 사람이라는 말을 흔히 듣지만, 송기숙의 문학이야말로 그의 사람됨의 직접적 반영이 아닐까 생각한다. 만나면 만날수록 그는 요즘 세상에 드문 '진국'이라고 느껴지는 분이었다. 때로 그의 얼굴이 험상궂어 보이는 수도 있었지만, 그건 그가 용서 못할 불의와 부정에 화를 내고 있다는 뜻일 뿐이었다. 하지만 마음 맞는 사람들과 즐겁게 농담을 주고받을 때의 그의 얼굴은 하회탈처럼 온통 웃음으로 덮인다. 이런 웃음은 경쟁과 타산이 지배하는 자본주의 사회에서는 원천적으로 존재하기 어려운 것이다. 왜냐하면 경쟁사회에서는 누구나 타인과의 사회적 관계에 따라 표정과 웃음을 적절하게 관리해야 하기 때문이다. 그런데 하회탈 같은 데서 우리가 보는 것은 그런 계산된 표정이 아니다. 그것은 봉건적 억압과 질곡에도 굴하지 않고 거리낌 없이 대들며 웃음을 터뜨릴 수 있었던 농민적 낙천성의 자기발현과도 같은 것인데, 송기숙의 얼굴에 나타나는 해학과 낙천성은 잠재된 형태로 전승되던 바로 그 민중정서의 자연발생적 표출인 것이다. 단편 「불패자」가 발표된 잡지 『문학사상』 1976년 9월호에서 이문구는 송기숙을 평하여 "나라에 천연기념물 보호법은 있으면서 왜 이런 천연인간 보호법은 없는지, 다시 생각게 해주는 사람이다"라고 말한 바 있거니와, 이문구의 '천연인간'이 가리키는 것도 송기숙의 이런 천의무봉일 것이다.

송기숙의 소설에 등장하는 주요 인물들은 대체로 작가의 혈연적 동지들이다. 가령, 「도깨비 잔치」 주인공의 시선에 비친 할아버지는 이렇게 묘사된다. "할아버지는 평소에는 더없이 인자하신 분이었지만, 비위에 한번 거슬렸다 하면 타협이나 양보가 없었다. 커엄하고 돌아앉아버리면 그것으로 그만이었다. 거기서 더 뭐라고 주접을 떨면 그때는 입에서 말이 아니라 불이 쏟아졌다." 이런 강인하고 비타협적인 인간형은 장편 『자랏골의 비가』에 등장하는 용골영감과 곰영감을 비롯하여 「가남약전」 「만복이」 「불패자」 「추적」 등 작품의 주인공들에 모두 일맥상통하는 공통성으로 제시되고 있다. 그들은 평소에는 말이 없고 세상사에 둔감한 듯이 보이지만, 비위에 안 맞고 사리에 어긋난다 싶은 일이 닥치면 물불 가리지 않고 나서서 나름의 원칙을 완강하게 밀고나간다. 그렇게 하는 것이 설사 개인적 불이익을 초래한다 하더라도 그것이 그들의 고집을 꺾을 수는 없다.

여기서 우리가 주목할 것은 그들이 높은 교육을 받았다거나 많은 재산을 가진 인물들이 아니라는 점이다. 즉 그들의 행동은 그 어떤 관념이나 이론의 산물이 아닌 것이다. 그들은 대체로 육신을 움직여 노동으로 먹고사는 존재들이며, 그들의 행동도 인간 본연의 심성에서 우러난 자연발생적 표현이라고 여겨지는 것이다. 물론 인간 심성의 본래적 바탕에 대한 관념적 예찬 자체에 머물렀다면 그것은 단순한 이상주의거나 추상적 인성예찬론일 수 있다. 그러나 송기숙 문학의 진정으로 뛰어난 점은 그가 인간 심성의 원초적 바탕에 대해 단지 낙관과 신뢰를 가지는 데 그치는 것이 아니라 그것이 어떻게 실제의 역사적 상황 속에서 당면한 사회적 조건들과 부딪치면서 구체화되어왔는가를 끊임없이 소설적으로 묻고 있다는 사실이다. 다른 말로 부연하면 송기숙 소설의 인물들은 전통적 농촌공동체 안에서 힘겹게 생존을 이어온 전형적으로 구시대적인 인간들이기는 하지만, 그들의 삶이 뿌리내리고 있는 민중적 전통과 그들 인간성 간의 불가피한 밀착에 근거하여 근현대의 엄혹한 역사를 거치는 동안 일본제국주의의 침략과 그뒤를 이은 동족간의 전쟁 및 군사독재의 폭력에 대한 저항의 주력부대 또는 지원의 후방세력으로 나서지 않을 수 없는 존재들이었다고 할 수 있다. 1978년 6월의 '교육지표 사건'과 1980년 5월의 저 광주항쟁에서 보여준 송기숙 자신의 치열한 삶 자체가 그러했듯이, 『자랏골의 비가』 『암태도』 『녹두장군』 『은내골 기행』 등으로 이어지는 장편소설은 물론이고 그의 주요 중단편들도 위에서 서술한 것과 같은 민중적 내지 농민적 인간상이 불의와 억압 속에서 겪는 좌절과 고통의 기록이자 권력과 금력에 맞선 저항과 투쟁의 역사인 것이다. 이런 점에서 그의 문학은 일제강점기부터 분단과 전쟁을 거쳐 민주화투쟁의 시기에 이르는 한국 근현대문학사에 있어 가장 빛나는 성취에 해당한다고 말하지 않을 수 없다.

3

송기숙이 소설창작에 몰두하던 시기, 즉 1970~90년대도 어느덧 20여년의 세월이 흘러 이제 젊은 독자들 중에는 그의 이름을 기억하지 못하는 사람도 적지 않을 것이고, 설사 그의 소설책을 잡는다 하더라도 많은 독자들은 거기에서 '시대를 관통하는' 살아 있는 문제의식을 발견하기보다 시대에 뒤처진 '감각적 낙후'만을 느낄 가능성도 있다. 그런데 이런 점을 다만 시대가 변했다는 사실로만 설명하는 것은 일면적이다. 가령, 그가 1964년에 석사학위논문의 주제로 다루었던 이상(李箱)의 문장이나 이상의 동시대 작가 박태원(朴泰遠)의 소설은 감각의 세련성 측면에서 지금도 결코 낡았다고 할 수 없기 때문이다. 문학에서 정치적 올바름의 추구가 때때로 미학적 완성도의 부실이라는 결과로 이어지는 수가 많은 것, 요컨대 한 예술가의 내부세계에서 발생하는 정치와 미학의 괴리를 어떻게 설명할 것인가.

최근 나는 이 글을 쓰기 위해 송기숙의 첫 소설집 『백의민족』(형설출판사 1972)을 서가에서 꺼내들었다. 그러자 뜻밖에도 책갈피에서 딱 엽서만 한 크기의 종이 한장이 떨어졌다. 그것은 저자가 기증본을 보내면서 책에 끼워넣은 인사장이었다. 앞뒤의 형식적 인사말을 자르고 몸통을 그대로 옮기면 다음과 같다.

> 여태 발표했던 단편을 모았기에 새해 인사를 곁들여 보내오니 하감(下鑑)하시고 지도편달 바랍니다. 더러 구성이 허술하고 문장이 뜨는 외(外)에 여러 면으로 자괴불금(自愧不禁)이오나 제재를 고루 손대본 것만은 공부였다면 공부였다고 할 수 있어 어렴풋이나마 물정이 잡히는 것도 같고 방향을 잡아설 수도 있을 듯하여 후일을 약속하오니 배전의 격려를 바랍니다.

요컨대 이 단편들의 구성과 문장에 모자람이 많지만 작품을 쓰는 동안 창작의 방향을 잡았으니 앞으로 주목해달라는 것이다. 아주 솔직한 편지인데, 실제로 송기숙의 초기소설은 작가가 인사장에서 자인한 대로, 그리고 이 인사장의 문장 자체가 실증하는 대로 인물과 사건을 전달하는 서사의 구조가 어설프고 디테일을 연결하는 감성적 짜임새가 거칠다. 배경이 주로 구시대의 농촌이므로 등장인물들의 감정이 섬세하지 않은 건 당연하지만, 그것의 소설적 처리 즉 작가의 솜씨는 더 주도면밀해야 하는 것 아닌가. 그런데 송기숙 초기소설에서는 묘사의 대상과 묘사의 주체가 충분히 분리되어 있지 않다고 여겨지는 것이다.

그러나 이러한 기술적 결함이 그의 문학을 평가함에 있어 무시해도 좋은 약점은 아니지만 근본적 한계일 수도 없다고 나는 생각한다. 도리어 오늘의 독자들이 송기숙처럼 낡아 보이는 소설세계에 더 적극적으로 다가섬으로써 현재 통용되는 당대문학의 역사적 위상에 대한 더 깊은 성찰의 원근법을 얻을 수 있다고 믿어지는 것이다. 문학사를 살펴보면 송기숙의 경우와 반대로 미학적으로 세련된 외관의 작품 속에 반동적·퇴폐적 세계관이 은밀하게 또는 공공연하게 내장되어 있을 수도 있다. 지난날의 일부 친일문학이나 어용작품이 대표적인 사례가 될 것이다. 예술가의 정치적 입장과 그의 창작적 결과 사이에 있는 이와 같은 모순의 양상들을 생각해보면 예술작품은 작가의 사상의 단순한 기계적 반영물이 아니고 작가와 사회의 복잡한 변증법적 연관으로부터 태어난 그 자체 하나의 역사적 생성물임을 깨달을 수 있다. 따라서 송기숙과 같은 진지한 작가의 경우 표면적으로 드러나는 일부 미학적 불완전은 1960~90년대 한국 농촌사회 자체의 낙후성의 불가피한 증거로서, 그리고 그러한 낙후성과의 힘겨운 투쟁의 문학적 잔재로서 적극적 의의를 인정하게 된다.

차례

개는 왜 짖는가

1

“저 아래 민 영감이 다녀가셨어요.”

낮잠을 자고 일어난 박영하(朴永夏) 기자는 잠이 덜 깬 얼굴로 아내를 보며 눈을 씀벅였다.

“저 유자나무 가져왔던 민 영감 말이오? 무슨 일로?”

영하는 정신이 화닥 들었다.

“주무신다니까 그냥 가셨어요. 무슨 일이 있었나요?”

“아, 아니.”

아내는 영하가 당황하는 표정을 잠시 보고 있다가 더 채근하지 않고 부엌으로 나갔다.

영하는 어제저녁 기억을 더듬어봤다. 술에 취해 늦게 들어오다가 영감들 틈에 끼여 잠시 노닥거렸던 기억이 떠올랐다. 술에 많이 취하기는 했었으나 무슨 실수를 한 것 같지는 않았다. 영하는 술에 심하게 취하면 위아래 없이 마구 시비를 걸고 덤벼드는 버릇이 있는 터라 민 영감이 다녀갔다는 말에 처음에는 찔끔했지만, 어제저녁 영감들 앞에서는 몇마디 주접을 떨다 곱게 물러난 것 같았다. 요사이는 술에 조금만 취했다 하면 그때의 기억이 씻은 듯이 달아나버리는 경우가 많았지만, 어제저녁 영감들 만났던 기억만은 대강 남아 있었다. 다시 기억을 되새겨봐도 영감들에게 무슨 실례가 될 만한 주사를 떤 것 같지는 않았다. 실수라면 술에 취해 영감들 틈에 끼여 앉았다는 바로 그게 실수였다. 영하는 그동안 골목 어귀에 몰려 있는 영감들을 가까이하지 않으려고 이만저만 신경을 써온 게 아니었기 때문이다.

영하가 본디 노인들을 특별하게 싫어하는 성미는 아니었다. 젊은 사람치고 노인들을 좋아한다고 할 사람이 있을까마는, 영하는 노인들에게 비교적 고분고분한 편이었다. 명절이나 집안 대사 같은 때 고향에라도 내려가면 일가 노인들한테 줄곧 붙잡혀 말 푸접을 해주었다. 시국 이야기에서 도시의 땅값이며, 집안 아이들 신상 문제에 이르기까지 미주알고주알 파고드는 고리타분한 말에 조금도 싫어하는 내색을 하지 않고 하나하나 모두 대꾸를 해주었다. 집안에서 영하 평판이 좋은 것도 노인들에 대한 이러한 태도 때문이었다.

그런데 이 아래 골목 어귀에 모여 있는 이 동네 노인들은 유별난

분들이라 영하는 그들을 싫어한다기보다 두려움을 느끼고 있었다.

이 동네는, 옛날에는 시가지에서 한참 떨어진 변두리 마을이었으나 도시가 팽창하자 저절로 시가지에 편입된 곳이었다. 이 영감들이 몰려 있는 골목 어귀는 옛날에 공동우물이 있던 곳이어서 지금도 통새암거리라 부르는데, 언덕배기에 붙어 있는 이 동네는 골목들이 모두 이 통새암거리에서 부챗살처럼 퍼져 나가 있었다. 그러니까, 부채의 사북 짬에 우물이 있고, 그 우물을 중심으로 동네가 형성된 것 같았다. 이 우물은 물맛이 좋고 수원이 깊기로 이 근동에서 소문이 났던 모양인데, 수도에 밀려 우물이 메워지자 그 자리는 그대로 공유지가 된 것 같았다. 평수도 그렇거니와 땅이 생긴 것도 달리는 쓸모가 없는 자투리여서 시청에서도 모르는 체 묵인을 했던지, 이 동네 노인들이 여기다가 블록으로 집을 지어, 한쪽은 상점으로 세를 내놓고 한쪽에는 큼직하게 방을 들여 노인당 비슷하게 쓰고 있었다. 여기에는 이 상점을 포함해서 상점 네댓개와 복덕방이 서너개 몰려 있어, 여기는 여러가지 의미에서 시쳇말로 이 동네 센터였다.

영하는 여기에다 집을 흥정할 때부터 이 노인들이 좀 별나다 싶었는데, 이리 이사 온 며칠 뒤 아내가 어디서 주워듣고 온, 이 노인들에 대한 이야기에 실없이 가슴이 철렁했다. 이 노인들은 이 동네에 못된 녀석이 있으면 어떻게든 혼쭐을 내어 버릇을 고쳐놓고 만다는 것이다. 작년에는 세무서 무슨 과장이 이 노인들의 눈 밖에 났다가 학질을 뗐고, 경찰서 형사 한사람도 이 노인들한테 잘못 보였다가 고두백배 사죄를 하고서야 무사했다는 것이다.

“그들이 무슨 잘못이 있었길래 그랬다는 거요?”

“세무서 과장은 집을 사면서 세금 일부를 전매자(轉賣者)에게 떠넘기려다 그랬고……”

“그 영감들은 복덕방도 아닌데?”

“그러게 재미있는 영감들이지요.”

“형사는?”

“이 동네 어떤 사람이 한동네 산다고 그이한테 무슨 부탁을 했던 모양인데, 그 일로 되레 공갈을 쳐서 돈을 울궈먹었더래요. 이 영감들이 들고일어나자 돈은 도로 게워냈는데, 그 감정으로 뻣뻣하게 고개를 쳐들고 다니다가 임자를 만난 거예요. 이 노인들이 아침저녁으로 골목에 지켜 섰다가 그 형사가 지나갈 때마다 코가 땅에 닿게 절을 하며 ‘밤새 안녕하셨습니까, 형사 나리’ ‘안녕히 다녀오십니까, 형사 나리’ 이랬다지 않아요. 그렇지만, 그 형사도 보통내기가 아니었던지 처음 한두번은 본 척도 않고 지나다녔던 모양인데, 날마다 그렇게 극성을 피우자 하는 수 없이 손이 발이 되게 빌고서야 용서를 받았다지 뭐예요.”

아내는 우스워 죽겠다는 듯 호들갑을 떨었다. 그러나 영하는 굳었던 얼굴이 더 굳어졌다. 아내는 자기 남편같이 인사깔 밝고 더구나 노인들한테 고분고분한 사람은 그 과장이나 형사 같은 꼴을 당할 리가 없다고 생각하는 모양이었다. 사실, 영하는 예사 인간관계로는 남하고 아직 크게 시비가 붙었던 일이 없으므로 그런 일로야 영감들한테 잘못 보일 까닭이 없겠지만, 그러면서도 실없이 무슨 큰 죄나 짓고 있는 것처럼 아뜩한 느낌이었다.

영하는 요사이 무얼 꼬치꼬치 따지는 사람은 무작정 싫었다. 더구나 정치가 어쩌고저쩌고하는 사람은 질색이었다. 술자리에서도 음담패설이나 낚시·분재·등산 같은 이야기가 아니고, 화제가 정치나 시국 이야기로 돌아가면 슬그머니 자리를 떠버리기가 일쑤였다. 그런 말을 듣고 있으면 마치 횟물 먹은 메기 꼴로 맥이 빠지고 말았다. 요사이는 그게 버썩 더했다. 취재를 하면서도 전같이 꼬치꼬치 따지며 파고드는 버릇이 없어졌다. 한때는 한달에 특종을 세 번이나 하여 그 기록을 아직도 깬 기자가 없지만, 요사이는 출입처에서 기삿거리가 생기면, 마치 산에 나무하러 간 게으른 머슴이 나무를 베어 대충대충 가든그려 지고 오듯, 건둥건둥 정리하여 부장 데스크에 던져버리는 것으로, 나무를 져다 부린 머슴 녀석처럼 하루 일을 끝내고 말았다.

영감들에 대한 아내 이야기를 듣고 나자 영하는 이사를 잘못 왔다고 뉘우쳤다. 영하가 처음 집을 사려고 알아보고 다닐 때는 내가 여태 찾고 다니던 데가 바로 이런 데가 아니었나 싶을 만큼, 이 동네도 마음에 들었고 동네 맨 꼭대기 짬에 있는 이 집도 마찬가지였다. 사십여평 대지에 건평 십사평의 낡은 한옥이지만, 언덕배기 꼭대기라 전망이 툭 트여 시원했고, 가린 데가 없어 화단의 나무들도 한결 싱싱하게 잎이 피어오르고 있었다.

영하는 당장 아내를 데리고 다시 왔다. 그러나 복덕방 영감을 따라 꾸불꾸불한 골목길을 올라가며, 영하는 아내 눈치 살피기에 정신이 없었다. 아내는 이제야 비로소 내 집을 마련한다는 생각에 값이 방불하다 싶으면 어디든지 좋다는 듯 여기까지 따라왔으나, 와

놓고 보니 너무 변두리라 별로 내키지 않는 눈치였다. 그렇지만 영하는 어떻게든 여기에 주저앉고 말겠다고 작정한 다음이라, 아내의 마음을 이쪽으로 돌리려고 매양 돈타령만 하며 올라갔다.

그러나 아내의 눈으로 다시 보자니 얼마 전에는 보이지 않던 것들만 보였다. 바둑판같은 도심지에 비겨 골목이 꼬불꼬불하고 가파른 것은 그렇다 치고, 집터서리의 잡초 위에 무더기무더기 개똥이 쌓여 있질 않나, 도시 명색이란 데가 고샅에 돼지 새끼들이 몰려다니질 않나, 이런 것을 보고 아내가 돌아서버리면 속수무책이었다.

왕모래가 튀어나온 블록 담장 위의 장미덩굴이며, 감나무에 더뎅이진 참새 떼며, 어쩌다가 그런 집이 지금까지 남아 있는지 비각보다 조금 큰 골기와의 낡은 맞배집 등 영하는 고향에라도 온 것같이 안온한 정취가 푸근했으나, 어려서부터 수돗물만 먹고 자란 아내가 그런 걸 정취로 느낄 것 같지도 않았다. 그러면서도 영하보다 앞장을 서서 복덕방 영감을 따라붙고 있는 아내가 기특하다 싶었다.

"골목이 이렇게 가파르고 길면 연탄 하나에 오원 한장은 웃돈을 놓아야 들어오지 않겠어요?"

개똥이나 돼지 새끼 같은 것은 안중에 없고 연탄값만 걱정하는 아내가 이때처럼 예뻐 보인 적은 없었다. 아내는 수도꼭지부터 틀어보고 부엌이며 연탄광 등을 구석구석 살폈다.

"전망 좋다. 온 시가지가 말짱 이 집 정원이구만. 저기 저 이층집 주변에 있는 집들 좀 봐요. 높은 집 밑에 깔려놓으니 영락없이 게

딱지구만. 지대가 좀 높다고는 하지만 저런 집에 비하면 이 집이 열번 낫잖아요."

"그래도 나중에 팔 때는 이렇게 높은 게 제일 큰 흠이에요."

"그러게 살 때도 싸게 사는 거지. 하여간, 팔 때는 팔 때고 아까 말한 값에 후릴 수만 있다면 나는 이 집이 젤 맘에 들어요."

제대로 흥정이 붙자 민 영감을 비롯한 동네 노인들이 모두 영하 편을 들어 거들었다. 복덕방은 본디 사는 사람 편에 서기 마련이지만, 이 영감들은 복덕방도 아니면서, 하나하나 그 집 흠집을 들춰 얀정머리 없이 집주인을 욱대기며 집값을 후렸다. 이 영감들이 나선 바람에 집값은 처음 영하가 생각했던 것보다 훨씬 밑으로 내려갔다.

"자꾸 시골 시골 해쌓더니 이제 반은 시골로 나온 셈이군요."

계약금을 치르고 나오면서 아내가 웃었다. 제법 생색을 내는 소리였다. 영하는 먼지 날리는 소리로 풀썩 웃었다. 영하가 시골 시골 했던 것은 신문기자 직업을 바꿔야겠다는 얘기였으니 아내의 말은 번지수가 한참 틀린 소리였지만, 그래도 이런 식으로나마 기분을 맞춰준 아내가 기특하다는 생각이 들기도 했다. 영하는 무엇보다 이만큼이라도 도시에서 벗어나버린다는 게 새삼스레 숨통이라도 터진 것 같은 해방감을 느꼈다.

영하가 처음 시골을 입 밖에 냈던 것은 지난해 봄부터였다. 요사이 어느 집에나 그러듯 영하의 전세방에도 구독신청을 하지 않은 신문이 두가지나 억지로 배달되고 있었다. 아내는 넣지 말라고 심하게 닦달을 했지만 막무가내였다.

영하가 세 들어 살고 있는 방은 담 너머가 바로 골목길이라 배달아이는 담 너머로 슬쩍 신문을 던져놓고 내빼버렸다. 신문을 접어 종이비행기처럼 날리는 모양인데, 그게 창에 턱 맞고 마룻바닥이나 그 밑에 사푼 떨어졌다. 그 소리만 나면 아내는 부리나케 쫓아나갔다. 그렇지만 대문을 열고 나갔을 때는 저만큼 내뺀 뒤였다. 아내는 달아나는 배달아이 등에다 대고 고래고래 악을 썼지만, 다음날이면 똑같은 꼴로 신문이 날아와 창을 때렸다.

"모두가 판에 박은 듯이 똑같은 신문을 무엇 하러 세가지나 보냔 말이야. 고양이도 낯짝이 있더라고 좀 염치가 있어야지. 한번만 더 넣었다가는 가만두지 않을 테야."

어떻게 붙잡았는지 아내가 배달아이를 잡아 닦달하는 소리였다. 영하는 혼자 이불 속에서 비실 웃었다. 그것은 바로 신문기자인 자기한테 하는 소리로 들렸기 때문이다. 간접적이나마 아내한테서까지 그런 소리를 들으니 절로 웃음이 나왔다.

"그냥 놔두고 신문대만 내지 말아요."

"저 애들이 얼마나 뻔뻔스런 애들이라고 그렇게 쉽게 되는 줄 아세요? 이달 치만 줄 테니 더 넣지 말라고 신문대를 주며 달래보기도 하고, 신문을 모아놨다 돌려주기도 했지만, 견뎌낼 재간이 없다고요. 아무리 꺽진 거지도 저 애들 같진 않을 거예요. 구걸을 해도 유분수지, 벌써 여섯달째라고요."

"그 구걸하는 돈으로 우리도 월급을 타먹고 있으니 너무 구박 말아요."

"하지만, 아무 필요도 없는 신문을 세가지나 보잔 말인가요?"

아내는 이만저만 속이 상한 게 아닌 모양이었다.

그뒤부터 신문이 날아들어 창에 맞고 떨어지는 소리를 들으면, 영하는 그 신문이 자기 가슴에라도 떨어지는 듯 가슴이 철렁했다. 그때마다 또 아내가 쫓아 나갈까 겁이 났다. 제발 쫓아 나가지 말았으면 하고, 영하는 그 배달아이보다 더 조마조마하게 가슴을 조였다.

하루는 무슨 일로 일찍 집을 나가다가 바로 대문 앞에서 그 배달아이와 부딪치고 말았다. 신문을 접어 비행기를 날리려는 순간이었다.

"야!"

배달아이는 힐끔 돌아보더니 후닥닥 도망쳤다. 마치 무얼 훔치다가 들킨 꼴이었다. 진창까지 밟으며 정신없이 뛰었다. 운동화 한짝이 벗겨져 공중으로 튕겨 올라갔다. 신을 집더니 제대로 신지도 않고 손에 들고 뛰었다. 골목을 거의 빠져나가서야 이쪽을 돌아보며 신을 신었다. 누구한테 붙잡혀 뺨이라도 얻어맞은 적이 있지 않았을까 싶었다.

그 며칠 뒤 성탄절 아침이었다. 전날 저녁에 술이 많이 취했으나 다섯살짜리 아들 녀석이 고장난 장난감을 고쳐달라고 극성을 피우는 바람에 일찍 눈이 뜨였다. 외할머니며 이모들한테서 받은 크리스마스 선물이었다.

그때 골목에서 '××일보요' 하는 소리가 났다. 영하 집에서 제대로 구독을 하고 있는, 영하 회사의 경쟁지였다. 그 억지 신문은 아직 날아들지 않고 있었다. 언제나 그 신문이 먼저 날아드는데 오늘은 좀 늦는 모양이었다.

순간, 지난번 흙탕에서 튕겨 오르던 그 배달아이의 신발이 머리를 스쳤다. 영하는 거의 반사적으로 일어나 포켓을 뒤졌다. 오천원짜리가 나왔다. 천원짜리를 찾았으나 없었다. 그대로 손에 쥐고 대문간으로 나갔다. 신문대하고는 상관없이 운동화나 한켤레 사 신으라고 할 참이었다. 골목에는 눈이 허옇게 쌓여 있었다. 저쪽에서 배달아이가 달려오고 있었다. 달려오던 아이가 영하를 보더니 우뚝 멈춰 섰다. 대번에 주눅이 들어 조그맣게 오그라들었다.

"이제 안 넣을게요."

잔뜩 겁먹은 눈으로 영하를 보며 애원하듯 했다. 골목을 뛰어다녀 얼굴이 벌겋게 익어 있었고, 더운 김을 내뿜는 코끝에는 방울방울 땀방울이 돋아 있었다.

"그게 아냐."

"이제 정말 안 넣는다니까요."

소년은 금방 영하가 덜미라도 낚아채지 않을까, 저쪽 담에다 등을 대고 한걸음 한걸음 빠져나가며 말했다. 눈은 공포에 질려 있었다.

"아냐, 내 말 들어봐."

영하는 돈을 보이며 말했다.

"정말 안 넣을게요."

소년은 거의 울상으로 슬금슬금 영하 앞을 지나더니 후닥닥 뛰었다. 저만큼 내빼다가 힐끔 돌아봤다. 순간, 눈길에 미끄러져 발랑 나가떨어졌다. 눈 위에 신문 뭉치가 흩어졌다. 소년은 이쪽을 힐끔거리며 뭉떵뭉떵 신문을 거머쥐었다. 다시 이쪽을 돌아보며 도망쳤다. 영하는 소년이 사라진 데를 보고 서 있었다. 넋 나간 꼴로 한참 동안 서 있다가 대문을 닫고 들어왔다.

다음 날부터 그 신문은 날아들지 않았다. 그 소년의 겁에 질린 눈만 커다랗게 남아 있었다. 그 눈이 자꾸 떠올랐다. 자리에 누울 때도 떠오르고 밥을 먹을 때도 떠올랐다. 기사를 쓸 때도 마찬가지였다.

영하는 그때부터 고향에 있는 자기 몫의 논밭이 떠올랐다. 그 얼마 뒤 음력설에 아내와 함께 고향에 다녀오면서 넌지시 시골에서 살면 어떻겠느냐고 했다. 아내는 웃으며 농담으로 받아넘겼다. 영하는 정색을 하고 말했다. 아내는 지금 그게 제정신으로 하는 소리냐는 눈으로 영하를 돌아보며 픽 웃고 말았다. 고향에 가면 언제나 그랬지만 그때는 더 푸근한 안도감이 들었던 것이다. 어디 먼 데로 나돌며 잔뜩 지쳐빠져 자기 집에라도 돌아온 기분이었다. 사실은, 영하도 말로만 그랬지 여태 몸담아오던 직장을 버리고 고향으로 내려간다는 게 빈 밥상 물리듯 쉬운 일이 아니라는 건 잘 알고 있었다. 그러다가 이사를 하고 보니 이만큼이라도 도시에서 빠져나온 것 같아 한결 기분이 나았다.

이사 온 다음날 민 영감이 뜻밖의 호의를 베풀었다. 이삿짐을 정리하고 있는데, 자기 키만 한 유자나무를 한그루 들고 온 것이다. 그는 집을 흥정할 때도 그랬지만 이건 전혀 뜻밖이었다.

"개량종 속성수 유자나뭅니다. 이년 뒤면 유자가 열릴 거요. 요새 정원수란 건 말짱 왜색만 풍기는 것들이라 이런 것도 한그루 심어놓으면 화단 구색이 조금 달라질 거요."

영하는 고향집에 있는 큰 유자나무가 떠올랐다.

"정원수라면 모두 그 전진가 뭔가, 건듯하면 자르고 비틀고 몸살을 시키는데, 이건 통 손대지 말고 그냥 제 자라는 대로 놔두시오. 나무란 가지가지 휠휠 자라는 맛으로 보는 것인데, 요새 사람들은 무슨 놈의 취미가 그렇게 극성스런 취미들도 있는지, 멀쩡한 나무를 그저 틈만 있으면 싹둑싹둑 자르고, 그도 모자라 비틀고 철사로 묶질 않나, 하여간 나무 하나도 제대로 두고는 못 보더구먼."

영감은 심을 자리를 물어 손수 심은 다음, 물까지 주고 나서 전지하지 말라는 당부를 한번 더 하고 돌아갔다. 영하는 영감의 호의도 호의였지만, 나무에 대한 그의 말이 길게 여운을 남겼다. 영감 말을 듣고 보니 이삿짐에 끼여 와서 아직 제자리를 잡지 못하고 있는 소나무 분재 두그루가 갑자기 초라하게 보였다. 정원수보다 이 분재야말로 처음부터 바위틈이나 메마른 푸석돌 사이에서 제대로 자라지 못해 으등그려질 대로 으등그려진 것들을, 그중에서도 제일 험상스럽게 으등그려진 것을 골라다가 그도 모자라 가위로 자르고 철사를 감아 비틀고, 실로 묶어 휘고, 별의별 요변덕을 다 부려놓은 것이었다. 영감 말대로 가지가지 휠휠 자란 나무에 비하면 병신 중에서도 상병신 꼴이었다.

그렇지만, 따지고 보면 분재를 꼭 그렇게만 볼 수는 없었다. 사람도 머리털이 자라면 일정한 형에 맞춰 이발을 하듯, 나무도 그럴싸한 수형(樹型)이란 것이 있는 것이고, 생존조건이 동물과 다르기 때문에 병신이란 관념을 적용할 수도 없으려니와, 또 도시의 좁은 공간에서 큰 나무 풍취를 최소한으로 축소시켜 보자니까 분재란 것이 생겨났을 것이므로, 분재는 분재대로 있어야 할 이유와 그만한 볼품을 지니고 있었다.

그러나 민 영감 말은 나무를 보는 영하의 눈을 크게 바꿔놓고 말았다. 요사이 분재에 대한 일반의 열기는 대단해서 영하 신문사 친구들도 앉으면 분재 이야기였다. 한그루에 몇십만원에서 몇백만원까지 호가하는 것이 있다는 것으로, 이것은 취미 중에서도 고급 취미려니와 분재 취미의 상승 추세로 보아 투자가치도 있고, 또 제대로 안목이 생기고 길속이 트이면 노다지를 캐는 수도 있다는 것이다. 그렇다면 취미도 취미지만, 부업으로도 그럴듯하겠다 싶어 영하는 귀가 솔깃했었다.

그래 저것 두그루를 구해 오느라 이만저만 공을 들이지 않았고, 또 채목(採木)도구 일습을 장만하여 륙색을 짊어지고 친구들을 따라다니기도 했으며, 책을 사다 밤새워 읽는 등 수선을 피웠었다. 그렇지만, 정작 나서고 보니 뭐가 그렇게 쉽게 될 것 같지도 않아 요사이 와서는 좀 심드렁해 있는 참인데, 영감의 말을 듣고 보니 더 뜨악해지고 말았다.

2

영하는 세수를 하고 점심을 먹으며 이쪽에서 영감을 찾아갈 것인가, 다시 찾아오기를 기다릴 것인가 생각하고 있었다. 어젯밤 그들과 특별한 이야기를 한 것 같지는 않아, 어젯밤에 만난 것과는 상관없이 무슨 부탁을 하러 온 것 같은데, 이쪽에서 찾아가서까지 부탁을 받을 필요가 있겠는가 싶었다.

영하는 이 동네로 이사 오면서 되도록이면 이 동네 사람들과 어떤 방식으로든 무슨 관계를 갖지 말자고 마음을 다졌다. 그런데 어떻게 알려졌는지 이사 올 때 이미 영하가 기자란 것을 알고 있는 것 같아 아차 했다. 기자 신분이 알려지는 것도 마뜩찮은 일이지만, 여기만 해도 시골인데다 모두가 궁색스런 밑바닥 사람들이라, 자기 고향 사람들이 그러듯 기자라면 무슨 큰 힘이라도 있는 줄 알고 걸핏하면 이것저것 부탁해오기 십상일 것 같았다. 이웃에 산다는 정분에 묶여 한두사람 부탁을 들어주다 보면 시청이며 경찰서며 이 동네 사람들의 구질구질한 일을 도거리로 덤터기 쓸 판이었다.

요사이는 유독 싫은 게 그런 부탁이라 유자나무를 심어준 민 영감의 호의도 그렇게 달갑지 않았다. 그때는 나무에 대한 식견이나 행동거지가 여간 드레지지 않아 그런가보다 했는데, 처음 만나는 사람한테 베푼 호의로는 지나치다는 느낌이 없지 않아, 뒤를 보자고 미리 그렇게 그루를 앉힌 게 아니었나 싶기도 했다. 남의 순수한 호의를 모독한 것 같으면서도 그런 인상을 떨쳐버릴 수가 없었다. 민 영감은, 지난번 집을 살 때 보거나 아내의 말로 미루어 이것저것 동네 사람들 일에 오지랖 넓게 간여하는 것 같았기 때문이다. 그러다 보면 필경 관청 상관으로도 얽히는 일이 많을 것이라 자기를 그런 일에 끌어들이지 말라는 법도 없었다.

옛날 민완 기자로 술덤벙물덤벙 정신없이 나댈 때는 친구나 고향 사람들이 무슨 부탁을 해오면, 조금도 내색하지 않고 일을 보아 주었다. 그러나 지금은 그런 부탁이 제일 질색이었다.

통새암거리에는 노인들이 많을 때는 여남은, 적을 때는 대여섯 명이 몰려 있었는데, 항상 거기 골 박혀 있는 영감들은 민 영감을 비롯한 다섯사람이었다. 그 다섯사람들은 그렇게 보아 그런 게 아니라 예사 골목 영감들과는 너무 달랐다. 어디서 일부러 그런 사람들만 골라다가 모아놓은 것같이, 모두가 따로따로 독특한 성격이면서도 한 패거리로 그렇게 구색이 맞을 수가 없었다.

영감들은 코팅한 텐트천 차양을 방문 위에 넓게 드리우고, 항상 그 아래 평상에 몰려 앉아 바둑을 두거나 이야기를 하고 있었다. 그 가운데서 골목을 들어올 때나 나갈 때 맨 먼저 눈에 띄는 영감은, 몸집이 중학교 일학년짜리 몸피밖에 안 되는 좁쌀영감이었다. 그는 적잖이 개를 다섯마리나 거느리고 항상 같은 자리에 앉아 골목으로 드나드는 사람들을 지켜보고 있었다. 송아지만 한 독일산 셰퍼드 한마리, 영국산 포인터 두마리와 털을 곱게 손질한 스피츠가 두마리였다.

다른 영감들은 거의 바둑을 두고 있지만, 이 영감은 그런 데는 전혀 취미가 없는 듯 언제나 평상 한쪽 귀퉁이에 조그맣게 쪼그리고 앉아 골목을 지켜보고 있었다. 셰퍼드는 차양 위로 그늘을 드리우고 있는 미루나무 밑동에 매여 있는데, 어디서 군견이라도 빼돌린 것이 아닌가 싶게, 눈에 촉기가 시퍼렇고 훈련이 잘된 것 같아 범상한 눈에도 순종으로 보였다. 다른 개들은 아무렇게나 놀고 있었지만, 이 셰퍼드는 주인과 함께 그 시퍼런 눈으로 골목을 지켜보고 있었다.

이 좁쌀영감과는 도무지 딴판으로 몸집이 깍짓동같이 우람하고 시커먼 수염이 얼굴을 온통 뒤덮고 있는 털보영감이 있는가 하면, 몸집이 털보영감같이 빵빵하지는 않지만 키가 굴때장군으로 장승만큼 껑충한 영감이 있었다.

털보영감은 흑산도나 어디서 뱃사공으로 고깃배를 타다가 잠시 뭍에 올라 주막에라도 들른 것 같게, 무성한 수염 말고도 얼굴 바탕이 원체 흑갈색으로 시커메서 필경 모진 갯바람에나 씻겼어야 저러겠다 싶었다. 굴때장군은 혹시 본색이 옛날 산적이 아니었을까 싶게 장사 형으로 뼈대가 단단하고 눈꼬리가 치켜 올라갔다.

또 한 영감은 어느 시골 면사무소에서 매끄러운 재필(才筆) 하나를 밑천으로, 잘 했으면 호적계장으로나 정년을 맞았을 것 같은 골샌님이었다. 그리고 민 영감은 서당 훈장 풍으로 이들에 비하면 월등 기품이 있어 보였다. 민 영감, 좁쌀영감, 굴때장군, 털보영감, 호적계장 등 이 다섯 영감은 그중 어느 하나도 빠져서는 안 될 것같이 한 패거리로 구성지게 구색이 맞았다.

어찌 보면 이 영감들은 옛날 『삼국지』에 나오는 호걸들이 늙어 할 일이 없어지자 이렇게들 모여 있는 것이 아닐까 착각이 들 지경이었다. 일테면, 민 영감과 호적계장이 바둑을 두고 있으면 털보영감과 굴때장군은 그 곁에서 덤덤히 지켜보고 있었는데, 그건 꼭 유비와 제갈공명이 바둑을 두는 자리에 장비와 관운장이 시립하고 있는 꼴이었다. 그 곁에서 좁쌀영감은 적의 내습에 파수라도 보듯 개를 다섯마리나 거느리고 골목으로 드나드는 사람들을 지켜보고 있었다.

한번은 영하가 여섯살짜리 아들을 데리고 목욕을 가는 참인데, 스피츠가 아이에게 꼬리를 치며 달려들었다. 아이는 뒷걸음질을 치며 칭얼거렸다.

"이또오, 이또오, 이리 와, 이리!"

좁쌀영감이 스피츠를 불렀다. 그러나 개는 듣지 않았다.

"이또오, 이또오!"

좁쌀영감이 크게 소리를 쳤다. 그렇지만 스피츠는 자꾸 꼬리를 치며 달려들었다.

"괜찮다, 괜찮아. 물지 않는다."

굴때장군이 아이를 달랬다.

"인마, 저래 봬도 저 개가 일본 통감 이또오 히로부미, 우리말로는 이등박문이다. 이등박문이가 개로 환생해서 죄를 갚느라고 한국사람이라면 저렇게 아무한테나 꼬리를 치는 거여. 영광이지 뭐냐. 하하."

아이 들으라는 소리가 아니고 영하 들으라는 소리 같았다. 영하는 처음에는 개 이름을 대수롭지 않게 들었다가, 이등박문이라는 소리에 어리둥절, 좁쌀영감을 빤히 건너다봤다.

굴때장군이나 털보영감에 비하면 셰퍼드에 스피츠 꼴로 쪼그마한 좁쌀영감이, 애완견 스피츠한테 덤턱스럽게 이등박문의 이름을 붙여 쓰다듬고 있다니 어이가 없었다. 한국을 병탄한 이등박문에 대한 민족적 공분을 그렇게 표현하고 있는 영감의 해학에 공감하기보다는 그 앙증스런 오기에 두려움이 느껴졌다. 개한테 그런 이름을 붙여 지금까지 그 원한을 되씹고 있을 정도라면, 단순히 민족적 공분을 떠나 일제 때 당한 개인적 사정도 만만치 않을 것 같았다. 하지만 그 울분을 지금까지 이렇게 되새기고 있다는 것은 보통내기가 할 수 있는 일이 아니었다.

영감에 대한 이런 두려움이 한층 더해진 것은 그 이삼일 뒤였다.

"또철아, 또철아, 가만있어, 가만!"

영하는 처음에는 누구를 꾸짖는 소리인 줄 알았다. 그런데 그 또철이는 셰퍼드 이름이었다. 이 또철이도 사람 이름인 것 같았는데 이또오처럼 유명인사 이름인 것 같지는 않았다. 그러나 개한테 저런 이름을 붙인 것 보면 그 이름 임자가 이또오처럼 예사 사람은 아닌 것 같았다. 저 쪼그마한 영감 어디에 저런 악착스런 오기가 들어 있는지 영하는 어이가 없었다. 작은 고추가 맵다고 저 작은 체구가 온통 오기로 뭉쳐진 것 같았다.

자기도 저 영감한테 잘못 보였다가는, 영감이 개한테 영하라는 이름을 붙여 발길로 옆구리라도 차면서 영하야, 영하야 하고 부를지 모른다는 생각이 들었다. 그런 새퉁맞은 생각이 들자 정말 자기도 무슨 그럴 만한 잘못이라도 있는 것처럼 영감이 끔찍하게 보였다.

영하는 어떻게든 이 영감들의 관심에서 자신을 빼돌려야겠다고 생각했다. 그러자면 그들과 무슨 관계를 갖지 말 것은 물론, 그들의 눈에도 띄지 말아야 할 것 같았다. 그래서 통새암거리 말고 다른 데로 다닐 골목을 찾아봤다. 그러나 동네 골목이 생기기를 처음부터 그렇게 생겨 다른 데로는 강아지 한마리 빠져나갈 데가 없었다.

영하는 어디 꽉 갇혀버린 것같이 답답했다. 영감들을 피해 다닐 다른 방법이라면, 그 영감들이 골목에 나오기 전에 일찍이 출근하고 저녁에는 늦게 퇴근하는 길뿐이었다. 영하는 그렇게 했다. 영감들에게는 일요일이나 토요일이 없기 때문에 그런 날은 일이 생기면 별수 없었으나, 그래도 한달에 두세번을 제외하고는 그들을 용케 피해 다닐 수 있었다. 그런데 여름이 되면서부터 사정이 달라졌다. 아침에는 그런대로 괜찮았는데, 요즘 와서는 밤 열시가 넘도록 영감들이 들어가지 않았다.

영감들한테 고개 한번 까딱하고 바삐 지나쳐버리면 그만 아니냐고 할지 모르지만, 그게 그렇게 간단한 일이 아니었다. 그들의 눈에 띈 것이 빌미가 되어 요새 신문이 돼먹었느니 말았느니, 신문에 대한 불만을 영하한테 몽땅 덤터기 씌울 수도 있을 것이고, 어쩌다가 술이라도 마시고 들어오다가 혹시 인사라도 좀 부실했다가는, 기자 놈들 거만하기는 예나 제나 마찬가지라고, 가뜩이나 심심하던 입살에 도마 위의 생선 꼴이 될 것 같았다.

그런데 그동안 용케도 잘 피해 다니다가 어제저녁 그만 실수를 하고 말았다. 비록 술김이었지만 무슨 배짱으로 그랬는지 그 영감들 틈에 끼여 한참 동안 노닥거렸던 것이다. 그게 이만저만 불찰이 아니었다. 그것은 여태 그런 일이 없던 민 영감이 자기 집에 다녀갔다는 것으로도 짐작할 수 있는 일이었다. 집에 왔던 용건이 뭐가 됐든 그렇게 노닥거리며 얼렸던 것이, 집에 오는 영감의 발걸음을 수월하게 해버린 것은 분명했기 때문이다.

3

영하를 맨 먼저 발견한 것은 언제나 그렇듯 좁쌀영감이었다.

“박 기자, 어서 오겨!”

평소에는 싸늘한 냉기가 흐르던 좁쌀영감이 오늘은 웃기까지 하면서 영하를 반겼다.

“안녕들 하셨습니까? 어제저녁에는 죄송했습니다.”

영하는 좁쌀영감의 웃는 표정에 힘을 얻어 제법 의젓하게 인사를 했다.

“죄송하긴? 신문기자 술 마시는 것쯤 보통이겠지.”

민 영감이었다. 무슨 일이 있었는지 오늘은 영감들이 바둑을 두지 않고 있었다.

“박 기자를 좀 만나려고 한 것은 다른 일이 아니오. 이 동네에 아주 막돼먹은 녀석이 하나 있는데 이 녀석을 어떻게 처치했으면 좋겠는가, 박 기자하고 의논을 한번 하려는 것이오.”

민 영감이 심각한 얼굴로 말했다.

“어지간한 녀석들은 우리 늙은이들이 나서서 개유를 하거나 닦달하면 대개는 말을 듣는데, 이 녀석은 어떻게 생겨먹은 녀석인지 도무지 이빨이 안 들어갑니다. 낯바대기 빤드럽기가 꼭 그 갯가에 굴러다니는 몽돌 한가집니다.”

민 영감은 변죽만 울리고 있었다.

“어떤 사람이 그렇게 답답한 사람이 있습니까?”

영하는 이거 잘못 걸려들었구나 싶으면서도 겉으로는 웃으면서 대꾸했다.

“제 어미 아비를 마루 밑의 강아지만큼도 안 여기는 녀석입니다. 이 녀석이 가난해서 끼니 걱정을 할 정도라면 말도 안 하겠소. 부동산 투자로 일억 가까이 돈을 쥔 녀석인데, 원체 무식하기가 절간 굴뚝인데다, 처음부터 돼먹기를 아주 막돼먹은 작잡니다. 자기 내외간에는 돈으로 별의별 눈꼴 시린 짓을 다 하면서도 제 어미 아비 방에는 지난해같이 추운 겨울에 불 하나도 제대로 때주지 않았습니다. 이런 녀석을 그냥 보고만 있어야 쓰겠소?”

“아무리 눈먼 돈이라지만 그런 녀석 손에도 그렇게 굴러들어가는 것을 보면 세상 이치란 건 알다가도 모르겠어.”

털보영감이 혼잣소리로 이죽거렸다.

“같은 늙은이들 처지에서 이 녀석을 더 두고 볼 수가 없습니다. 지금 단단히 잡도리를 한다고 하고는 있소마는, 우리 힘만 가지고는 안 되겠으니 박 기자가 한몫 거들어야겠소.”

“제가요?”

영하는 아차 하면서도 멋쩍게 웃었다.

“저 작자 소행을 신문에 한번 내주시요.”

영감들이 모두 영하를 봤다. 의논을 한다고 하더니 이건 숫제 명령이었다.

“글쎄요. 그 부모들한테 어떻게 하는지 모르지만, 그런 사적인 일을 함부로 신문에 내기는……”

영하는 시르죽은 소리로 조심스럽게 말했다.

“사적인 일이요? 아니, 신문이란 것이 세상의 시시비비를 가려서 잘한 것은 잘한다고 내고, 못한 일은 못한다고 내는 것 아니요? 헌데 그런 불효막심한 녀석을 신문에 안 내면 뭣을 낸단 말이요?"

호적계장이었다. 따지고 나서는 것이 생긴 것 같지 않았다.

"글쎄, 그렇기는 합니다만, 불효를 해서 그 부모가 죽었다거나 하면 몰라도, 그런 일만 가지고 불효한다고 신문에 내기는 어렵습니다."

"허허, 그러니까 신문은, 아들놈이 불효를 해서 그 부모가 언제 죽나 손 개 얹고 앉아 있다가 숨이 딸각 넘어가야 입을 연다 이 말이요?"

호적계장이 거푸 다그쳤다. 영하는 신문잡지 윤리요강의 사생활 조항을 이야기한다는 게 너무 주변머리 없이 말을 하다가 꼬리를 잡히고 말았다.

그때였다. 여태 가만히 있던 셰퍼드가 벌떡 일어나며 왕왕 짖는다.

"호랑이도 제 말 하면 온다더니 마침 저기 오는구먼."

털보영감이 골목을 노려봤다. 셰퍼드는 눈에 퍼렇게 불을 켜고 무섭게 짖어대고, 스피츠도 목뒤털을 곤두세우고 앙칼지게 짖었다. 처녀처럼 수줍기만 하던 포인터도 컹컹댔다. 골목을 들어서고 있던 사내는 상판이 우거지상으로 험하게 일그러지며 셰퍼드와 좁쌀영감을 번갈아 노려봤다.

"정말 이러기요?"

사내는 좁쌀영감한테 삿대질을 하며 악을 썼다.

"누구보고 하는 애기여? 따지려면 개한테 따져!"

좁쌀영감이 버럭 악을 썼다.

개들은 더 요란스럽게 짖어댔다. 사내가 주인한테 대들자 셰퍼드는 길길이 뛰어올랐다. 셰퍼드는 목이 줄에 당겨져 앞발을 치켜들며 공중으로 뛰어올랐다. 저러다가 혹시 줄이라도 끊어지면 어쩔까, 영하는 조마조마했다. 만약, 줄이 끊어졌다 하는 날에는 한입에 갈가리 발겨버릴 서슬이었다. 개 짖는 소리에 온 동네 다른 개들도 덩달아 짖어댔다. 무슨 큰일이라도 난 줄 알고 조무래기들이 몰려나왔다.

사내는 연방 뭐라 좁쌀영감에게 퍼부어댔으나 개소리에 묻혀 알아들을 수가 없었다.

“또철아, 또철아. 가만있어, 가만!”

좁쌀영감이 손을 저으며 개를 달랬다. 개들이 좀 누그러졌다.

“개한테까지 내 이름을 붙여 날이면 날마다 또철아, 또철아, 도대체 영감, 나하고 무슨 웬수가 졌소?”

사내는 숨을 씨근덕거리며 잡아먹을 듯이 대들었다. 그러나 또 개가 짖고 나설까 싶어 말소리를 낮추느라 안간힘을 썼다.

“뭐? 또철이가 어쩐다고? 그것이 임자 혼자 이름이여? 임자는 이또철이지만, 김또철이, 박또철이, 대한민국 땅덩어리에 또철이가 수십명일 텐데, 어째서 그것이 임자 혼자 이름이냔 말이여?”

영감이 깡, 내질렀다. 개들이 또 와크르 짖고 나섰다. 사내가 뭐라고 악을 썼다. 그러나 개소리 때문에 들리지 않았다. 사내가 악을 쓰면 쓸수록 개들은 더 요란스럽게 짖어댔다. 사내의 악다구니는 개 짖는 소리 속에서 사람이 짖는 소리로밖에 들리지 않았다.

“같은 종자들끼리라 잘들 짓는다.”

털보영감이었다.

"허허, 사람 환장하겠네. 나 이제 더는 못 참아. 파출소에다 신고를 하고 말겠어."

또철이는 악을 쓰며 돌아섰다. 시뻘건 얼굴에 더운 김을 내뿜으며 휑하니 골목을 빠져나갔다.

"개한테 짖기고 파출소 가는 녀석은 살다가 저 녀석 하나 보네."

털보영감이 허허 웃었다.

"신고하면 순경이 나오겠지. 잘됐다. 꼬부랑자지 제 발등에 오줌 누더라고, 순경 앞에서 혼 한번 나봐라."

여태 말이 없던 굴때장군이었다.

"허허, 순경이 나오면 사람 또철이가 묶여 가든지 개 또철이가 묶여 가든지 둘 중에 한 또철이는 묶여 가겠구만."

호적계장이 웃었다.

"지난번에는 제 녀석도 빽 있다고 큰소리 땅땅 치더니 그 빽이 얼마나 알량한 빽인지, 데려오려면 그 빽을 한번 데려와볼 일이지, 기껏 파출소야?"

좁쌀영감이었다.

좀 만에 사내가 순경을 앞세우고 시퍼렇게 골목으로 들어섰다. 이번에는 셰퍼드가 짖지 않았다. 으르렁거릴 뿐이었다.

"개를 놓아기른다면서요?"

순경이 개들과 영감들을 번갈아 보면서 누구에게랄 것이 없이 어정쩡하게 물었다.

"지금 이 개들을 보고 하는 소리 같은데, 보시다시피 매여 있지 않소? 황소도 잡아맬 만한 쇠줄로 저렇게 단단히 매어놨는데, 어떤 시러베아들 놈이 그럽디까? 평상 밑에 포인터도 이렇게 매여 있고, 이 스피츠로 말하면 이건 처음부터 애완견이고……"

순경은 사내를 돌아봤다.

"저놈의 개가 내가 지나가기만 하면 생사람 간 떨어지게 으르렁거리며 짖어대지 뭡니까? 저 영감이 나한테 겁을 주려고 일부러 신호를 하고 있어요."

그때 셰퍼드가 사내를 보며 으르렁거렸다. 사내가 주인에게 손짓을 했기 때문이다.

"저 개가 영감이 신호를 해서 짖는다고? 그럼 어제는 저 영감이 이 자리에 없었는데도 왜 짖었나?"

털보영감이 나섰다.

"평소에 그렇게 시켜놨으니까 그렇지요."

"그 여드레 삶은 호박에 도래송곳도 안 들어갈 소리 작작해! 저 개가 임자만 보면 왜 짖는지 아직도 몰라?"

좁쌀영감이 갈마들었다.

"개는 원래 도둑놈이나 수상한 사람을 보면 짖어. 생겨날 때부터 개는 그렇게 생겨났어. 헌데, 저 개는 내가 기르면서 보아왔으니까 말이지만, 도둑놈이나 수상한 놈뿐만 아니라, 심성이 비뚤어진 놈을 봐도 짖어. 어째서 하고많은 사람들이 이 골목을 아무리 지나다녀도 가만히 있던 개가 임자만 나타나면 원수 보듯 짖고 나서겠어? 임자가 도둑놈이 아니고 달리 수상한 데가 없다는 것은 나도 알아. 그런데도 개가 짖고 나선 걸 보면 임자 심성이 어디 한군데 크게 비뚤어진 모냥이야.”

“내가 심성이 비뚤어지기는 어떻게 비뚤어졌단 말입니까?”

사내가 악을 썼다. 셰퍼드가 또 왕왕 짖고 나섰다.

“그것은 저 개한테 물어봐!”

“허허. 사람 환장하겠네.”

“그것은 개한테 물어야 할 일이로되, 개는 짖기밖에 못하는 짐승이니, 모르겠다면 내가 대신 말을 해주지.”

털보영감이 차근히 나섰다.

“마침 여기 신문기자도 왔고, 순경도 왔으니, 저 개가 왜 짖는가, 또 짖는 것이 옳은가 그른가, 여기서 노변 송사를 한번 해보자구. 젊은 순경, 기왕 나왔으니 사무가 좀 바쁘더라도 차근히 한번 얘길 들어보슈. 그러지 않아도 우리가 불러와야 할 판인데 잘 왔소.”

털보영감은 생긴 것 같지 않게 말솜씨가 매끄럽고 능청스러웠다. 신문기자라는 말에 사내와 순경은 영하를 보며 눈이 둥그레졌다.

“저 개들이 임자만 보면 짖는 것은 임자 심성이 비뚤어져도 크게 비뚤어졌기 때문이야. 그것은 임자가 부모들한테 어떻게 하고 있는지 생각해보면 알 것이여. 부모 알기를 마룻장 밑의 강아지만큼도 못 알고 있으니, 이건 심성이 뒤틀려도 바닥에서부터 홀딱 뒤집힌 거여.”

“내가 부모한테 어쩌든 당신들이 무슨 상관이요?”

“무슨 상관이냐고? 말 못하는 개도 그걸 못 봐 컹컹 짖는데, 사람 너울 뒤집어쓴 작자들이 그냥 손 개 얹고 구경만 하란 말이야? 하지만, 이 자리는 우리가 임자를 닦달하는 자리가 아니고, 개 까탈로 임자가 순경까지 불러왔으니, 저 개가 임자만 보면 왜 짖는지 그 까닭을 말하고 있는 자리야. 그래서 지금 내가 개 대신 순경에게 말을 하고 있으니 둘이 다 내 말을 국으로 들어야 할 차례야."

"젊은 놈 너무 이러지 마슈!"

"젊은 놈이고 늙은 놈이고 이치 발라 말을 하면, 삶은 개다리 뻗지르듯 하지 말고 말을 들어!"

털보영감이 퉁방울눈을 부라리며 말꼬리를 깡, 굴렸다. 덩달아 셰퍼드도 컹 짖었다.

"임자 부모들 연세가 지금 어떻게 됐나? 망팔(望八)이면 저승사자가 문 앞에서 기웃거릴 나이잖아? 우리가 직접 가서 봤으니까 말인데, 그런 늙은이 밥상이 어떻게 생겼는지 임자는 한집 식구니까 잘 알겠지? 사람이 늙으면 손발에 땀부터 밭아. 그게 어디 손발뿐이겠어? 그러게 늙은이 밥상에는 맹물에 장을 풀더라도 숟가락 적실 국 한그릇은 놓여야 목구멍으로 밥이 넘어간다 이 말이여. 돈이 아까우면 고깃국 끓여 드리라는 말이 아녀. 된장독에 숟갈 한번 푹 찔러다가 물에 풀어 끓이면 그게 된장국 아닌가? 아무리 점심때라지만, 김치 깍두기 한가지로 맨밥을 강다짐하고 있더구먼. 이게 부모를 사람 취급하는 짓인가?"

"어쩌다 한번 그런 걸 가지고 생사람 잡지 마슈."

"생사람 잡는다고? 그럼 입성으로 말을 할까? 요새같이 옷베 흔한 세상에 만원짜리 다섯장이면 바지저고리에 조끼에 두루마기까지 썼다 벗었다야. 그런데 출입복 하나 없는 것도 어쩌다가 그런 것인가? 자고로 의복은 날개라 했거늘, 난든벌이 따로 없이 입고

자는 바지저고리가 그대로 들고 나는 두루치기더구만. 여보, 젊은 순경, 이것은 따지고 보면 국가적인 문제라구. 섬유류 수출이 세계에서 몇째 간다는 나라에서 이런 일이 있다고 외국에 알려지면 나라 망신이 아니고 뭐요? 이런 사람은 나라 체통 생각해서라도 법에서 묶어다가 닦달을 해야 하잖겠소?"

"그렇게까지 남의 집 일을 간섭하시려면 영감님들이 들어서서 아주 우리 집 살림을 떠맡아 해버리지 그러슈?"

"아가리 닥치고 더 들어!"

갑자기 굴때장군이 사내의 한쪽 어깨를 잡아 흔들며 을렀다.

"저 개 눈 봐! 시퍼렇게 불을 켜고 노려보잖아? 끌러만 주면 대번에 산멱을 물겠다는 서슬이야. 그래도 우리들은 사람이라 고분고분 말로 하고 있는 것이여."

굴때장군은 사내를 몇번 흔들다가 홀쩍 밀어버렸다. 사내는 굴때장군이 흔드는 대로 상체가 하염없이 흔들리다가 훅 미는 바람에 하마터면 자빠지려다 가까스로 중심을 잡았다. 무서운 힘이었다. 사내는 뭐라 말을 하려다가 굴때장군 서슬에 질려 멀거니 쳐다보며 입을 다물었다.

"그뿐인 줄 아슈. 자기들은 새파란 것들이 정력이 어떻고 뭐가 어떻고, 한마리에 삼십만원 오십만원 하는 구렁이를 사다가 온 동네에 냄새 풀풀 풍기며 한달이 멀다 하고 고아 먹으면서, 제 부모 방에는 지난겨울같이 추운 겨울에 불도 제대로 안 때 사명당(四溟堂) 사첫방도 그런 냉돌은 아니겠습디다. 이런 자가 사람 너울을 쓰고 다니니 개가 짖지 않고 배기겠소?"

순경은 비실비실 웃고 있었다.

"영감님, 생사람을 잡아도 어지간히 잡으시요. 젊은것들이 구렁이를 먹다니, 그러니까 우리 여편네도 구렁이를 먹더란 말씀이요? 구렁이를 보기만 해도 기겁을 하는 사람이 그걸 먹다니 세상에 그런 억지소리가 어딨습니까? 영감님 하시는 말씀이 말짱 이런 식입니다."

사내는 어처구니없다는 듯 능글능글 웃으면서 말소리까지 한결 낮춰 반격을 했다.

"흥, 가다가 말꼬리 하나 잡았구만."

"말꼬리가 아니라 사실입니다. 모두가 그런 억지소리로 사람을 잡고 있는 게 아니고 뭡니까?"

사내가 버럭 목소리를 높였다.

"허허. 구렁이를 장복하더니만 말꼬리 잡아 구렁이처럼 친친 감고 도는 게 약발이 고루고루 잘도 풀렸구먼."

모두 웃었다.

"심성을 바로 가져. 심성을 바로 가져야 그런 약을 먹어도 약발이 제대로 풀리는 거여."

"연탄이 어떻고 하는 소리는 또 뭡니까? 그때 보일러가 고장나서 방이 좀 차기는 했지만, 연탄이 아까워서 어쩐다니 그게 말이 됩니까?"

"그러니까, 부모들 위하느라고 보일러를 고친 게 아니라, 고장난 보일러에다 연탄을 하루에 수십장씩 땠다는 소린가? 잘했구먼. 잘했어."

"허허, 사람 죽여주네."

"젊은 순경, 봤지요? 저렇게 자기 허물을 뉘우칠 줄 모르고 큰소리만 치고 있으니 개가 짖지 않고 배기겠소? 정부에서도 충효 어쩌고 했으면, 저런 작자들부터 묶어가야 할 게 아니요? 그리고 박 기자, 어떻소. 이런 사람을 신문에 안 내면 뭣을 신문에 낸단 말이요?"

털보영감이 이번에는 영하를 물고 들어갔다.

"뭐요? 신문에 내다니, 뭣을 신문에 낸단 말이요?"

사내가 털보영감 말을 채뜨리며 시퍼렇게 악을 쓰고 나섰다.

"임자 같은 사람을 신문에 안 내면 뭣을 신문에 낸단 말이여? 개는 짖으라고 있고 신문은 나팔을 불라고 있는 것인데, 개도 못 봐서 짖는 일을 신문기자가 손 개 얹고 있으란 말이여? 신문기자가 개만도 못한 줄 알아?"

여태 말이 없던 굴때장군이 깡, 내질렀다. 민 영감은 배실배실 웃고만 있었다.

"영감들이 괜히 나를 못 잡아먹어서 환장이지 내가 어째서 신문에 난단 말이요?"

사내는 신문 이야기가 나오자 제정신이 아니었다.

"두고 봐. 신문에 나는가 안 나는가 두고 보라구."

"잡것, 어떤 놈이든지 신문에만 내봐라. 그때는 저 죽고 나 죽고 정말 사생결단을 하고 말 것이다."

작자는 이를 악물며 들떼놓고 을러멨다. 영하는 소한테 물린 것처럼 헤프게 웃고만 있었다.

"신문기자가 그렇게 만만한 줄 아나?"

"만만 안 하면 신문기자 배때기에는 철판 깐 줄 아슈?"

"허허, 잘 논다."

"생사람을 못 잡아먹어 환장을 하더니 나중에는 신문기자까지 끌어다 대는구만."

"환장? 그게 어디다 대고 하는 말버릇이야?"

좁쌀영감이 소리를 질렀다.

"그럼 환장이 아니고 뭡니까?"

사내가 좁쌀영감한테 삿대질을 하며 악을 썼다. 순간 왕왕, 셰퍼드가 짖었다. 스피츠와 포인터도 덩달아 짖고 나섰다.

"또철아, 또철아, 가만있어, 가만!"

개들이 다시 누그러졌다.

"방금은 저 개들이 왜 짖은 줄 알아? 제 주인한테 대드니까 짖었어. 개는 까닭 없이는 안 짖어. 사람 못된 것들은 할 소리 안 할 소리 자발없이 씨부렁대지만, 개는 짖을 놈만 봐서 꼭 짖을 때만 짖어. 저 시퍼런 눈 봐. 저 눈으로 사람 못 보는 데까지 훤히 꿰뚫어 보고 꼭 짖을 놈만 찾아 짖는단 말이야."

털보영감이 능청을 떨었다.

"뭐가 어쩌고 어째요? 저 영감이 시키니까 짖지 개가 뭣을 알아 짖는단 말이요. 저 개한테 붙인 또철이란 이름이 뉘 이름이요. 개한테 멀쩡한 사람 이름을 가져다 붙인 것부터가 속내가 환한데, 시키지도 않는데 제사날로 짖는단 말이요?"

사내는 이를 앙다물며 좁쌀영감을 노려봤다. 작자는 이만저만 끈질긴 성미가 아니었다. 이쯤 했으면 진력이 날 법도 한데 기어코 물고 늘어졌다.

"또철이가 뉘 이름이냐 이 말인가? 아까도 말했듯이 그것은 임자 이름인 것 같기도 하지만 저 개 이름이기도 해. 임자가 또철이란 이름을 지을 때 누구한테 허락 맡고 지었나? 나도 내 맘대로 지었는데, 어째서 시비야? 또철이란 이름은 임자 혼자 이름이라고 전세 내서 등기라도 해두었어?"

좁쌀영감이 차근하게 따졌다.

"일부러 내 이름을 개한테 붙인 것이 아니고 뭐요?"

"저 사람이 남의 말 들을 귀에 말뚝을 박았나? 대한민국에 또철이가 임자 혼자뿐이 아닌데 어째서 그게 임자 혼자 이름이란 말이야?"

영감이 삿대질을 하자 또 셰퍼드가 컹 짖었다. 영감 말이 옳다는 소리 같았다.

"이 골목에 사는 또철이는 나 하나뿐이니, 나 들으라고 지은 이름이 아니고 뭡니까? 바둑이·도크·쫑·검둥이, 세상에 쌔고 쌘 개 이름 놔두고, 아무런들 개한테 사람 이름을 붙여 허구한 날 또철아, 또철아, 도대체 이런 법도 있습니까?"

사내는 순경을 돌아보며 입에 거품을 물었다. 그가 소리를 지르자 또 개가 으르렁거렸다.

"개한테 그런 이름 붙이면 안 된다는 무슨 법조문이라도 있단 말이야? 있으면 가져와봐. 이놈은 일본 통감 이또오, 이놈은 인규, 이놈은 아민, 이놈은 또철이, 또 이놈은 뭔 줄 아나? 모를 게야. 아직 안 짓고 아껴뒀어."

영감은 하나하나 가리키며 개 이름을 말했다. 인규는 4·19 때 최

인규겠고, 아민은 시위하는 군중들을 수천명 쏘아 죽인 아프리카 우간다 독재자 이디 아민 같았다.

"이런 것뿐이라면 말도 않겠소. 중이 절 보기 싫으면 떠나더라고 이 골목에서 이사를 가버리려고 집을 내놔도, 이 영감들이 집을 꽉 누르고 있기 때문에 반년이 넘도록 집이 안 팔려요. 이것은 법에 안 걸리는 일입니까?"

사내는 순경과 영하를 번갈아 보며 호소하듯 말했다.

"그 집 얘긴가? 그것 절대로 안 팔릴 거로구만."

여태 말이 없던 민 영감이 나섰다.

"우리가 작당을 해서 누르고 있어 안 팔리는 것이 아니고, 저절로 안 팔리는 거여. 우리가 복덕방은 아니지만, 이 골목에서 집 팔고 사는 것을 오래 지켜보았으니 말인데, 낱낱 보면 이런 집 하나 팔리는 것도 심성을 곱게 지니는 사람이라야 쉽게 팔리더만. 더구나, 요새 같은 불경기에는 두말할 것도 없지. 코 째기 내기를 해도 일이년 안에는 안 팔릴걸."

"아무렴. 절대로 팔릴 까닭이 없지. 일이년 안에 그 집이 팔리면 내 코도 팍 째고 말겠어."

굴때장군이었다. 손가락을 위로 세워 코를 팍 쑤시는 시늉까지 했다.

"저 보시오. 내가 모르는 줄 아시오. 이 영감들이 이 골목 복덕방들뿐만 아니라, 다른 데 복덕방들한테까지 말짱 공갈을 쳐서 소개를 못하게 누르고 있어요. 저기 저 복덕방 영감들한테 물어보시오. 내 말이 거짓말인가."

순경과 영하를 번갈아 보며 복덕방 쪽을 가리켰다. 그러자, 곁에 앉아 있던 복덕방 영감이 작자를 할기시 노려봤다.

"지금 우물귀신 생사람 끌어들이듯 누굴 끌어들이자는 거야? 공갈을 치기는 누가 누구한테 공갈을 쳐서 집을 누르고 자시고 한단 말이야?"

복덕방 영감도 만만찮았다.

"다 한통속인 줄 알아요."

"어디서 털 뜯기고 어디다 언걸인지 모르겠네."

복덕방 영감이 할기시 노려봤다.

"여보, 순경!"

그때 굴때장군이 나섰다.

"이제 대강 사정을 들어봤으니, 사람 또철이가 잘못이면 사람 또철이를 묶어가고, 개 또철이가 잘못이면 개 또철이를 묶어가고, 양단간에 한 또철이는 묶어가시오."

"사람이고 개고 아무렇게나 묶어간답니까? 이런 노변 송사는 골목 사람들끼리나 하시고 다음부터는 이런 데다 바쁜 사람 불러내지 마슈."

순경은 웃으며 돌아섰다. 순간, 셰퍼드가 골목을 향해 왕왕 짖고 나섰다. 순경이 멈칫했다. 삼십대의 사내가 생글거리며 들어서고 있었다.

"또철아, 인마, 나하고 잘 좀 사귀어보자."

사내는 간사스럽게 손을 흔들며 온몸을 꼬아 개한테 아양을 떨었다.

"저것 보시오. 저 사람은 또 누군지 아시지요? 골목으로 그 많은 사람들이 들락거려도 가만히 있던 개가 왜 이런 작자들만 나타나면 짖겠소?"

털보영감이었다. 순경은 허허 웃으며 골목을 빠져나갔다.

"영감님들 왜 또 이러십니까? 그렇지 않아도 오늘은 기분 좋은 김에 영감님들께 술 한잔 사려는 참입니다. 취직이 됐어요."

사내는 몸을 비비 꼬며 능갈을 쳤다.

"어디서 만만한 촌놈이라도 하나 걸려들었다는 얘긴가?"

굴때장군이 툭 쏘았다.

"젊은 놈 너무 괄시하지 마십시오."

"괄시고 깻묵이고 그놈의 취직은 어떻게 생긴 취직인데, 입만 벌어지면 취직이야?"

"정말입니다, 오늘은."

"어디다 했나?"

"토건회사요."

"토건회사? 회사 이름이 뭐야?"

"뭘 또 거기까지 아시려고 그러십니까?"

"예끼, 이 못된 작자. 서발도 못 가서 꼬리가 밟힐 거짓부렁이를 어디다 대고 씨불이고 있어? 전과 오범도 부족해서 이번에는 우리한테 일범 더하자고 초를 잡는 겐가? 사기해 처먹을 데가 없어서 이 쭈그렁 늙은이들을 골라잡은 게야?"

"아따, 너무 이러지 마십시요."

사내는 유들유들 웃으며 골목으로 사라져버렸다. 어느새 또철이도 안갯속으로 소 나가듯 사라지고 말았다.

"박 기자, 봤지요? 우리가 오죽했으면 개한테 작자 이름을 붙였겠소? 헌데, 보시다시피 우리 힘으로는 도무지 이빨이 안 들어갑니다. 그래도 아까 신문기자라니까 겁을 먹지 않던가요? 이제 신문에 내는 것 말고는 방법이 없습니다."

민 영감이었다.

"그렇지만 신문은 신문대로 사건을 취급하는 규칙이 있습니다. 신문잡지 윤리요강에 사생활을 침범하는 기사는 못 쓰게 되어 있습니다."

"허허. 윤리 한번 맹랑한 윤리도 있구려. 효도는 만가지 윤리의 근본인데, 불효한 놈 신문에 못 내게 하는 윤리도 있단 말이오?"

호적계장이 말을 채고 나섰다.

"글쎄, 그렇기는 합니다마는, 뭣이냐, 말하자면……"

영하는 잔뜩 주눅이 들어 고추 먹은 소리로 허텅지거리만 하고 있었다.

"지금 정부에서도 충효를 으뜸으로 내세우고 있지만, 그중에서도 효도라 하는 것은……"

"자꾸 효도, 효도, 그런 케케묵은 소리 좀 작작 하시오. 더구나, 요새 같은 세상에 효도가 만가지 윤리의 근본이라니, 그런 답답한 소리를 하니까 말발이 안 서요."

갑자기 민 영감이 호적계장을 몰아세웠다.

"가만있자, 효도가 케케묵은 소리라니요?"

호적계장은 지금 무슨 소리를 하고 있느냐는 눈으로 민 영감을 멀뚱하게 건너다봤다.

"초등학교나 중학교 담벼락에도 가는 데마다 대문짝만하게 '나라에 충성 부모에 효도'라고, 안 써 붙인 데가 없는데, 그게 케케묵은 소리라니, 나는 무슨 말씀인지 모르겠습니다. 우리가 아까 또철이 그 작자를 닦달한 것도 그 작자가 제 부모한테 불효를 했기 때문이 아닙니까?"

호적계장은 평소 민 영감한테 꿀려 지내는 사이 같았으나, 말이 사뭇 엉뚱하다보니 어리둥절한 모양이었다.

"그게 어디 불효입니까? 학대지."

"불효나 학대나 같지 않습니까?"

"어째서 같아요? 효도라는 매가리 없는 눈으로 보니까, 제 부모를 개만큼도 못 여기는 그런 짓도 기껏 불효로밖에 안 보여요."

"무슨 말씀인지 나는 당최 못 알아먹겠소."

"말하자면 길지만, 아까 그 사기꾼 녀석 보시오. 그 작자가 부모한테 효도하는 것으로 따지면 그런 효자도 드물 거요. 집에 들어갈 때마다 제 아비 소주 한병씩은 차고 들어가고, 작년만 하더라도 봄 가을로 일년에 두번씩이나 제 부모들 효도관광 시킨 녀석은 이 골목에서 그 작자뿐이었소. 하지만 그 작자가 무슨 짓을 해서 제 부모 효도관광 보낼 돈을 벌었소? 사기꾼에다 소매치기, 꼭 효도 쪽으로 말을 하자면, 남의 숱한 부모들 사기치고 소매치기해다가 제 부모한테만 효도한 녀석이 그 녀석이오."

호적계장을 비롯한 네 영감들은 뚝배기에 든 두꺼비 꼴로 멍청하게 민 영감을 건너다보고 있었다.

“옛날에는 한집에서 삼대·사대가 오물오물 몰려 살았으니까, 효도 한가지면 집안 법도뿐만 아니라 세상 법도까지 환하게 섰고, 충성 하나면 나라 질서가 반듯했지만, 지금은 달라요. 옛날에야 하루내내 만나는 사람들이 자기 가족 말고는 동네 사람들뿐이었고, 하는 일도 식구들이 손을 모아 기껏 농사일뿐이었소. 그렇지만 지금은 어떻습니까? 가족도 부부 중심으로 뿔뿔이 흩어지고, 하루에 만나는 사람만도 길거리·시내버스·시장·직장에서 수백 수천명을 만나고, 또 사람 살아가는 것도 남남끼리 수십벌로 얽혀서 온 세상이 한통으로 돌아가고 있어요. 이런 세상에서는 장사꾼들은 남을 속여먹지 말아야 하고, 버스 탈 때는 서로서로 순서를 지켜야 하며, 공무원은 친절하고 성실해야 할 것이오. 하여간, 지금 세상은 제 어미 아비나 식구들한테만 그럴 것이 아니고, 남남끼리 서로가 사람을 사람답게 보고 정직하게 사는 것이 가장 으뜸가는 일이라, 이 말이오.”

민 영감은 말을 마치며 영하를 봤다. 내 말이 틀렸느냐는 표정이었다.

“그러면 효도는 아무것도 아니란 말씀입니까?”

호적계장이 물었다.

“아무것도 아닌 것이 아니라, 아까 그런 일 속에는 효도 같은 것도 저절로 포함되어버리니까 굳이 효도만 따로 떼어 강조할 필요가 없다 이 말입니다.”

“다른 말 속에 포함되어버리다니요?”

“일테면, 사람을 사람답게 보라, 이래노면 제 부모는 물론이고 남의 부모와 세상 사람 모두가 포함되어버린다 이 말입니다. 남을 사람답게 보아 존중하고 위하는 사람이면 제 부모는 얼마나 더 위하겠소?"

"그것이 그런 것 같기는 합니다마는, 지금 정부에서도 나라에 충성 부모에 효도인데……"

호적계장은 조금 웃물이 도는 것 같은 표정이기는 했지만, 그래도 효도란 말에 미련이 남는 듯 고개를 갸웃거렸다.

"아까 그 사기꾼을 놓고 봅시다. 그럴 리야 없지만, 그 자가 가령 학교 담벼락만 쳐다보며 사는 녀석이라면, 나는 군대에 갔다 왔으니 나라에 충성을 했고 또 부모한테 나만큼 효도한 녀석이 누가 있느냐고 으스댈지 모릅니다. 헌데 학교 담벼락에다 '정의롭게 살자' 이래놨다고 합시다. 그랬다면, 그 자는 사기꾼이 아니라 사기꾼을 잡는 정의로운 사람이 됐을지 모릅니다. 제 주머니는 좀 가벼워지고 제 부모들 효도관광은 못 보내도 널리 보면 얼마나 좋은 일이겠소?"

영감들은 허허 웃었다.

"그러니까, 이런 일을 기자들한테 부탁할 때도 제 부모한테 불효를 하니 저자를 신문에 내시요, 이러면 그 불효라는 말부터가 매가리가 없는 소리라 저런 이들 귀에는 먹혀들지 않겠지만, 부모를 학대하니 신문에 내라고 해봐요. 그런 소리에는 귀가 번쩍 뜨일 겁니다. 하하, 박 기자, 내 말이 맞지요? 하여간 그 작자 그 기사나 잘 써주시요."

민 영감은 영하를 보며 말했다. 영하도 멍청하게 따라 웃었다.

4

영하는 집에 돌아와 마루에 번듯 누웠다. 도무지 얼얼하기만 한 기분이었다. 영감들한테 당한 것은 또철이란 사내가 아니고 영하 자신이었던 것 같고, 이 세상 아닌 연옥에라도 갔다 오거나 종교적인 무슨 심판대에라도 올랐다가 내려온 것 같았다.

신문에 내기만 하면 저 죽고 나 죽고 말겠다고 노려보던 또철이의 그 살기 어린 눈이 떠올랐다. 개는 짖으라고 있고, 신문은 나팔을 불라고 있는 것이 아니냐고 따지던 굴때장군의 얼굴이 떠올랐다. 좁쌀영감의 매서운 눈과 시퍼렇게 불을 켜고 있는 셰퍼드의 눈도 한꺼번에 떠올랐다. 영하는 우선 잠이나 한숨 자고 싶었다. 그만큼 피로했다. 꼭 어디 비좁은 바위틈에 낀 기분이었다.

그때 찌이 하는 매미 소리가 났다. 가까이 화단 어디서 나는 것 같았다. 영하는 고개를 들고 화단을 두리번거렸다. 영하는 자리에서 벌떡 일어났다. 화단 한쪽 오동나무에 큼직한 말매미가 한마리 붙어 울고 있었다. 도시에 매미가, 더구나 저렇게 큰 말매미가 날아와 울고 있다니 희한한 일이었다. 실은, 이 매미 소리는 아까부터 나고 있었는데, 영감들 생각에 잠겨 그 소리를 제대로 느끼지 못한 것 같았다. 도시의 소음에 단련된 귀라 저 큰 말매미 소리도 얼른 가려듣지 못한 것이 아닌가 싶었다.

매미는 오동나무에 붙어 찌이, 제 성량껏 소리를 지르고 있었다. 영하는 혹시 저놈이 날아가버리지 않을까 조마조마했다. 마치 귀한 손님이라도 맞은 기분이었다.

장미 몇그루와 향나무 한그루, 그리고 민 영감이 심어준 유자나무 외에 회양목이며 철쭉 등 잡살뱅이 정원수가 아무렇게나 심어진 화단 한쪽에는 두길쯤 되는 오동나무가 한그루 껑충하게 서 있다. 오동나무는 널찍한 잎사귀를 시원스럽게 드리우고 담 너머로 아랫집을 내다보며 한창 싱싱하게 물이 오르고 있었다.

실은, 저 오동나무는 봄에 없애버리려던 것이다. 그렇지 않아도 비좁은 화단에 멋대가리 없이 키만 큰 이런 오동나무까지 심어놨을까 싶어서였다. 그걸 파내자니 곁에 있는 나무뿌리들이 상할 것 같아 밑동을 베어버렸었다. 그런데, 며칠 있으려니까 거기서 움이 나기 시작했다. 새 움쯤이야 하고 그냥 두었더니 이게 하루가 다르게 쑥쑥 뻗어 올라갔다. 우죽우죽 자라오르는 게 신기하다 했더니 꼭 죽순 뻗어 올라가는 기세였다. 그게 봄부터 여름 사이에 무려 두길이나 자라버린 것이다. 나중에 알고 보니 오동나무는 이삼년 자란 뒤에 밑동을 잘라줘야 하며 거기서 돋아난 것이라야 제대로 자란다는 것이다. 그러니까 없애버리자고 잘라준 것이 되레 제대로 가꿔준 꼴이 되고 말았다.

부채보다 더 널찍한 잎사귀를 훨훨 드리우고 거침없이 뻗아 올라간 오동나무는 그런대로 볼품이 없지 않았다. 싱싱하기로는 오동나무에 비길 나무 찾기가 쉽지 않겠다고 감탄을 했었는데, 바로 그 싱싱한 수세(樹勢)가 매미를 불러들인 것이다. 나무란 가지가지 훨훨 자라는 맛으로 본다던 민 영감 말이 떠올랐다.

나무란 저렇게 거침없이 자라야 나무다운 생기도 생기려니와 거기에서 자연의 조화가 제대로 이루어지는 모양이고, 결국 그런 조화 속에 매미 같은 것도 저절로 날아드는 게 아닌가 싶었다. 매미 같은 곤충이 이리저리 날아다니는 것도 그런 조화에 따라 움직이는 자연의 리듬일 것이다.

비싼 나무를 사다가 잘 손질한 정원은 인위적으로 정돈된 바로 그만큼 자연의 질서와 조화에서는 어긋나 있는 것이 아니겠는가 하는 생각이 들며 매미가 붙어 있는 오동나무가 새삼 대견스럽게 여겨졌다.

저 오동나무는 통새암거리 노인들 같다는 생각이 들었다. 그 노인들은 저 오동나무처럼 거침없이 살다가 구김 없이 늙으며, 어디서나 자기 할 소리 하며 자기 분수껏 이 세상에 나온 자기 몫을 하고 죽어갈 사람들이었다.

화단 한쪽 햇볕에 내놓은 분재로 눈이 갔다. 오동나무에 비기면 저게 뭔가? 봄이 되어도 가지 하나를 뻗고 싶은 대로 뻗지 못하고, 뿌리는 또 비좁은 화분 속에서 얼마나 궁색스럽게 비틀리고 얽혀서 뻗어야 하는가? 저렇게 최소한의 생존조건 속에서 생명을 부지해야 사랑받고, 그 생존조건의 극한점이 올라가면 올라갈수록 가치도 그에 비례하는 것이 분재였다.

통새암거리 노인들이 오동나무라면 나는 뭔가? 저 분재일까? 그렇게 빗대어놓고 보니 너무 신통하게 들어맞는 것 같았다. 영하는 멀겋게 웃었다.

울음을 그쳤던 매미가 또 찌이, 장대 같은 소리를 내질렀다. 거침없이 내지르고 있는 매미 소리는, 더위에 내려앉을 것 같은 여름 한낮에 하늘로 치솟아 오르는 한줄기 시원한 분수였다.

매미는 지상의 생애 일주일 혹은 삼주일을 살려고 땅속에서 칠년 내지 십칠년을 유충으로 기다린다는 것이다. 적어도 칠년에서 십칠년을 별러 태어나 칠일을 살다 죽는, 그 칠일로 응축된 매미의 생애가 이상한 감상을 불러왔다. 찌이 하는 울음소리가 단순한 곤충의 울음으로 들리지 않았다. 그 기나긴 기간을 땅속에서 벼르고 별렀던 자신의 무슨 절실한 의지를 저렇게 단음으로 표출하고 있는 것이 아닌가 싶었다. 저 크고 우람한 소리는 그 짧은 생애 한순간 한순간을 아껴 내지르는 뭔가 그만큼 절실한 삶의 표출일 것이다.

매미 소리에 취해 있던 영하는 책상머리로 갔다. 아까 그 기사를 써야겠다고 생각했다. 매미처럼 무슨 거창한 소리를 지르자는 것이 아니고 매미 소리를 듣다보니 뭔가 끄적거리고 싶었다.

△ 개한테 사람 이름을 붙여 말썽이 되고 있다. 시내 ××동 골목 어귀에 몰려 지내는 노인들이 셰퍼드에다 '×철이'란 이름을 붙였는데, 그 골목 안에 사는 사람 이름이 ×철이어서 시비가 붙은 것.

△ 노인들은 사람 이름이라고 개한테 붙이지 말라는 법이 있느냐고 되레 큰소린데, 그 ×철이란 이가 평소 그 부모를 학대한다고 이 노인들이 닦달하던 다음이라 그 이름 임자는 그게 의도적이라는 것이다.

△ 더구나, 그 ×철이라는 셰퍼드는 사람 ×철이만 나타나면 눈에 시퍼렇게 불을 켜고 잡아먹을 듯이 짖어대는 바람에 화를 참다못한 ×철 씨가 경찰까지 불러오는 등 골목이 사뭇 소란스러웠다.

△ 다섯마리의 개를 거느리고 있는 이 영감들은 그중 한마리한

테는 이또오라는 이름을 붙이고 있는데, 이토는 조선통감부 초대 통감 이또오 히로부미의 이또오. 누구든지 이 영감들의 눈 밖에 나는 사람 있으면 다른 개한테도 그 사람의 이름이 붙을 판이다.

써놓고 보니 가십 기사가 될 것도 같았다. 개가 사람을 물면 기사가 안 되지만 사람이 개를 물면 기사가 된다고 했다. 그런 기준으로 보면 개한테 사람 이름을 붙인 이 사건은 교과서적인 기삿거리라 할 수도 있었다.

또철이의 잘못을 모두 폭로해달라는 것이 노인들의 주문이었으므로, 그들의 요구에는 좀 빗나간 대로 할 얘기는 한 셈이다. 또 학대라는 말이 불효보다 설득력이 있는 것 같았다. 의기양양하게 말하던 민 영감이 떠올라 혼자 웃었다. 영하는 기사를 바지 뒷주머니에다 챙겨 넣고 자리에 누워 잠을 청했다.

"잡았다!"

밖에서 떠들썩한 소리에 잠이 깼다. 언제 왔는지 고등학교 다니는 처남이 화단에서 매미를 올가미에 옭아서 나오고 있었다. 매미는 나일론 끈에 목이 옭혀 막대기 끝에서 풀풀 날아다녔다. 다섯 살짜리 아들놈은 좋아서 홀딱홀딱 뛰었다.

"그걸 왜 잡았어?"

영하가 꽥 고함을 질렀다. 턱없이 큰 고함소리에 처남은 찔끔했다.

"놔주지 못해?"

영하는 다시 소리를 질렀다. 험상스럽게 일그러진 영하의 표정에 처남은 무 캐 먹다 들킨 녀석처럼 엉거주춤 서 있었다.

"안 돼! 안 돼! 놔줌 안 돼!"

아들놈이 제 삼촌 손에서 막대기를 빼앗으며 방색을 했다. 영하는 허탈한 기분이었다. 저 녀석의 극성을 이겨낼 재간이 없겠다 싶어서였다. 만약 억지로 놔줬다가는 큰 야단이 날 판이다.

아들놈은 매미를 풀풀 날리며 마당을 정신없이 뛰어다녔다. 속수무책이었다. 저 녀석이 싫증이 날 때까지 기다리는 수밖에 방법이 없었다.

"그렇게 억지로 끌고 다니면 죽어버린단 말이야. 나무에 매어두든지 해!"

"알았어요. 알았어."

녀석은 알았다면서도 말뿐이었다. 오후 내내 매미를 끌고 마당을 뛰어다녔다.

영하는 다음 날 출근하면서 매미를 나무에 매어두라고 몇번이나 일렀다. 아내한테까지 당부를 하고 집을 나섰다.

편집국에 들어섰다. 무슨 일인지 분위기가 싸늘했다. 모두 입을 봉하고 담배만 빠끔거리고 있었다. 항상 생글거리던 문화부 여기자마저 얼굴이 굳어 있었다. 대밭에서 와글와글 지저귀던 참새 떼들이 갑자기 지저귀던 소리를 뚝 그치는 경우가 있다. 위험을 감지하는 순간이다. 그 정적 사이에서 한두마리가 짹짹거린다. 다시 지저귀거나 모두 와르르 날아간다. 그 한두마리가 짹짹거리는 소리는 괜찮다거나 위험하다는 신호인 모양이었다. 들판에서 끼룩거리며 먹이를 먹던 기러기 떼도 마찬가지다. 망보던 녀석이 뭐라 길게 소리를 하면 먹이를 먹던 기러기 떼가 모두 고개를 쳐들고 소리를 뚝 그친다. 바로 그런 분위기였다. 그때 정치부장이 국장실에서 나왔다. 우거지상이었다.

"제길, 그런 것도 못 쓰면 무얼 쓰란 말이야?"

정치부장은 의자에 엉덩이를 내던지며 창밖을 향해 의자를 핑글 돌렸다. 담배에 불을 붙여 길게 연기를 내뿜었다.

영하에게 갑자기 떠오른 게 있었다. 신문에 내기만 하면 저 죽고 나 죽겠다고 독기를 피우던 또철이의 눈이었다. 영하는 주머니에서 기사를 꺼내 슬그머니 휴지통에 넣어버렸다. 그가 무섭다기보다 귀찮았다. 뒤미처 골목 영감들의 얼굴이 떠올랐다. 좁쌀영감의 차가운 눈이 맨 먼저 떠올랐다. 셰퍼드의 시퍼런 눈도 떠올랐다. 갑자기 옛날 신문배달 아이의 공포에 질린 눈도 지나갔다.

다음 날 아침, 영하는 아내가 여러번 깨워서야 눈을 떴다. 골이 빠개질 것 같았다. 어제저녁 너무 마신 것 같았다. 아무래도 어디서 크게 실수를 한 것 같았다. 무슨 기억이 떠오른 게 아니고 그런 느낌이었다. 삼차까지 간 기억은 있지만, 그뒤는 어떻게 됐는지 아무것도 떠오르지 않았다.

"어제저녁 몇시에 왔지요?"

아내는 어이없다는 눈으로 한참이나 영하를 바라보더니 픽 웃고 말았다. 영하는 자기가 무슨 실수를 한 것 같지는 않더냐고 물을 용기는 나지 않았다. 그걸 아내의 표정에서 읽으려고 몇시에 왔던가만 거듭 채근했다. 몇시에 온지도 모를 만큼 많이 취했었다는 것을 강조함으로써, 혹시 있었을지 모르는 실수를 미리 술 탓으로 돌리려는 술꾼 특유의 교활한 변명방식이었다.

"몇시에 왔더냐구요?"

"한시도 넘어서 파출소 순경이 모셔왔습디다. 어이구, 금주하신다더니 사흘도 제대로 못 가시네요."

"무슨 실수를 한 것 같진 않아요?"

하는 수 없이 한발 내쳤다. 아내는 어이없다는 듯 또 웃었다. 성격이 무던한 아내는 영하의 주사를 별로 타박하지 않는 편이었다. 요사이는 그게 더했다. 예사 때는 그게 여간 고맙지가 않았는데, 이럴 때는 그게 되레 짜증스러웠다.

"말을 좀 해봐요!"

"앞으론 살인 많이 나겠습디다."

아내는 여전히 웃으며 핀잔이었다.

"살인? 그게 무슨 소리요?"

영하는 놀라 물었다. 어슴푸레 짚이는 게 있었다.

"그렇게 뒤가 무른 분이 술만 마시면 어디서 그런 객기가 나오지요? 저 아래 통새암거리에서부터 다 때려죽인다고 동네가 떠나가게 악을 씁디다."

"누굴 죽인다고?"

"죽인다는 이가 모르시면 내가 어떻게 알아요."

"에이 참, 어제저녁에는 너무 마셨어. 이젠 정말 술 끊어야겠어."

영하는 우거지상을 한껏 찡그리며 담배를 태워 물었다.

"그런데, 무슨 장군 어쩌고 하시던데 그게 누구예요?"

"뭐, 장군이라니?"

영하는 다시 눈이 둥그레졌다.

"또 뭐라더라, 호적계장?"

"그들보고 뭐라 했어요, 내가?"

"무슨 장군, 호적계장 어쩌고 막 악을 쓰기에 처음에는 그런 사람들하고 싸우는 줄 알았어요."

"그래, 그들을 죽인다고 하던가요?"

"하도 큰 소리로 고래고래 악을 쓰는 통에 무슨 소리가 무슨 소린지 모르겠는데, 죽인다고 하기도 하고, 또 무슨 개 주둥이를 묶어버린다고도 하고 도무지 종잡을 수가 없었어요. 하여간, 창피해서 이 동네서 다 살았어요."

"내가 개 주둥이를 묶어버린다고 하더란 말이오?"

"그래요. 그런데 개라면 통새암거리 그 셰퍼드 말인가요?"

"에이 참!"

"개가 짖는 건 사람으로 치면 말하는 것이나 마찬가진데, 언론자유가 어떻고 하시는 분이 개 주둥이를 묶어버린다면 그건 또 뭐예요?"

아내는 어이가 없다는 듯 경황 중에도 킬킬거렸다.

영하는 얼음장에 나자빠진 황소처럼 얼빠진 눈으로 웃고 있는 아내 얼굴만 멍청하게 건너다보고 있었다. 아내는 출근시간이 늦었다면서 얼른 세수나 하라고 채근하며 부엌으로 나갔다.

영하는 잔뜩 얻어맞고 그로기 상태가 된 복싱 선수처럼 벽에 등을 기대고 축 처져 있었다. 힘없는 눈길을 허공에 띄우고 그렇게 한참 앉아 있었다. 그러고 있던 영하의 눈에 갑자기 긴장이 피어올랐다. 초점이 한곳에 모아지며 상체를 일으켰다.

책상 위에 놓인 분재 소나무에 말매미가 실을 친친 감고 죽어 있었다. 소나무 가지에 매달려 대롱대롱 대롱거리고 있었다.

『현대문학』 1983년 7월호(통권 343호); 2005년 10월 개고

백포동자
白袍童子

슬하에 자식이 없어 밤낮으로 탄식이던 내외가 옥녀봉의 산신께 빌었더니, 치성을 드린 지 삼년 만에 태기가 있는지라 산신의 소응(昭應)에 감읍, 그 아내 행실을 챙기되, 바른 자리가 아니면 앉지 아니하고, 곧게 잘린 음식이 아니면 먹지 아니하며, 더러운 길은 가지 아니하고, 눕되 옆으로 눕지 아니하며, 음란한 소리를 듣지 아니하고, 흉한 것은 보지 아니하는 등, 두루 지극한 정성으로 열달을 별러 몸을 풀었으되 섭섭하게도 딸이라. 대를 이을 사내를 바랐던 내외는 적이 허전하였으나, 자기들의 지성이 미치지 못한 탓이리라 겸허하게 파탈을 하고, 계집일망정 산신이 내린 자식임을 깊이 새겨 금지옥엽으로 키우니, 높은 데서 점지한 아이답게 인물이 천하일색이요, 행실 또한 요조숙녀라. 그 소문이 원근에 자자하더니 혼기에 다다름에 여기저기서 청혼이 쇄도하여 매파 꼬이기가 꿀단지에 개미 꼬이듯 하던 터. 허나, 그 아비 진즉부터 달리 생각하는 바 작정이 있었으되, 산신이 점지한 자식이요, 아들이 없어 한이던 다음이라, 사위만은 당대 제일의 귀공자를 맞자는 것. 널리 방을 걸어 사윗감을 구하니, 그 즉시로 권문세가·명문호족·대상부고, 내로라는 집안의 귀공자는 물론이요, 배짱 하나로 설치는 저잣거리 부랑배로부터 궁벽한촌 낙백한 잔반의 백면서생에 이르기까지 팔도에서 몰려든 사윗감이 문전성시라. 그 아비 이 사람 저 사람 치보고 내리보고 돌려놓고 맵쓸어보고, 몇날 며칠 몇백명을 보았으되 의중에 합당한 인물이 없으매, 세상에 많고도 적은 것이 사람인가, 홀로 앉아 탄식을 마지않더니, 홀연, 청포(靑袍)에 청노새를 탄 귀공자 하나가 나타나 너부죽이 문안을 올리기로 얼핏 풍채를 훑어보매, 이목구비가 상서(相書)에 맞춰 빚어낸 듯 빼어난 옥골(玉骨)이요, 기골 또한 금방 상산(商山)에서 내려온 듯 의연한 선풍(仙風)이라, 내가 여태 찾고 있던 인물이 바로 너로구나, 속무릎을 크게 치며 앉은자리에서 허혼을 하고, 아무 날 아무 시에 예를 갖춰 오라 하니, 십년 벼르던 공사가 사개가 맞으매 하루아침에 이루어지던 것. 헌데, 그 청포동자가 막 집을 나가자마자, 또 하나 이번에는 황포(黃袍)에 나귀를 탄 귀공자가 나타났으니, 이는 옥골 중의 옥골이요, 선풍 중의 선풍이라, 방금 나간 청포동자에 비기면 번옥(燔玉)에 진옥(眞玉)이란 이를 두고 이르던 말인가? 계집의 아비, 망연자실, 정신이 혼몽하여 눈만 씀벅이고 있더니, 이내 정신을 가다듬고 잠시 숙고 뒤에 작정하되, 내 비록 청포동자에게 위약의 허물을 쓰고 세상의 조롱거리가 된다 한들 어찌 이런 귀공자를 놓칠 것인가? 단전에 힘을 주고 크게 기침 한번 한 연후에, 내 그대에게 허혼을 하노니, 아무 날 아무 시에 예를 갖춰 오라, 일시를 일러주되 청포동자보다는 이삼각 앞이라. 사판이 이리 되었으니 팔 대군에 일옹주, 한 신부에 두 신랑으로 쌍가마가 뜰 판인데 이런 가관이 없으렷다. 그 아비 비록 흡족한 사위를 고르기는 골랐다 하나 쌍가마가 떠서 싸개판이 벌어질 것을 생각하면 걱정이 태산이라, 자리에 들어 새벽까지 돌꼇잠으로 몸뚱이를 자반뒤집기를 하는 판인데, 눈앞에 휘황찬란한 흰 구름 한무더기가 피어오르더니 그 위에 덩실 사람이 나타나매 자세히 본즉 옥녀봉 산신이라. 육환장을 비껴든 홍안백발의 산신이 입을 열어 이르되, 오늘 너의 집에 나타났던 두 동자는 사람이 아니라 요귀(妖鬼)니 가벼이 현혹되지 말지니라. 혼삿날 황포동자가 나타나면 집안의 개를 풀어놀 것이요, 청포동자가 나타나면 이 부적을 던지라 하며 손에 부적을 하나 쥐여준 다음, 다시 일러 말을 하되, 그 두 요귀가 사라진 다음에 백포동자가 나타날 것인즉, 그가 바로 네 딸의 배필인 줄 알라. 말을 마치자 홀연히 사라지매 깜짝 놀라 깨어보니 꿈이라. 경황 중에도 얼른 손을 펴보니 이것은 또 꿈이 아니란 게 부적 한장이 손바닥에 확실하지 아니한가? 예삿일이 아니구나, 마음을 밧줄로 동여매듯 단단히 사려 먹고 혼삿날을 기다렸더니 이내 황포동자가 의젓하게 나타나는지라 산신이 이른 대로 개를 푼즉, 멀쩡하던 개가 길길이 뛰어오르며 황포동자 산멱을 물고 늘어지니, 이 무슨 변괴인가, 깎아논 밤알 같던 귀공자가 대번에 허연 백여우로 마당 한가운데 나자빠지지 아니한가? 이어 청포동자가 나타나매 이번에는 부적을 던진즉, 이 역시 멀쩡하던 귀공자가 거룻배 놋날만 한 지네로 마당 한가운데 배때기를 뒤집고 늘어지니 이 또한 기절초풍할 변괴라. 이같이 경천동지할 변괴 앞에 수많은 하객들은, 하도 놀라 놀란 둥 만 둥, 벼락에 떨어진 잠충이 꼴로 벌어진 입을 닫지 못한 채 그냥 제자리에 말뚝이 박혀 있는 참인데, 또 하나 이번에는 하얀 백포에 소를 탄 동자가 나타나지 아니한가? 여기서는 또 얼마나 해괴망측한 일이 벌어질 것인가, 놀란 토끼 벼락바위 쳐다보듯 모두 눈만 멀뚱멀뚱 벼락을 기다리고 있는데, 이번에는 아무리 기다려도 무슨 변괴가 없으니 되레 이것이 변괴라. 모두 눈을 굴려 그 일거일동, 차림새 하나, 얼굴 구석구석, 뜯어볼 만한 데는 다 뜯어보았으나 아무리 뜯어보아도 허름한 무명옷의 수더분한 이 총각은, 어느 구석에도 변괴의 조짐이 보이지 않는, 여항 시정의 김가나 박가의 둘째 아니면 셋째라. 제정신 아니던 그 아비 그제야 산신의 말이 떠올라 정신을 가다듬고 이 백포동자를 사위로 맞아 혼례를 올리니 놀랐던 하객들은 덩달아 안심하고 덩실덩실 춤을 추니 변괴 뒤의 경사라 한층 더 기뻤더라. 이 두 처녀 총각 그뒤 아무 탈이 없이 여염의 지어미 지아비로 아들딸 많이 낳고 백년해로하였더라.

옥녀봉에 흰 구름이 한무더기 탐스럽게 피어오르고 있었다. 5월의 푸른 하늘에 떠 있는 흰 구름은, 금방 그 위에 신선이라도 내려앉을 것 같게 탐스러웠다. 산에는 녹음이 싱그럽고 들에는 논과 밭에 보리가 무럭이 익어가고 있었다. 보리밭 고랑이나 산발치 수풀

속 은밀한 곳에 알이라도 까놨음직한 까투리는, 꿩꿩 허투루 울어대는 장끼 울음소리에 덩달아 실없이 날개를 푸드덕거리고 있었다.

뿌옇게 먼지를 일으키며 달려오던 버스가, 서른살 남짓한 사내 하나를 떨궈놓고, 또 먼지를 꼬리에 끌며 산굽이를 돌아갔다.

차에서 내린 사내는 길가에 서서 옥녀봉 밑의 범바위골을 한참 건너다보고 있었다. 좀 지쳐 보이는 이 사내는 한참 동안 범바위골을 건너다보고 있다가 곁에 있는 주막으로 들어섰다. 손에는 큼직한 여행가방이 들려 있었다.

"막걸리 한잔 주시오."

사내는 술을 시키며 목로에 앉았다.

"왼데 양반 같은디 어디서 오시요?"

늙수그레한 주모가 막걸리 주전자와 배추 겉절이 보시기를 내놓으며 사내를 빤히 건너다봤다.

"서울서 옵니다."

사내는 담배꽁초를 땅바닥에 발로 비벼 끄며 건성으로 대답했다.

"그럼 여기는 뭣 하러 오시요?"

주모는 비위가 좋아 보였다.

"범바위골 태곤이 아신가요?"

"태곤이? 오매, 그러고 본께 가만있자."

주모는 깜짝 놀라며 새삼스럽게 사내를 다시 건너다봤다.

"알아보시겠습니까?"

사내는 주모를 쳐다보며 맥살없이 웃었다.

"그런께, 그 인민군!"

주모는 말을 하다 말고 제물에 깜짝 놀라 입으로 손을 가져갔다.

"맞습니다. 만홉니다."

사내는 웃음을 일그러뜨리며 이름을 댔다. 막걸리잔을 입으로 가져갔다.

"오매 오매, 그런께, 시방 이것이 뭔 일이란가? 살다본께 반가운 사람도 하나 만나겠네. 이것이 시방 몇년 만이여, 이십년도 더 되제?"

주모는 아까의 실수를 후무리자는 속셈이 역연하게 엉너리가 호들갑스러웠다.

"그쯤 된 것 같습니다. 그런데 여기는 변한 것이 별반 없는 것 같습니다."

그는 이십년 만에 온 사람 같지 않게 목소리가 담담했다.

"촌에서사 변하재도 변할 것이 있어사제. 그래도 이십년이 짧은 세월이여. 그런께, 시방 서울서 살다가 이러고 오는구만?"

"예. 그래도 아주머니는 별반 늙은 것 같지 않습니다."

"안 늙다니, 그것이 뭔 소리여? 깔깔."

"이리로는 언제부터 나앉으셨습니까?"

"내가 이리 나앉은 지도 한 십년 된 성부르구만."

"우리 어머님께서도 잘 계시지요?"

"아무렴. 잘 계시고말고. 만나면 얼마나 반가워할까? 그동안 고생고생 많이 하고 살으셨제. 그 까탈스럽던 시어머니는 진즉 돌아가시고 시아버님은 재작년에 돌아가셨구만. 자네 형 태곤이도 잘 있고."

만호는 담배연기를 길게 내뿜었다.

"장가는 갔겠제?"

"예. 재춘이도 잘 있습니까?"

재춘이는 이 집 아들이었다.

"부산인가 어디서 사는디, 잘 있는가 만가, 술이 과해서 큰일이구만."

"이 동네서도 객지로 많이 나갔지요?"

"많이 나가고말고 웬만한 사람은 다 나갔어. 가만있자, 자네 또래로는 누가 있을까? 자네 위아래로는 재문이 하나만 남았다냐 으쨌다냐? 재문이 알제, 그 비틀이."

재문이는 입이 귀밑까지 한참 비틀어진 배냇병신이었다.

만호는 다시 범바위골을 건너다봤다.

"동네 뒤 저쪽으로 한참 올라가서 움막 하나 보이제?"

주모가 가리킨 곳에 웬 움막이 하나 있었다.

"자네가 나가고 나서 얼마 뒤부터 자네 할아버님 대촌영감이 설두들 해서 해마다 섣달그믐날이면 옥녀봉에 산신제를 지내는디, 시방 저것이 그 제막이구만. 저기서 제를 지내는 것이 아니고, 제주들이 제지낼라고 손 가릴 때 잠자고 멧밥 짓고 하는 움막이여. 그 영감, 산신제라면 그렇게도 지성이더니 자네고 이러고 오는 것 본께 그 효험 보는 것 같네."

"저 같은 놈이 오는 것이 그런 효험일까요?"

만호는 또 맥살없이 웃었다.

"그것이 뭔 소리여? 아무리 남의 자식이라고 하제마는 다 클 때까지 거뒀는디, 기른 정이 어디여."

만호는 술값을 계산하고 주막을 나왔다.

"인민군!"

들길을 걸으며 혼자 한번 뇌어봤다. 이십년 만에 여기 와서 처음 들어보는 소리였다. 자기가 여기 나타나면 자기들끼리 으레 그렇게 속삭이고, 또 그런 눈으로 보리라 생각했던 소리였다. 그러나 정작 여기 와서 처음 듣는 소리가 그 소리다보니 뭐가 콱 막히는 것 같은 느낌이었다.

이곳은 만호의 고향이기는 했으나, 여기가 만호한테는 결코 그리운 곳은 아니었다. 어렸을 때 인민군 새끼, 빨갱이 새끼라고 수없이 조롱만 당했던 곳이었고, 또 이 땅에서 유일하게 자기가 인민군 아들이라는 사실을 알고 있는 사람들이 몰려 살고 있는 곳이었다. 아까 변한 것이 없다고 무심결에 내뱉었는데, 만호는 새삼스럽게 쓸쓸한 기분이었다.

만호는 여기 올 때 결코 이런 모습으로 오려던 것은 아니었다. 자가용 승용차에 번듯하게 몸을 싣고 와서, 자기를 그렇게도 놀려대던 동네 사람들 앞에 한번 으스대려고 했었다. 그런 다음, 자기를 낳고 자기보다 더 수모를 당하고 살았던 자기 어머니를, 보란 듯이 그 차에 싣고 동네를 빠져나가려 했었다.

냇가 방천 둑에는 두 습쯤 되어 보이는 부루기가 한마리 매여 있었다. 길 가운데서 새김질을 하고 있던 놈이 슬그머니 길을 내주었다. 고추뿔이 암팡졌으나 여간 순해 보이지 않았다. 꼭 옛날 자기가 기르던 소하고 비슷하게 생겨 마치 옛날 친구를 만난 느낌이었다.

도랑 건너 번덕지에도 소가 여러마리 매여 있었다. 그 번덕지에 매여 있는 소들을 보자, 마치 묵은 치부장이라도 들추듯 옛날 기억 하나가 생생하게 살아왔다. 도무지 잊을 수 없는 기억이었다.

해거름이면 동네 아이들은 모두 소를 끌고 이리 나왔다. 소를 이 번덕지에 풀어놓고 씨름을 하든지 제기를 차든지 얼려 놀았다.

그런데 그날은 좀 엉뚱한 짓을 했다. 아까 그 주막집 아들 재춘이가 옥녀봉 전설을 이야기한 것이다. 조무래기들은 재춘이 곁에 옹기종기 모여 앉아 그 이야기를 듣고 있었다.

이 동네 아이들치고 그 이야기를 모르는 아이는 없었지만, 그 이야기는 언제 들어도 재미있고 으스스했다. 그때 만호는 초등학교 이학년 무렵이었고, 재춘이는, 만호의 형 태곤이하고 동갑이니 초등학교 육학년이었을 것이다.

옥녀봉 전설 이야기를 그럴싸하게 하고 있던 재춘이가 그 이야기 끝에 사뭇 엉뚱한 소리를 했다.

"그때 청포동자하고 황포동자가 말이야, 옥녀한테 장가를 들러 왔을 때, 산신령이 막지 않았더람 어떻게 됐겠냐? 옥녀는 그 둘 중 하나한테로 영락없이 시집을 갔겠지, 그지?"

"그렇게 둔갑한 줄 몰랐을 테니 가고 말았겠지?"

만호 또래의 조무래기 하나가 겁먹은 눈으로 대답했다.

"맞아. 시집을 갔을 거야. 그럼, 그렇게 시집을 갔으면 그뒤에 어떻게 됐겠냐?"

"밤에 잠잘 때 지네나 백여우로 둔갑을 해서 옥녀를 잡아먹고 말았겠지, 뭐."

한 놈이 제법 아는 체했다.

"맞다, 청포동자한테 시집을 갔더라면 지네로 둔갑을 해서 그 징그런 발로 옥녀 몸뚱이를 꼼짝 못하게 끌어안고, 독을 뿜어 옥녀를 죽인 다음 피를 빨아먹었을 것이고, 또 그 황포동자한테로 시집을 갔더라면 백여우로 둔갑을 해서 옥녀 혼을 쏙 뺀 뒤에 간을 내먹었을 거야."

"아이구, 징그러."

꼬마들은 대낮인데도 서로 죄어 앉으며 진저리를 쳤다.

"그런데 말이지, 그렇지 않았을 수도 있어."

"그렇잖았음?"

조무래기들은 더 무서운 일이 일어나지 않았을까, 미리 겁먹은 눈으로 재춘이를 건너다봤다.

"둔갑한 채 사람의 형상을 하고, 옥녀하고 예사로 사는 거야."

조무래기들은 멍청하게 재춘이를 건너다보고 있었다.

"그런데 그렇게 같이 살았으면 어떻게 됐겠냐?"

조무래기들은 눈만 말똥거리고 있었다.

"예끼 바보들. 애를 낳았지 어떻게 되긴 어떻게 됐겠어?"

조무래기들은 멋쩍게 웃었다.

"그러면 그 애는 사람이겠냐? 지네나 백여우겠냐?"

"지네나 백여울 거야."

"아냐, 사람일 거야."

조무래기들은 두패로 갈리고 말았다.

"둘 다 반은 맞고 반은 틀렸어."

"그럼 뭐게?"

"사람은 사람인데, 그 아비들처럼 사람의 형상을 뒤집어쓴 지네나 백여울 거야."

"그러면, 그 새끼들도 내중에 지네나 백여우로 둔갑할까?"

"그렇지."

"야, 무섭다."

"그런데 지금은 옥녀봉에 산신령이 안 계신다. 왜놈들이 시루봉하고 옥녀봉 사이 도투마리 재를 자르고 신작로를 내버린 바람에 그 맥이 끊겨 옥녀봉 산신령은 시루봉 쪽으로 옮겨가버리고 말았다지 뭐냐? 그래서 그뒤부터 우리 동네는 재앙이 안 끊긴다."

"재앙이 뭔데?"

"나쁜 일이 재앙이지 뭐긴 뭐야. 전에 옥녀봉에 산신령이 사실 때는 비도 그 산신령이 내려주시고, 동네 사람들을 지켜주고 그랬다거든. 그리고 옥녀 부모들처럼 자식을 내려달라고 빌면 자식도 내려주고, 또 옥녀를 그런 요귀들한테서 지켜주기도 하고 그랬는데, 지금은 산신령이 안 계시니까, 재앙이 많다는 거여."

"무슨 재앙이 그렇게 많았을까?"

조무래기들은 알 수 없다는 표정들이었다.

"6·25 때 사람 많이 죽은 것도 그렇고, 만호 엄마만 봐도 그렇지 뭐."

만호는 그 소리에 몸이 오그라지고 말았다.

"만호 엄마가 어째서?"

"바보. 그것도 모르냐? 만호 엄마는 지금도 저렇게 예쁜데 처녀

때는 얼마나 예뻤겠냐? 꼭 옛날 옥녀같이 예뻐서 여기저기서 수없이 혼담이 들어왔다는 거야. 그런데 같은 동네 사는 태곤이 아버지가 반 강제로 결혼을 해버렸다거든. 태곤이 아버지는 왜정 때 순사였기 때문에 그 유세로 어거지 결혼을 한 거야."

"나쁘다."

"태곤이 아버지가 해방 된 뒤 총 맞아 죽자, 이번에는 6·25 때 인민군이 여기 쳐들어와서 또 만호 엄마를 겁탈을 해버렸지 뭐냐?"

"겁탈이 뭔데?"

"여자를 강제로 덮치는 것이 겁탈이지 뭐긴 뭐야?"

조무래기들은, 어떤 놈들은 킬킬거리고, 어떤 놈들은 아직도 모르겠다는 표정으로 멀뚱한 눈이었다. 만호는 쥐구멍이라도 있으면 들어가고 싶었다. 조그맣게 오그라들어 도랑 한군데다 눈을 박고 있었다. 귀를 막고 도망을 치고 싶었지만, 선뜻 일어설 용기도 나지 않았고, 그렇게 도망치면 또 얼마나 뒤에서 깔깔거릴 것인가, 그것이 두렵기도 했다.

그때 도랑가에서 삐익삐익 괴로운 신음소리가 나는 것 같았다. 소리나는 쪽을 찬찬히 봤다. 풀잎 사이에 꽃뱀이 보였다. 꽃뱀이 개구리를 물고 있었다. 뱀한테 넓적다리를 물린 개구리는 삐익삐익 가냘픈 소리를 지르며 네 발을 허우적거리고 있었다.

이건 아이들이 알면 이만저만 신나는 일이 아니었으나, 만호는 그것을 말하지 못했다. 뱀한테 물린 개구리처럼 꼼짝달싹할 수가 없었다.

"그렇게 겁탈을 당해서 난 것이 만호거든. 그때 옛날처럼 옥녀봉에 산신령이 살고 계셨다면, 그렇게 예쁜 만호 엄마가 두번씩이나 그런 일을 당하도록 가만뒀겠냐?"

재춘이는 말 좋아하는 여편네들이 만들어냈음직한 이야기를 아주 그럴싸하게 늘어놓고 있었다.

—삐익삐익.

도랑의 웅덩이는 실바람에 수면이 파들거리고 있었다. 수면은 햇빛을 받아 햇살을 잘게 재재 발겨 눈부시게 반사하고 있었다.

"맞아, 왜놈 앞잡이 순사하고 빨갱이는 청포동자나 황포동자하고 마찬가지로 나쁜 놈들이니까 산신령이 계셨다면 가만두지 않았을 거야."

조무래기 중에서 한놈이 제법 아는 체를 하고 나섰다.

—삐익삐익.

"그렇지. 순사는 일본 놈 앞잡이로 같은 민족의 피를 빨아먹었고, 빨갱이들은 민족의 가슴에 총을 쏘아 죽인 놈들이니까 지네나 백여우보다 더 악독한 놈들이지 뭐냐?"

재춘이는 주먹을 휘두르며 말했다.

—삐익삐익.

조무래기들은 정말 만호나 태곤이가 지네나 백여우로 둔갑한 사람이기나 한 것처럼 킬킬거리며 돌아봤다.

그때였다. 만호가 돌멩이를 하나 집어 들고 벌떡 일어섰다. 킬킬거리던 조무래기들이 깜짝 놀랐다.

"뱀이다. 꽃뱀이 개구리를 물고 있다."

만호가 돌멩이를 겨누며 소리를 질렀다. 조무래기들도 벌떡 일어났다.

"어디?"

"저기다."

만호는 꽃뱀을 향해 냅다 돌멩이를 던졌다. 맞지 않았다. 조무래기들은 너도 나도 돌멩이를 집어 뱀을 향해 던졌다. 꽃뱀은 개구리를 놓고 쏜살같이 도망쳤다. 개구리는 힘없이 비칠비칠 뛰어갔다.

6·25가 한창일 때였다. 이 동네서 국군과 인민군 사이에 치열한 전투가 벌어졌다. 너무도 갑작스럽게 벌어진 전투라 동네 사람들은 어디로 피난을 가고 어쩌고 할 경황도 없었다. 쫓기고 밀리고, 다시 되쫓기고 전투는 드잡이판이었다. 태곤이 식구들은 급한 김에 행랑채 외양간 위, 멍석 같은 것을 넣어두는 더그매로 숨었다. 구석으로 파고들며 콩 튀듯 하는 총소리에 숨을 죽이고 있었다. 총소리가 멎었다. 인민군이 후퇴했다고 했다. 한참 만에 더그매에서 내려왔다.

북새통에 치마폭이 타져 태곤이 어머니는 잠시 자기 방에서 그걸 꿰매고 있었다. 그때 느닷없이 방문이 벌떡 열렸다. 태곤이 어머니는 그 자리에서 뒤로 나자빠질 뻔했다. 인민군이었다.

"나 좀 살려주시오."

피가 범벅이 된 다리를 끌고 방 안으로 뛰어들며 허옇게 질린 얼굴로 애원을 했다.

"금방 들어온 인민군 어디 갔어?"

바로 옆집에서 째지는 고함소리와 함께 문짝이 벼락치는 소리가 들렸다.

"제발 좀!"

겁에 질린 사내의 표정은 처참했다. 엉겁결에 태곤이 어머니는 앞닫이 농문을 열고 그 안으로 밀어넣었다. 붕어자물통을 잠그고 열쇠를 품속에 깊숙이 숨겼다. 걸레로 핏자국을 훔치며 밖을 내다봤다. 마당에는 다행히 핏자국이 없었다.

바로 그때 국군이 뛰어들었다.

"여기 들어온 인민군 어디 갔소?"

총을 들이대며 악을 썼다.

"금방 무슨 발자국 소리가 나기는 나는 것 같았는데……"

태곤이 어머니는 시치미를 뚝 떼고 겁먹은 얼굴로 대답했다. 서너명의 국군들은 집을 발칵 뒤졌다.

"저 농문 열어보시오!"

장교가 농문을 가리켰다.

"예. 예. 가만있자, 열쇠가 어디 갔나?"

바삐 열쇠를 찾는 척 반짇고리를 뒤졌다. 뒤지다 숫제 뒤집어엎었다. 태곤이 어머니는 이 구석 저 구석 열쇠를 찾아 수선을 피웠다. 다급한 국군은 다음 집으로 가고 말았다.

생전 처음 떨어보는 능청이었지만, 자기 자신도 깜짝 놀랄 만큼 감쪽같이 속이고 말았다.

밤이 이슥해서 농문을 끌렀다. 인민군이 기어 나왔다. 빨간 줄이 쳐진 군복을 보자 새삼스럽게 진저리가 쳐졌다.

식은땀을 흘리고 있는 인민군은 제대로 몸을 가누지 못했다. 열이 올라 몸이 불덩어리 같고 다리의 총상도 엄청났다. 그대로 나가라 할 수가 없었다. 쫓기는 정상이 하도 처참해서 엉겁결에 숨겨줬을 뿐인데, 이렇게 되고 보니 그를 통째로 업고 나서야 할 판이었다. 아뜩했다.

하는 수 없다고 생각했다. 쫓아낸다고 하더라도 운신을 할 수가 없으니 마당에 고꾸라지고 말 것 같았다. 우선 그 보기 싫은 군복부터 벗겼다. 한복으로 갈아입혔다. 한복을 입히자 대번에 예사 사람이 되어버린 것 같아, 경황 중에도 조금은 안심이었다.

아랫목에 눕힌 다음 냉수로 찜질을 하고 상처도 대충 씻어냈다. 무슨 약이 있을 턱이 없다보니 급한 대로 된장을 발라 처맸다.

새벽녘이 되자 열이 조금 가라앉는 것 같았다. 그러나 제대로 운신을 할 수 있는 정도는 아니었다. 하는 수 없이 행랑채 더그매로 옮겼다. 태곤이 할아버지나 할머니가 알았다가는 질색 자망을 할 일이었다.

태곤이 어머니가 거기다 인민군을 숨겨놓고 밤중에만 밥을 가지고 드나들었다. 보름이 지나자 발목의 상처도 어지간히 아물었다. 그는 전쟁에 진저리가 난다고 했으며 여기서 나가도 부대로는 돌아가지 않겠다고 했다. 태곤이 어머니는 제발 그러라고 했다. 그는 밤중에 집을 나갔다. 하얀 한복을 입고 사립을 나서는 그의 모습은, 집안의 누가 잠시 어디 나들이를 나가는 것 같았다.

만호가 초등학교 오학년 때였다. 어머니는 시름시름 앓기 시작했다. 약도 지어다 먹어보고 병원에도 가봤으나 효험이 없었다. 병세가 더 위독해지기만 하자 할머니가 점을 치러 갔다.

만호는 그날 저녁 좀처럼 가지 않던 할머니 할아버지 방에서 잠을 자고 있었다. 어머니 방에는 이모들이 둘이나 와서 어머니를 돌보고 있었기 때문이었다.

할머니는 늦게까지 돌아오지 않았다. 영한 점쟁이라 짐꾼들이 붐빈다고 하더니 그래서 늦는 모양이었다. 밤이 이슥해서야 할머니가 돌아왔다.

"세상에 뭔 일이 이렇게도 험한 일이 있는가 모르겠구만."

할머니는 맥을 놓고 푼더분하게 주저앉으며 혼잣소리로 탄식부터 했다.

"뭔 소리를 들었는디 그래?"

할아버지는 못마땅한 듯 퉁명스럽게 쏘았다. 만호는 잠이 깨어 있었으나, 자는 척 귀를 쫑그리고 있었다.

"임자 없는 귀신이 붙어 저 꼴이라고 안 그러요."

"임자 없는 귀신이라니, 그것이 뭔 소리여?"

"아무리 임자 없는 귀신이라도 연 없는 사람한테야 붙겠소? 만혼가 천혼가, 저 애 애비 되는 작자가 들었다오."

"뭣이 어쩌고? 그런께, 시방 저 아가 아픈 것이 귀꿈스럽게 만호 애빈가 인민군인가 그 작자가 붙어 저런단 말이여?"

"한을 품고 죽은 임자 없는 귀신이라면, 그 작자밖에 더 있겠소?"

"그럼, 그 작자가 그때 죽었단 말인가?"

"죽었는지 뒈졌는지 누가 알겠소마는, 죽었은께 귀신으로 붙제 산 사람 귀신이야 있을 것이요?"

"그러면 어째사 쓴다는 것이여?"

"씻김굿을 하고 날을 받아 해마다 제사를 지내주어사 쓴다요."

"뭣이, 씻김굿에다 제사까지 지내주라고?"

"참말로 기가 막혀서 말이 안 나오요."

"청 빌려 안방까지라더니, 뭔 소리가 지금 그런 까마귀 아래턱 퉁길 소리가 있어?"

"아무리 죽은 귀신이라지만, 염치없고 발막해도 분수가 있어사제, 여기가 어디라고 기어들어도 여기를 기어들 것이요? 살아 마음씨를 바르게 가져야 죽어도 옳은 귀신 된다더니, 총 들이대고 남의 여편네나 겁간하고 다니던 작자라 뒈져서도 험하게 풀린 것 같소."

"아무리 험하게 풀렸다기로소니, 망령을 부려도 분수가 있어사제, 그래 남의 며느리 겁간해서 새끼까지 싸질러논 놈이, 그 집구석에 귀신으로까지 기어들어 그 시어미 시아비 앞에서 제놈 제사를 모시라?"

"제놈이 내질러논 새끼 거둬준 것만도 어딘데, 참말로 복장이 터져 생초상 나겠소."

"허허. 안뒷간에 똥 누려고 간 아가씨더러 거적문 열어달란다더니 이 작자는 똥 누고 밑도 닦아주고, 또 안방까지 모시라는 수작인가? 한울님이 콧구멍을 둘이나 뚫어논 이치를 이제사 알겠네."

"그래도 살아 숨 붙은 놈의 망령이라면 몽둥이로나 다스리겠지만, 죽은 귀신이 이렇게 험하게 발동을 했으니 어쨌으면 쓰겠소?"

"어쨌으면 쓰겠냐니, 씻김굿을 하고 제사를 지내주자고 시방 묻는 소리여? 저승이 발 닿는 데라면 쫓아가서 몇백번을 패 죽여도 시원찮을 지경인데, 씻김굿이 뭣이고 제사는 또 뭣이여?"

"그래도 당장 생사람이 죽어가는 판에 달리 재주가 있소? 처음부터 염치코치 없이 발동한 귀신이라 그냥은 떨어져 나갈 것 같지 않소. 더구나, 널도깨비가 복은 안 줘도 화를 주기로 하면 쌍으로 주더라고, 원하는 대로 안 하고 덧들였다가 다른 심술을 부리면 어쩔 것이요?"

"다른 심술이라니, 그런 재수대가리 없는 소리를 어디서 하고 있어?"

할아버지가 꽥 고함을 질렀다.

"염치코치 없이 발동한 것을 보면 그렇다는 것이제, 누가 꼭 심술을 부린다고 했소?"

할머니도 지지 않았다.

"열두살부터 당골래질을 했어도 목두기란 귀신 못 봤다더니, 며느리 접간한 놈 씻김굿하고 제상 차려 제사 지내라는 소리는 육십 평생 듣다가 첨 듣는 소리여. 그래 제사를 지내면, 샛서방 제사 지내던 그 낯짝으로 본서방 제사는 어떻게 지낼 것이여?"

"제사야 여편네가 모실 것이요? 어찌 됐든 제 놈이 내질러논 새끼가 있는디."

"아무리 제 놈이 싸질러논 새끼라지만, 제 목구멍도 눈칫밥에 얹혀사는 놈한테 제 아빈지 불한당인지 모르는 놈 제사까지 짊어지라는 소리여?"

"그래도, 아무리 염치없는 귀신이라지만, 누울 자리 봐서 발 뻗더라고, 그만큼이라도 비벼댈 언덕이 있은께 기어들었겠지라우."

"비벼댈 언덕이나 마나 강아지새끼한테 안장을 지워도 유분수제, 아무리 제 놈이 내질러논 새끼라지만 저 쥐만 한 것 등에 업히겠다는 것이여?"

"누가 아니라요?"

며칠 뒤 푸닥거리를 했다. 씻김굿은 돈이 너무 많이 들기 때문에 푸닥거리로 때우기로 한 것이다. 만호는 앓고 있는 제 어머니 곁에 이불 속을 파고 기어들었다. 징과 북을 치며 무당이 읽는 독경 소리는, 총을 들고 자기 어머니를 겁간했다는, 그 무자비한 인민군 귀신이 중얼거리는 소리같이만 들렸다.

그날따라 뒷산에서 여우가 캑캑 울었다. 목에 가시 걸린 놈 억지 기침하듯 캑캑하는 여우 울음소리는, 독경 소리가 잠깐씩 그치는 사이로 음산하게 들려왔다. 그 소리도 귀신 소리 같았다. 그러지 않아도 독경 소리가 귀기가 가득한 판에 그 여우 울음소리는 너무도 끔직했다.

마치 옛날 황포동자로 둔갑했던 여우가 마당에 나자빠졌듯, 그 인민군이 죽어 둔갑한 여우가, 독경 소리의 영험에, 마치 연기 쐰 것처럼 지금 캑캑 죽어가고 있는 것이 아닌가 하는 생각이 들기도 했다. 그 여우뿐만 아니라, 6·25 때 그 골짜기에서 수없이 죽었다는 원혼들이 독경 소리에 발동을 해서 지금 어둠속을 휘젓고 다니는 지도 모를 일이었다.

그 푸닥거리 내막은 그날 저녁으로 동네에 싹 퍼졌다. 다음 날, 동네 사람들은 그 인민군 귀신한테 욕설을 섬으로 쏟았다. 아침 학굣길에서는 동네 아이들이, 마치 만호가 그 인민군 귀신이기나 한 것같이 이상한 눈으로 힐끔거렸다. 그러더니, 이내 여우새끼라고 놀려대기 시작했다. 전에는 황포동자나 청포동자라고 놀려댔는데,

이번에는 더 노골적으로 나왔다.

그뒤부터 형 태곤이의 구박도 더 심해졌다. 푸닥거리 사건으로 자기 아버지 허물까지 덩달아 입에 오르게 되니 만호가 죽이고 싶도록 미운 모양이었다.

태곤이는 평소에도 만호를 몹시 구박해왔었다. 자기 아버지 허물만 가지고도 두 어깨가 내려앉을 지경인데, 거기다 만호 아버지 허물까지 얹혀 곱빼기로 시달리던 판이라, 그 허물들을 몽땅 만호한테 안다미 씌워 드나나나 만호 보기를 찰원수 보듯 항상 살천스럽게 도끼눈으로 쏘아보았다. 만호는 태곤이 앞에서는 항상 주눅이 들어 서리병아리처럼 후줄그레한 꼴로 밥을 먹을 때나 학교에 오갈 때나, 태곤이 봐 돌기를, 고양이 새끼 묶인 개 봐 돌듯 비실비실 봐 돌기만 했다. 그런데도 걸핏하면 트집을 잡아 주먹이 대가리에 불을 냈다. 그러나 그때마다 마루에 올라앉았던 똥개처럼 오그라들기만 할 뿐, 아야 소리 한번 제대로 질러보지 못했다. 하도 견디다 못하면 어머니한테 일러버릴까 할 때가 한두번이 아니었으나, 어머니 또한 할머니 할아버지 앞에 항상 죄인으로 굽죄고 사는 판이라 선뜻 입이 열어지지가 않았다. 만호는 그때마다 담 모퉁이나 뒤안에 돌아가 눈물을 짜다 말 뿐이었다.

만호는 집에서나 밖에서나 어머니 말고는 항상 혼자였고, 뚜껑 닫은 달팽이처럼 말이 없었다.

초등학교를 졸업하던 해 집을 나가기로 결심을 했다. 다른 아이들은 모두 중학교에 가는데 자기는 보내줄 눈치가 아니었다. 설사, 보내준다 하더라도 자기는 갈 수가 없을 것 같았다. 호적이 없기 때문이었다. 초등학교 갈 때도 그것이 말썽이었으나 그럭저럭 넘어갔었는데 중학교에서는 그럴 것 같지가 않았다. 호적 때문에 어머니가 눈물바람 하는 것을 한두번 본 적이 있었다.

송아지를 산다고 할아버지가 돼지새끼도 팔고 보리도 팔아 모투저겨오고 있는 돈을 노렸다. 그걸 장롱 밑바닥에 숨겨놓고 있다는 걸 알고 있었다. 할머니가 딸네 집에 간 날 밤, 할아버지가 변소에 간 틈을 타 감쪽같이 훔쳐냈다. 생전 처음 만져보는 큰돈이었다. 다 가지고 가기는 야박해서 반만 챙겼다.

집을 나갈 시간은 새벽으로 잡았다, 평소에는 늦잠을 자는 편이었으나, 맘을 다져 먹으면 그렇게 되는 것인지, 마음먹은 시간에 잠이 깼다. 어머니한테 간단한 쪽지를 남겼다.

새벽달이 밝았다. 사립을 나서자부터 무섬증이 들어 으스스했으나, 마음을 사려 먹고 골목을 빠져나갔다. 들길에 나서자 발길에 훑치는 질경이 잎에서 듬뿍듬뿍 이슬이 묻어났다. 뒤를 돌아보니 동네는 쥐 죽은 듯이 고즈넉했다.

낮에 볼 때는 파랗게 노긋이 일었던 녹두밭에는 이슬 머금은 녹두 잎만 달빛을 받아 차갑게 반짝이고, 밭둑에 키대로 자란 억새풀숲에서는 새벽바람에 잎사귀 비벼대는 실소리가 한결 스산했다. 쨍쨍하던 햇볕 아래서는 그냥 화창하기만 하던 산이며 덤불이며 도랑이, 달빛 아래서는 모두가 음산한 귀기를 풍겨 솔방울 떨어지는 소리에도 실없이 등줄기에 식은땀이 돋았다.

이제 그냥은 절대로 여기 돌아오지 않으리라. 돈을 벌어, 벌어도 많이 벌어 자가용 승용차 등받이에 등을 기대고 돌아오리라. 그렇게 와서 태곤이며 재춘이며 동네 아이들 앞에 잔뜩 으쓱거려주리라.

만호는 주먹을 쥐고 이를 사리물며 결심을 굳혔다. 시커먼 덤불이 다가오면 그 속에서 도깨비가 엉하고 튀어나올 것 같았으나, 그때마다 아까 결심하면서 쥐었던 주먹을 더 세게 고쳐 쥐며 나올 테면 나와봐라, 가슴을 벌리고 다가갔다.

동네 앞에 큰 소나무가 한그루 있었다.

"소나무야, 나 기어코 성공해서 돌아오겠다. 너에게 약속한다."

만호는 이렇게 소나무한테 약속을 했고, 길가에 있는 큰 바윗돌한테도 약속을 했다. 만호는 새벽길 시오리를 걸어 서울행 기차를 탔다.

그러나 서울은 그렇게 만만한 곳이 아니었다. 서울역에 내려 미처 한발짝도 제대로 떼기 전이었다. 어디로 갈까, 잠깐 망설이고 있는데, 누가 등덜미를 낚았다.

"이 도둑놈 새끼 이제 잡았다. 이리 와!"

터무니없는 소리를 하며 옆구리부터 질렀다. 아니라고 악을 썼으나 소용없었다. 가지고 올라간 돈을 몽땅 털렸다.

그때부터 그들의 손아귀에서 벗어나지 못했다. 앵벌이·날치기·소매치기, 별의별 짓을 다 했다. 처음에는 그런 생활이 무서웠으나 지내다보니 그런 대로 재미가 있었다. 나는 지네가 둔갑한 놈이라고 독기를 뿜기도 했다. 일년 남짓 지나는 사이 세상을 다 알아버린 것 같았다. 그사이 경찰서에도 잡혀갔고 소년원도 갔다. 그러나 그때마다 고향 주소는 절대로 대지 않았다. 자기 꼴이 고향에 알려져버리면 자기는 그것으로 그만이라는 생각이 들었기 때문이다.

삼년 만에 그 세계에서 발을 뺐다. 아주 멀리 부산으로 토꼈다. 부산 가서는 벽돌 공장에 들어가 일을 했다. 그뒤로도 주로 건축 관계 일을 익히며 이를 물고 돈을 모았다.

오년 만에 다시 서울로 올라왔다. 그때는 서울에 부동산 붐이 한창일 때였다. 일을 하며 복덕방 주변을 서성거렸다. 사오년 만에 어엿한 집 한채가 자기 것이 되었다. 한채가 되자 두채 되기는 쉬웠고 세채 되기는 더 쉬웠다.

이제 누구 부러울 것이 없었다. 고향에 갈 때가 되었다고 생각했다. 운전을 배우고 자가용 승용차를 한대 샀다.

내일 고향에 간다는 날이었다. 사람을 치고 말았다. 고향에 간다는 흥분으로 술을 마신 게 탈이었다. 친 사람이 죽은 것 같았다. 뺑소니를 쳤다. 그러나 붙잡히고 말았다.

사람이 둘이나 죽고 하나는 중상이라고 했다. 차는 아직 보험에 들지 않아 전부 자기가 물어내야 했다. 삼년 징역이 떨어지고 살림은 거덜이 났다. 아내는 셋방에 나앉아 파출부로 연명을 한다고 했다.

이년 반을 살고 나왔다. 모범수로 뽑혀 감형이 된 것이다. 셋방에 사는 아내의 꼴을 봐도 별다른 감회가 없었다. 교도소에서 많이 생각했던 것이다.

나이를 꼽아보니 어머니는 환갑이 되어 있었다.

동네 징검다리는 없어지고 그 자리에는 시멘트 다리가 놓여 있었다. 그때의 디딤돌이 그 근처 어디에 있나 실없이 주위를 휘둘러

봤으나 보이지 않았다. 길가의 바윗돌도 길을 넓히며 어디로 굴러 가버렸는지 보이지 않았다. 소나무도 길을 내느라 잘려 나간 모양인지 역시 보이지 않았다.

저쪽 텃논 못자리에서 피사리를 하고 있는 것이 태곤이 같았다. 만호는 발을 멈췄다.

"형님 아니요?"

태곤이는 허리를 펴고 이쪽으로 고개를 돌렸다. 빤히 만호를 건너다봤다.

"나 만호요."

태곤이는 한참 눈을 씀벅였다. 태곤이는 예상했던 것보다 훨씬 더 나이를 먹어 보였다. 시커멓게 그을린 얼굴이 서리 맞은 탱자 꼴이었다. 그가 태곤이라고 보니 옛날의 모습이 남아 있을 뿐이었다.

"아니, 시방 이것이 뭔 일이라냐?"

태곤이는 점벙점벙 길로 나왔다. 자기 손에 물이 묻은 것도 아랑곳하지 않고 태곤이 손을 덥석 잡았다.

"아니, 세상에 어디서 살다 지금 이러고 오냐?"

태곤이는 만호의 손을 잡고 잔뜩 힘을 주며 어쩔 줄을 몰랐다. 어찌나 세게 틀어쥐는지 만호 손이 삐져나올 것 같았다. 눈에 이슬이 맺히고 있었다. 옛날의 그 표독스런 독기는 찾아볼 수 없었다. 이슬이 방울로 맺혀 볼로 굴러 내렸다.

만호는, 태곤이의 눈물이 마치 무슨 얼음덩어리처럼 자기 가슴에 떨어지는 것 같은 감동을 느꼈다. 만호는 여태 엉거주춤 내맡기고 있던 손에 이쪽에서도 비로소 힘을 주어 마주 쥐었다.

"예끼, 이 무정한 놈!"

태곤이는 손에 거듭 힘을 주었고, 주룩주룩 눈물을 쏟았다.

집에 들어서자, 어머니가 호미를 들고 저쪽으로 가고 있었다. 남새밭에 가는 것 같았다.

"어무니, 만호가 왔소!"

어머니가 이쪽을 돌아봤다.

"어머니"

어머니는 멍청하게 만호를 건너다보고 있었다. 손에서 저절로 호미가 떨어졌다. 비칠거리는 것을 만호가 붙잡았다.

먼 산에서 쑥국새가 울고 있었다. 옥녀봉이 이들 모자의 상봉을 내려다보고 있는 것 같았다.

한참 만에 정신을 차린 어머니는 만호의 손을 잡고 눈물을 쏟아놓고 있었다.

"어디서 살다 왔냐?"

"서울이오."

장가는 갔느냐, 애는 몇이냐, 얼굴이 안 좋은 것 같은데 어디 아픈 데가 있는 건 아니냐, 어머니는 눈물을 쏟으며 사는 형편을 물었다.

"네가 집을 나간 뒤 할아버지가 너무 안타까워하였다. 눈을 감으시면서도 네 이야기를 하더구나."

어머니는 할아버지 이야기를 하며 새삼스럽게 흐느꼈다.

"네가 나간 뒤 동네 아이들이, 너하고 나를 황포동자 청포동자라고 놀려댔다는 말을 듣고 할아버지는 장탄식에 땅이 꺼지셨다."

태곤이가 말했다. 어머니는 계속 흐느끼고 있고 태곤이가 말을 이었다.

"너의 아버지나 내 아버지가 황포동자나 청포동자일는지는 몰라도 너나 나한테 무슨 죄가 있느냐고 말씀하시면서, 당신이 너한테나 나한테 더 너그러우셨더라면 동네 사람들이나 아이들이 그랬겠느냐고, 당신이 너무 옹졸하고 불민한 탓이었다고, 그런 허물을 모두 당신 잘못으로 돌리셨다."

태곤이는 계속했다.

"그뒤 할아버지는 동네 사람들이 모인 자리에서 큰 소리로 이런 말씀도 하셨다. 황포동자 청포동자는, 일본 놈·쏘련 놈·미국 놈 같이 우리 간을 내먹을라고 하는 외국 놈들하고, 그런 놈들 앞잡이 노릇 하는 놈이 황포동자 청포동자고, 나머지 사람들은 모두 착하고 선한 백포동자여. 앞으로 황포동자 청포동자 소리를 또 한번만 허투루 했단 봐라. 어느 놈이고 가만두지 않을 텨. 이러고 으름장을 놓으셨다."

어머니는 더 흐느꼈다.

"이건 네가 집을 나가고 난 이삼년 뒤일 것이다. 할아버지가 하루저녁에는 꿈을 꾸셨던 모양인데, 옥녀봉 산신이 나타나서 무슨 문서를 하나 맡기시더란다. 그래 그것을 소중히 가지고 오셨는데, 그것이 무엇인지 모르겠다고 늘 고개를 갸웃거리셨다."

"산신이 꿈에 무슨 문서를 주셨어요?"

"응, 그런데 그게 무슨 문선지, 그 문서를 주신 뜻이 무엇인지 모르겠다고 늘 궁금해하셨어. 할아버지는 그 꿈을 꾸신 그해부터 산에다 제막을 짓고 해마다 섣달그믐날이면 옛날처럼 산신제를 지내셨다. 돌아가시면서 나한테 유언이 두가지 있었는데, 하나는 동네 사람들이 산신제에 성의가 없더라도 나더러 앞장서서 꼭 산신제를 지내라는 것이고, 두번째는 네가 오거든 친형제보다 더 우애하고 살라는 것이었다. 할아버지가 너를 그렇게 못 잊어하신 것은 어머니 지성에 감동하셔서 그랬을 것이다. 네가 집을 나간 뒤 어머니는 비가 오나 눈이 오나 뒤안에다 정화수를 떠놓고 새벽마다 하루도 거르지 않고 치성을 드리셨다."

그때 어머니가 눈물을 훔치며 일어섰다. 무슨 일인지 농문을 열고 안을 뒤졌다.

"아 참, 그것이 있었지."

어머니가 편지봉투 하나를 들고 나오셨다.

"네가 오면 주라고 할아버지께서 남기신 것이다."

어머니는 만호한테 봉투를 건넸다.

"이게 뭔가요?"

"글쎄. 그렇게 봉해놔서 우리도 못 봤다."

'만호전'이라 쓰인 봉투는 제법 두툼했다. 만호는 봉투를 받아들고 어리둥절한 표정으로 어머니와 태곤이를 번갈아 돌아봤다.

"뜯어봐!"

태곤이가 재촉했다. 만호는 떨리는 손으로 봉투를 뜯었다. 무슨 호적등본이 나왔다. 유서겠거니 했었으나, 그런 것은 없고 호적등본 하나뿐이었다.

세사람은 머리를 맞대고 호적등본을 들여다봤다.

태곤이 이름이 씌어 있는 다음 칸에 만호 이름이 올라 있었다. 세사람은 서로 얼굴을 건너다봤다.

『지 알고 내 알고 하늘이 알건만』(창비 1984)

신
농가월령가

1. 도래실영감 환갑에 장가들어

도래실영감은 입춘대길(立春大吉) 건양다경(建陽多慶) 등 춘방을 네댓장 붙여놓고 막 돌아서려는 참이었다.

"아재비 못난 것 조카 장물 짐 진다더니 내가 꼭 그 짝이구먼."

방촌영감이 혼잣소리로 푸념을 하며 들어섰다. 도래실영감은 덤덤한 눈으로 방촌영감을 건너다봤다.

"돼지를 팔기는 판 모냥인디……"

두 영감은 방으로 들어갔다. 자기 담뱃갑에서 각자 담배를 뽑았다. 방촌영감이 성냥을 그어 도래실영감 앞에 내밀었다.

"이놈의 세상이 어떻게 되려고 갈수록 인심이 오뉴월 땅가뭄에 모래밭인지 모르겠구먼. 이러다가는 내남없이 내 것 없으면 목구멍은 천장에 매다는 수밖에 없겠어."

방촌영감은 담배연기를 한발이나 길게 뿜으며 변죽을 울렸다. 도래실영감은 덤덤한 표정이었다.

"농협 빚 연기가 안 된다는구먼."

"연기가 안 되면 어쩐다는 거여?"

도래실영감은 깜짝 놀라 큰 소리로 물었다.

"그래서 시방 내가 하는 소린디, 방불해야 샌님하고 벗한다고 일판이 하도 험하게 돌아가는 바람에 내가 지금 입이 안 열리는구먼."

"입이 안 열리다니?"

"그 작자가 자네 논 등기를 재판소로 넘기겠다는 거여."

방촌영감은 안 열린다는 입을 쉽게 열었다.

"뭣이, 내 논 등기를?"

도래실영감은 눈을 크게 떴다.

"허 참."

"아니, 그런께 시방 자네 조카 대용이 빚에 내 논 일곱마지기가 넘어간다 이 말인가?"

도래실영감은 벌린 입을 닫지 못했다.

"내가 시방 입이 열개라도 할 말이 없네."

"입이야 열개든 스무개든, 그런께 시방 내 재산이라고는 달랑 그것 뿐인디, 논 일곱마지기가 터도 없이 날아간다, 이 말인가?"

"내가 면목이 없네. 없네마는 대용이가 어떻게 벌든지 벌어서 갚을 것인께 그것 하나는 걱정 말게!"

"허허. 여편네가 일찍 가기 다행이었네. 살아서 이 소리 들었더라면 상을 당해도 악상을 당할 뻔했구먼. 팔자가 기박해서 환갑 말년에 내 몸뚱이만 혼자 달랑 남더니, 막판에는 목줄 대고 있는 땅뙈기까지 날아간다? 집도 그 문서에 달렸으니 이제 나는 벼룩 한마리 쭈그려 앉힐 데도 없네그랴."

도래실영감은 멀겋게 헛웃음을 쳤다. 어젯밤 꿈에 황소를 타고 가는 꿈을 꿨던 도래실영감은 꿈이 하도 그럴듯해서, 혹시 방촌영감이 전부터 서둘러오던 재취 이야기가 새로 한번 어우러지는 게 아닌가 했다. 그래서 아까 춘방을 쓸 때는 전에 없던 일로 파지까지 서너장이나 내며 한껏 정성을 쏟았다. 그런데 그런 쪽으로 대길은커녕 대흉도 이런 대흉이 없었다.

그때 밖에서 인기척이 났다. 대용이었다. 두홉들이 소주 두병과 오징어 발이 들려 있었다.

"도대체 이것이 어떻게 된 일이냐?"

"낯을 들 수가 없습니다."

대용이는 윗목에 무릎을 꿇고 앉으며 고개를 떨어뜨렸다.

"낯이야 들건 놓건 어디 얘기나 제대로 들어보자."

"돼지 판 돈은 내 손에 건너오지도 못했고, 나머지 빚도 도저히 연기를 해줄 수 없다는 것입니다. 입이 닳도록 사정을 했습니다마는, 자기도 당장 부도가 나게 생겨서 남의 사정 봐줄 여지가 없다고 사정없이 잡아뗍니다."

도래실영감은 벼락소리에 깨난 사람처럼 대용이를 건너다보고 있었다.

"그 논을 내가 어떻게 장만해서 어떻게 지켜온 논인 줄 아느냐?"

"잘 알고 있습니다. 앞으로 이자도 달마다 또박또박 갚아드리고, 기어코 그 논도 사드리겠습니다. 이삼년 동안 이빨을 악물고 벌면 그만한 돈은 벌 것입니다."

대용이는 주먹을 쥐며 다짐을 했다. 코앞에 닥친 일을 모면하자고 허투루 지껄이는 맹세 짓거리가 아니란 건 평소 태도로도 알 수 있었다.

"이제 너도 남은 것이라고는 달랑 네 몸뚱이 하나뿐인데, 어떻게 이자에다 논까지 사준단 말이냐?"

"다시 서울로 가겠습니다."

"서울? 서울 가면 돈 싸쥐고 기다리는 사람이라도 있단 말이냐?"

"그래도 맨손 쥐고 몸뚱이 부려 돈 만질 데는 서울밖에 더 있습니까? 전에 일했던 공장에 가면 먹여주고 한달에 십오만원은 줄 것입니다."

"그럼 네 어머니는 혼자 놔두고?"

"형편이 이러니 별수 없습니다."

"앉기나 편하게 앉아라."

도래실영감은 얼굴을 거두어가며 가볍게 한숨을 쉬었다. 대용이는 가져온 소주병 마개를 따고 두 영감들 앞에 한잔씩 따랐다.

무슨 일이나 꼼꼼하기로 소문난 도래실영감이 대용이 빚보증을 선 것은 그만큼 사정이 절박했기 때문이었다. 그가 남의 빚보증 선 것은 육십 평생 이번이 처음이었다.

재작년 봄이었다. 대용이가 딸기 온상재배를 하려고 제 전답을 몽땅 잡히고 빚을 내다가 일을 시작했다. 적잖이 오백평이었다. 비닐하우스가 열채나 들어섰다. 대용이는 항상 꼼꼼하고 부지런했지만, 그 일을 시작한 뒤부터는 밤낮을 몰랐다. 제대로 되면 한밑천 잡아 장가도 가고 살림도 크게 펼 것 같았다.

곡식 잘된 것 보기 좋기는 네 것 내 것이 일반이듯, 젊은 녀석이 크게 계획을 세워 부지런히 나대자 곁에서 보기도 여간 흐뭇하지 않았다. 그런데 초봄 꽃샘바람이 한바탕 험하게 몰아쳐 순식간에 비닐하우스 열채를 작살을 내버렸다. 비닐만 찢어발긴 게 아니고 비닐 지주까지 깡그리 부러뜨려 아주 진탕을 쳐버린 것이다. 꼭 일부러 그렇게 심술을 부려놓은 것 같았다. 따뜻한 온실에서 한창 파랗게 자라던 딸기 순이 모두 고스러질 판이다. 비닐이 벗겨진 딸기 꼴은 옷 벗은 갓난아기를 한데다 내놓은 꼴이었다.

대용이가 제 외삼촌 방촌영감을 앞세우고 도래실영감을 찾아왔다.

"염치없는 일이네마는 형편이 형편이라 이러고 왔네."

짐작대로 빚보증을 서달라는 것이다. 농투성이 곡식에 대한 애착이란 자식 죽는 것은 봐도 곡식 타는 것은 못 본다는 것인데, 그게 남의 일이라고 나 몰라라 고개를 돌릴 수가 없었다. 도래실영감은 두말하지 않고 등기와 도장을 내맡겼다. 그 무렵 방촌영감은 도래실영감 재취를 물색한다고 여기저기 신발깨나 닳고 다니던 때라 등기를 내놓는 손이 그만큼 가벼운 것 같았다.

그런데 그 보증이라는 게 알고 보니 말이 보증이지 실상은 그게 아니었다. 제 때에 빚을 갚지 못하면 날짜만 써넣고 법원에 넘기면 두말없이 논이 넘어가게 되어 있었다. 이런 방법이 아니면 그런 급전은 만져볼 수도 없다는 것이다.

대용이는 그렇게 대출을 받아 새로 지주를 세우고 비닐을 씌웠다. 동네 사람들이 거의 다 나서서 한나절 만에 일을 추려버렸다. 대용이는 전보다 더 정성을 쏟았다. 밤에도 잠을 자는지 안 자는지, 비닐하우스에는 밤중에도 불이 켜져 있었고, 새벽에도 켜져 있었다.

출하 때가 왔다. 이제 한숨 돌리는가 했더니 그게 아니었다. 금년에야말로 너도나도 딸기 재배여서 딸기값이 말이 아니었다. 더구나 비닐이 벗겨져 추위에 얼이 들었던데다 작황마저 시원찮아 본전은커녕 도래실영감 빚 턱도 못 건졌다.

대용이는 어떻게든 만회를 해보겠다고 빚보증을 일년만 더 연기해달라고 했다. 이번에는 돼지를 한번 길러보겠다는 것이다. 그러라고 했다. 그런데 이번에는 또 돼지값이 천방지축, 새끼 값이 느닷없이 어미 값이 되더니 금방 어미 값이 새끼 값이 되었다. 그 드잡이판에 대용이는 제 살림만 거덜이 난 게 아니고, 우물귀신 생사람 끌어넣듯 도래실영감까지 거덜이 나고 말았다.

"나는 갑자생이다. 갑자생인디 금년이 갑자년이니 환갑이 아니냐?"

무슨 말을 하려는 것인지 도래실영감은 엉뚱한 말로 허두를 꺼냈다. 목소리마저 착 가라앉아 있었다.

"우리 갑자생들은 거의가 세상을 살아도 험하게만 살아온 사람들이다. 한사람씩 따지면 그중에는 잘 사는 사람이 왜 없겠냐마는,

거의가 그런 해머리를 타고 난 사람들이라 세상에 무슨 병통이 났다 하면 언제나 '묻지 마라 갑자생'이었다."

대용이는 어깨판을 한껏 안으로 움츠리고 절간에 따라온 새댁처럼 다소곳이 앉아 있었다.

"대동아전쟁(제2차 세계대전) 때 왜놈들이 징용으로 젊은이들을 뽑아갈 적에 맨 먼저 끌어간 사람들도 '묻지 마라 갑자생', 6·25 때는 군인도 아니고 노무자, 군번 같은 것도 없이 산꼭대기까지 군인들 밥이나 져 나르는 그 노무자로 맨 먼저 끌려갔던 것도 '묻지 마라 갑자생', 하여간 시국이 삐득하면 동네북 꼴로 죽살이친 사람들은 갑자생들이었다. 오죽했으면 '묻지 마라 갑자생'이란 말까지 생겼겠느냐?"

이야기는 허공에서 한참 돌고 있었다.

"우리 동네가 지금은 여남은가호밖에 안 된다마는, 해방 전만 하더라도 삼십가호가 넘었는데, 갑자생이 나하고 넷이나 되었다. 그런데 그 가운데 셋은 징용이나 노무자로 끌려가서 모두 세상을 뜨고 나 혼자만 이렇게 살아남았다. 그렇게 험한 세상에 그래도 목숨 하나는 부지하고 있다가 금년에 환갑을 맞았으니 이것만으로도 운을 타고났다면 타고났다. 그래서 나는 웬만한 일을 당해도 죽을 운수만 끼지 않았으면 다행으로 여기고 살아왔다."

영감은 길게 한숨을 내쉬었다.

"사람이 죽고 사는 일은 하늘에 매인 것이지만, 크고 작은 세상사를 노상 하늘의 뜻으로만 여겨 삭히기는 말처럼 쉬운 것이 아니더구나. 자식 하나 있던 것 일찍 잃어버리고, 얼마 전에는 마누라까지 먼저 보내고 나니 세상살이가 두루 적막한데, 이번에는 내 목구멍에 풀칠할 터전까지 잃는다 생각하니 세상살이가 너무나 허망하구나."

도래실영감은 먼 데를 보며 말을 맺었다.

"죄송하기 짝이 없습니다. 제 목숨이 붙어 있는 도막에는……"

대용이는 양손을 거머쥐고 결심을 보였다.

"알았다. 네 고진한 심지를 내가 어찌 모르겠느냐? 지금 먹은 마음이나 변하지 말아라."

도래실영감은 담배연기를 길게 뿜었다. 영감이 너무 쉽게 누그러지자 두사람은 어리벙벙한 표정이었다.

"어떠냐? 어제저녁에 했던 내 말이? 군자도 이런 군자는 없다. 이만하면 어른으로 모실 만하지 않느냐?"

"삼촌 뜻대로 하십시오."

대용이는 고개를 떨어뜨렸다.

"가서 술 한병 더 사오너라."

대용이가 밖으로 나갔다.

"이것이 시방 경위가 경위인데다, 돈이 끼여 있는 일이라 조끔 뭣하기는 하네마는, 뭣이냐, 기왕에 오래 전부터 내가 생각해왔던 다음이라 하는 말인디……"

방촌영감은 말머리를 멈추며 앞에 놓인 잔을 들어 꼴깍 들이켜고 도래실영감한테 잔을 건넸다. 영감은 무슨 말을 하자는 것이냐는 눈으로 방촌영감을 건너다보며 잔을 받았다.

"저 아이가 서울로 돈벌이를 가려는 것은 제 어미하고 두 목구멍 때문이 아니라 돈을 벌어 자네 빚을 갚자는 것이네. 두사람 목구멍 만이라면 새파란 젊은 놈이 요새 세상에 어디선들 밥 굶겠는가? 지난번에 가서 재미를 보지 못하고 내려온 데를 다시 간다니, 보내는 제 어미 마음은 두말할 것도 없고, 저 녀석도 마음이 많이 안 존 것 같네. 동네 젊은이치고는 저 아이 하나가 어지간해서 관청 일이든 뭐든 든든하다 했는데, 저 아이마저 떠나면 우리 늙은이들도 힘이 없을 것 같네. 그래서 어떻게든 잡아놓을 방도가 없을까 하고 궁리하다가 빚어낸 생각인디……"

방촌영감은 도래실영감이 건네는 술을 받아 한입에 꼴깍 들이켜고, 바로 잔을 넘겼다.

"사람이란 것이 예로부터 남남끼리 만나 부부가 되고, 사람들이 모여 동네를 이루고 사는 것이 호랑이 무서워서 그러겠는가? 헌데, 저 아이 집은 달랑 모자뿐인데 어미와 자식이 혼자씩 흩어져야 하고, 자네는 또 자네대로 혼자일세."

도래실영감은 말을 멈추고 잠시 방촌영감을 건너보았고, 방촌영감은 멀뚱한 눈으로 그를 보고 있었다.

"이런 형편을 한걸음 물러서서 이것저것 파탈하고 생각해보면, 이 세사람을 한 식구로 묶지 말라는 법도 없을 것 같네."

"뭣이, 한 식구라니?"

"들어보게. 전에 자네 재취 이야기 하면서도 저 아이 엄씨는 내 누이라 등잔 밑이 어둡다고 그 생각은 못했는데, 이번에 곰곰 생각해보니 그것이 아니더구먼. 내가 자네 때문에 겪어봤으니 말이네마는, 재취가 쉬울 것 같아도 옴니암니 따지다 보면 들쭉날쭉이 장가처보다 까다로워서 헌 젓가락 짝 맞추듯 쉬운 것이 아니더구먼."

도래실영감은 덤덤하게 듣고만 있었다.

"그러니 이것저것 뚝뚝 잘라버리고 두집을 한집으로 합치면 어쩌겠는가?"

"두집을 한집으로 합치다니?"

도래실영감은 뚝배기에 든 두꺼비처럼 눈만 끔벅거리며 방촌영감을 건너다보고 있었다. 그때 대용이가 술을 받아가지고 오는 것 같았다. 방촌영감이 문을 열었다.

"술만 거기 놓고 잠깐 밖에 있어라."

방촌영감은 술병만 받고 문을 닫았다.

"중간에 돈 문제가 끼여놓으니 이쪽 처지가 조금 궁색스럽네마는, 마음이 맞으면 천하도 반분하더라고 그것도 생각 나름이네. 그래서 어제 저녁에 내가 대용이 모자를 앉혀놓고 담판을 했네. 헌데 여기 올 때까지도 떨떠름하는 것 같더니, 대용이가 아까 자네 말을 듣고 자네 도량에 감복한 것 같네. 아까 나가면서 삼촌 뜻대로 하란 말이 바로 그 말일세. 어떤가, 이제 자네 결정만 남았네."

"허허, 이거 참."

도래실영감은 멋쩍게 이죽거리는 게 싫지 않은 것 같았다.

"그럼 되었네. 하하."

방촌영감은 너털웃음을 터뜨렸다.

"허허, 흩어지려던 가족이 흩어지지 않게 되었으니 이것은 이산가족이 재회한 셈이고, 두 가족이 한 가족이 되었으니 통일이 되었네그려. 허허, 이번 갑자년 입춘은 대길일세, 대길! 대용아, 어서 들어와 인사드려라!"

방촌영감은 너털웃음을 터뜨리며 문을 열고 소리를 질렀다.

2. 일만이 각씨, 밤도망 치다

방촌영감은 서울 사는 딸 덕분에 생전 처음으로 서울 구경하고 야간 완행열차로 돌아오는 길이었다. 열차는 가다 쉬다 기분 내키는 대로라, 승객들도 졸다 깨다 몸뚱이를 내맡겨놓고 있었다. 사흘길 하루 가서 이틀 쉰다는 말이 요새는 이 완행열차를 두고 할 말이었다.

누가 앞자리에 앉는 것 같아 눈을 떴더니 수더분하게 생긴 중년 부인이었다. 심심하던 판이라 이런저런 이야기가 시작되었다. 이야기는 쌀값 소값에 미쳤고, 뉘 입에서 먼저 나왔던지 농촌에서는 신붓감을 구할 수가 없어 큰일이란 말이 나왔다.

"우리 동네는 열가호 남짓한 동넨디 서른이 다 돼가는 늙은 총각이 셋이나 있소. 장가를 가재도 시집올 색시가 없으니 모두 홀아비로 늙을 판입니다. 이러다가는 농촌에는 사람의 씨가 마를 판이요."

"그렇지만, 따지고 보면 농촌에서 살지 않으려는 처녀들 나무랄 수도 없지요. 도시에서는 남편이 어지간한 공장에만 다녀도 찬물 튕기고 사는데, 그 답답한 시골에 박혀 오뉴월 뙤약볕에 고개 숙여서 농사짓고 살 처녀가 어디 있겠소? 더구나, 그렇게 몸뚱이 곰 고아서 농사지어봤자 쌀 한가마니 값이 웬만한 서울 사람들 술 한자리 값도 못 되잖아요?"

"맞는 말씀이요."

"서울 사람들 보세요. 계절이면 계절 따라 여름이면 바캉스에 봄이면 자연농원, 가을이면 설악산, 일요일은 일요일대로 어린이대공원에. 그런 놀이를 시골 사람 장에 다니듯 하잖아요? 나도 시골서 살아봤으니 말입니다마는, 농사일 바쁠 때는 보리타작에 모내기에 신새벽부터 물 샌 쪽박 들고 나대듯 논밭으로 뛰어다니지만, 가을에 손에 쥐어지는 게 얼마나 됩니까? 그런 판에 여름 바캉스는 놔두고 하룻길 단풍 구경도 그게 쉬운가요?"

"시골 사정을 잘도 아시요."

모주 할미 열바가지 내두르듯 하는 말 솜씨에 방촌영감은 연방 고개를 끄덕였다.

"그런데 엊그제는 듣다가 기막힌 말 한번 들었소. 지금 시골에는 시집올 처녀들이 없으니까 그런 사정을 미끼로 사기꾼들이 약혼식 패물만 똑 따먹고 도망치는 일이 도시 사람들 은행 사기보다 더 많다면서요?"

"그렇습니다. 우리 이웃 동네들에서도 그런 사기를 당한 일이 두 집이나 있소. 그러잖아도 피폐한 농촌에서 그런 사기꾼들까지 득실거리니 농촌 사람들은 이래저래 죽을 지경입니다."

"결혼은 인륜대산데 그런 사기를 치다니 세상은 말세지요. 사기를 쳐도 그렇게 험한 사기를 치다니, 사람 너울 뒤집어썼다고 그런 작자들을 사람이라 하겠습니까? 더구나 사기칠 데가 없어서 순박한 시골 사람들한테 사기를 친단 말이오?"

여자는 장탄식이 땅이 꺼졌다. 상제보다 복재기가 더 서러워한다더니 농촌에서 살지도 않는 사람이 개탄이 땅이 꺼지자 방촌영감은 맞장구밖에 맞출 가락이 없었다.

"그런데, 이것은 내가 직접 피해를 보고 있는 일이라 더 화가 납니다마는, 그 책임은 시골 사람한테도 있어요. 시골 내 먼 친척 얘긴데 그 딸이 이웃 동네 총각하고 연애를 했던 모양입디다. 그런데 그 총각이 그 처녀를 버리고 다른 처녀한테로 장가를 가버리자 그 처녀는 그것이 흠이 되어 번번이 혼담이 깨졌습니다. 나중에야 그걸 안 처녀 아버지가 이년이 집안 망신시켰다고 노발대발 그 딸을 쫓아내버렸습니다. 그래서 올데갈데없는 그 처녀가 지금 우리 집에 있지 뭡니까? 이 처녀는 우리 동네 처녀들이 서울로 줄을 서도 한사코 시골에서만 살겠다는데, 연애 한번 한 걸 가지고 그러다니 요새 세상에도 그렇게 케케묵은 묵은 사람들이 있더라고요."

여자는 화가 나서 못 견디겠다는 서슬이었다.

"그러니까, 그 처자는 도시는 싫고 시골에서만 살겠다고 한단 말이요?"

영감은 갑자기 눈을 크게 뜨고 물었다.

"초등학교밖에 안 나왔지만, 인물 반반하겠다, 행실 얌전하겠다, 요새 세상에는 그만한 처녀도 보기 어려운데, 연애 한번 했다고 그 꼴이니 지금도 그런 답답한 사람들이 있습디다."

여자는 제물에 화가 나서 목소리가 커졌다.

"그럼 그 처자는 낯모르는 데로 시집가면 되지 않겠소?"

"그렇지만, 막상 혼처를 찾으려고 하니 그런 데도 쉽지 않네요."

"그래요? 그럼 그런 이야기가 나온 김에 우리 동네 총각하고 한번 맞춰보면 어떻겠소?"

"지금 그 처녀 형편은 원을 만나든지 시주를 받든지 해야 할 판이라 웬만하면 갈 것입니다."

"그렇습니까? 그러면, 아주머니가 중매를 한번 해보시요."

방촌영감은 처음부터 자기 동네 일만이를 두고 한 말이었다. 지난 설에 세배 왔을 때 덕담이랍시고 금년에는 예쁜 처녀한테 장가들라고 했더니, 장가를 가려고 해도 시골에서는 시집올 처녀가 없으니 날품팔이를 하더라도 도시에서 살아야겠다고 하던 말이 떠올랐던 것이다.

"그렇지만, 그 처녀는 자기 집에서 버린 자식 취급을 받아 쫓겨났으니, 초례청에서 입을 옷부터 몽땅 신랑 측에서 싸가야 할 형편이요."

"규수가 그만하다면 여부 있겠소?"

"그럼 제가 한번 나서볼까요? 그렇지만, 결혼식에는 친정에서 예식장에 아무도 오지 않을 테니, 어디 절에서 간단하게 결혼식을 하고, 신랑 집에서 동네잔치를 베풀면 어떻겠소?"

"그럽시다. 혼사치레 말고 팔자치레 하랬더라고 얼레빗 참빗 하나씩만 갖고 가도 제 복에 살지라."

방촌영감은 행여 일이 뒤틀어질세라, 그가 하자는 대로 예예 했다.

"그럼 내가 처녀를 데리고 오지요. 약혼식은 안 하더라도 피차 얼굴은 봐야겠지요. 깔깔깔."

방촌영감은 그저 두번 세번 고개만 주억거렸다.

정초부터 도래실영감 일이 시원스럽게 풀리더니 이건 또 아닌 밤중에 웬 떡이냐 싶었다. 정거장에 내린 방촌영감은 동네까지 십 리 길을 두루마기 자락에 비파 소리가 나게 내달았다. 집에 가자마자 앉은 자리에서 일만이 모자를 불러오라 했다. 영감은 모자를 앞에 앉혀놓고 이야기를 늘어놨다. 각씨를 얻게 되는 일만이나, 며느리를 얻게 되는 어머니나, 대번에 입이 바지게가 되어 예예 소리만 했다. 그들 모자는 이럴 때 자주 쓰는 말 그대로 불감청이언정 고소원이었다.

그 여자가 온다는 날, 방촌영감은 일만이 모자를 데리고 읍내로 갔다. 색시를 보자 일만이 같은 촌놈은 얼굴만 한번 보자고 해도 고개를 저을 지경이었다.

"이쪽 형편이 그러니 더 할 말은 없소마는 꼭 한가지만 부탁하겠소. 이렇게 의젓한 남편을 얻은 다음에는 언제 가도 친정에는 가야겠지요. 그때는 뭐니 뭐니 해도 당장 눈에 보이는 것이 그럴 듯해야 친정 부모들이 믿을 테니 패물 한가지는 섭섭잖게 해야 할 것 같소. 옷은 아무리 비싸도 한번 입으면 헌 옷이지만, 패물은 언제든지 제값 물고 있으니, 아니할 말로 형편이 딱해서 처분할 일이 생기더라도 그렇고, 혼수로야 패물만큼 실속 있는 혼수도 없지요."

일만이 모자는 말이 방바닥에 떨어져 먼지 묻을세라 예예 하며 두번 세번 고개를 끄덕였다. 처녀를 본 일만이도 제정신이 아니었다.

집에 돌아온 일만이는 당장 다음 날 비육우 네마리 가운데 어미소 한마리를 팔아 그 절반으로 패물을 샀다. 혼담은 벼락같이 이뤄

졌고 동네 사람들은 앉으면 일만이 각씨 이야기였다. 저렇게 예쁜 여자가 이런 산골에서 땀 흘려 김매고 모심고 고개 숙이고 살아갈 것 같지 않다거니, 그래도 그런 사정 빤히 알고 왔으니 두고 볼 일이라는 둥, 늙은이들은 늙은이들대로 젊은이들은 젊은이들대로 그 색시 이야기뿐이었다.

"커엄!"

진밭실 동네는 언제나 방촌영감 기침소리로 하루가 시작된다. 동쪽 하늘에 희부옇게 동살이 잡히면 동네 골목에서 어김없이 방촌영감 밭은기침 소리가 났다. 새벽달이라도 밝아 창에 비치는 것이 달빛인지 동살인지 긴가민가할 때면 동네 사람들은 방촌영감 기침소리를 듣고 날 샌 줄 알았다.

영감은 뒷산으로 올라가 자기 산소를 한바퀴 돌아보고 건너편 산자락을 감고 돌아 동네로 들어온다. 영감은 집집마다 울타리 너머로 집안을 기웃거리며 아까 올라갔던 안 골목을 다시 올라갔다가 내려왔다. 그러다가 커엄 기침소리를 한껏 크게 내며 어느 집으로 들어설 때가 있다. 사내가 아직도 늦잠을 자고 있는 성싶은 집이다. 이 동네는 모두가 형편이 고만고만해서 덩실한 대문도 없고, 더러 삽짝문이 있지만 그나마 시늉뿐이라 잠그는 집은 없다.

"대성이 일어났는가?"

"예. 예. 어섭쇼. 일찍 웬일이신가요?"

"날 샌 지가 언제라고 자네나 일찍이제 내가 일찍이여? 뜨는 해가 엉덩이에 비치면 멀쩡한 호박에 고자리가 들어!"

눈을 씀벅이며 내다보는 대성이한테 핀잔이었다.

"금방 돌아봤더니 저쪽 산자락 자네 보리밭 말일세. 웅달쪽은 보리 뿌리에 성에가 허옇게 피어 부웅 떴어. 웃거름하고 북을 하든지, 밟아주든지 해사 쓰겠더구먼."

"고맙습니다."

영감은 다시 아래로 내려간다.

"아이고, 저 영감태기는 그 흔한 독감 한번도 안 걸리는가?"

어젯밤에 술을 많이 마신 대성이는 상판을 으등그리며 이불 속으로 다시 기어든다.

— 꿩 꿩

꿩도 방촌영감 발자국 소리에 잠이 깨었는지 그이가 지나간 뒤에야 꿩꿩 날개를 치며 장끼·까투리 한 식구가 밭으로 내려온다.

방촌영감은 도래실영감 집 앞에 멈춰 울타리 너머로 집안을 살핀다.

"장가들더니 이놈의 영감태기도 늦잠인가?"

방촌영감은 혼자 웃으며 그냥 지나쳤다. 조금 내려오다가 일만이 집을 들여다보고 깜짝 놀란다. 사흘 전에 장가간 일만이가 썰렁한 표정으로 마당에 서 있다.

"웬일이냐?"

"이것이 먼 이런 일이 있는가 모르겠소. 그 여자가 밤중에 없어져부렀소."

"뭣이? 그 여자가 없어지다니? 이번에 시집온 그 색시 말이냐?"

"그 여자 말고 누가 있겠소?"

"아니, 시방 그것이 먼 소리냐?"

방촌영감은 뒤통수라도 한대 맞은 상판이다. 사기 결혼이었다는 생각이 번개처럼 머리를 스치며 손발에 떡심이 탁 풀렸다.

"자고 난께 없어져서 장롱부터 뒤져봤더니 패물이랑 돈이랑 옷가지랑 몽땅 가져가버렸소."

일만이는 보리풀떼기 끓는 소리로 이죽거렸다.

"패물이랑 돈이랑?"

방촌영감은 얼음판에 나자빠진 황소처럼 뻥한 눈으로 일만이를 건너다보며 한참 동안 눈만 끔뻑이고 있었다. 동네 사람들도 한사람씩 모여들기 시작했다.

"짐작 가는 일이 없소?"

일만이 어머니였다.

"짐작 가는 일이라니? 세상에 이런 일을 누가 꿈엔들 생각을 했겠소?"

"다른 동네에서도 약혼식만 하고 이런 일이 있었다니 그런 눈치부터 살폈어야지라."

일만이 어머니가 한마디 했다. 요사이 파다하게 있는 일이었다.

"허 참, 망신을 사려면 제 아비 이름도 안 떠오른다더니, 그 중매쟁이 여편네가 하도 감쪽같이 말을 하는 바람에 이런 일은 꿈에도 생각을 못 했소. 생사람을 세워놓고 간을 내도 이렇게 낼 수가 있단 말이여? 허허."

방촌영감은 기가 막혀 말이 안 나온다는 표정이었다.

"그 친정은 어디지라?"

"친정 주소는 물어보지도 안 했지만, 친정으로 갈 형편도 아닌 것 같았어."

"그럼 그 중매쟁이 주소도 모르요?"

"기차간에서 만나서 기차간에서 어우러진 일인데 그런 것까지 챙기겠어?"

"친정도 모르고 중매쟁이도 모르면 그 여자를 어디 가서 찾지요?"

"허허."

방촌영감은 멍청한 상판으로 헛웃음을 쳤다. 몰려온 동네 사람들도 벼락소리에 깨난 사람들처럼 서로 건너다볼 뿐 말이 없었다. 시집온 지 사흘밖에 안 된 새댁이 밤중에 온데간데없어져버렸다니 모두 넋이 나간 꼴이었다. 근자에 이런 사기 결혼 소문이 심심찮게 나돌아 그때마다 배를 쥐고 웃었는데, 그게 남의 동네가 아니고 바로 이 동네서 일어난 것이다.

"허허. 말세, 말세, 하더니 말세가 따로 없구먼."

방촌영감은 담배연기를 길게 내뿜으며 구시렁거렸다. 중매는 잘하면 버선이 한켤레고 못 하면 뺨이 세대라더니, 일판이 하도 험해놓으니 뺨으로 따진다면 세대로 끝날 일이 아니었다.

"중 도망은 절간 마룻장이나 뜯어보겠지만, 친정집도 모르고 중매쟁이도 모르니 이 여자를 어디 가서 찾지요?"

일만이 어머니였다. 방촌영감은 우거지상으로 연방 고추 먹은 소리만 하고 있었다.

"세상 말세여. 말세!"

방촌영감은 그 중매쟁이 여편네가 말세라고 했었는데, 바로 그 여자가 이런 짓을 했으니 이렇게 되면 말세가 몇벌로 말세인지 알 수 없었다.

3. 대용이 똥개, 오십만원짜리 개한테 장가들어

산에는 진달래가 한창이고 방천 둑에는 개나리가 무더기무더기 흐드러졌다. 꽃은 그 종류가 수천가지겠지만, 그 하고많은 꽃 하나하나를 뜯어보면 그 아름다움이 저마다 독특한 모양을 지니고 있다. 그 어느 것 하나도 볼품없이 생긴 것이 없는 것을 보면 조물주가 그만큼 정성스레 빚어냈기 때문일 터이다. 장미나 모란같이 크고 아름다운 꽃은 이를 바 없지만, 오랑캐꽃이나 패랭이꽃 같은 작은 꽃들도 작으면 작은 대로 저마다 어엿한 한송이 꽃으로 꽃 모양이 앙증스럽고, 그것도 꽃이냐고 놀려대는 호박꽃도 그 수더분하고 소박한 품새가 덤덤한 시골 아낙네의 꾸밈없는 웃음에 비겨 그 푸근함이 어떠하던가?

봄이면 온갖 꽃들이 수없이 피어 지천이라 귀한 줄을 모르지만, 그 꽃 하나하나가 피어날 때, 나무면 나무, 풀이면 풀이 그 한송이를 피어내려고 쏟는 힘이란, 마치 역도 선수가 역기를 뽑아 올릴 때의 그 모질음에 비겨 조금도 덜하다 할 수가 없었다. 오랑캐꽃 같은 작은 꽃도 그 한송이를 피어내려고 쏟는 힘은 지금 서울 여의도에 한창 올라가고 있는 그 육십삼층인가 하는 빌딩 하나 지어내는데 쏟는 힘에 비겨 크게 덜하다고 누가 말할 수 있을 것인가?

또 이 세상에는 하고많은 애어미들이 있어 그 어미들이 각자 적게는 한둘, 많으면 네댓을 낳아 그 애들이 자라서 지금 세계 인구가 삼십억인가, 사십억인가 된다는데, 그 수가 얼마나 많은지는 이런 숫자가 아니고 도시의 버스 정류장이나, 운동경기장, 또는 시골 장판에 가보면 대번에 눈으로 보아 알 수 있었다. 사람도 그 수가 너무 많아 발에 걸리고 밟혀 귀한 줄을 모르지만, 그 한사람 한사람을 낳아서 기를 때, 그 어미들의 정성은 하느님이 이 세상을 만들어낸 경이에 비겨 조금도 덜하지 않을 것이다.

여기 진밭실 동네도 그 경이로운 사람들이 살고 있으며, 산과 들에는 하고많은 풀과 나무들이, 저마다 온 힘을 다 쏟아 쑥쑥 자라고 있다. 사람들은 땅이 식물을 길러내는 이치를 좇아, 그 이치대로 씨 뿌리고 김매고 그리하여 가을이면 곡식을 거둬 자기들 먹을 만큼 남기고, 나머지는 농사를 짓지 않는 사람들한테 나눠주고 있으니, 이 세상 넓은 땅의 주인이 누구냐고 한다면 그것은 멍청해도 한참 멍청한 말일 것이다.

도래실영감은 대용이하고 아침부터 보리논에 웃거름을 하고 있다. 해가 중천에 뜨자 한몰댁이 곁두리를 가져왔다. 방촌영감 말마따나 식구들이 흩어지려다 다시 만난데다 새로 장가가고 시집간 감격이 뿌듯하여 집안 분위기는 아지랑이 피어오르는 봄 들판 같았다.

"벌써 세배미나 갈았소?"

한몰댁은 비닐 함지박을 내려놨다. 대용이 빚 때문에 읍내 장가라는 돈놀이꾼한테 넘어간 논이었다. 한몰댁은 막걸리 주전자며 찐 고구마, 그리고 밥 한그릇과 김치 한보시기를 논두렁에 늘어놨다.

"좀 있으면 점심을 먹을 텐데 멀라고 밥까지 가져왔소?"

"고구마를 좋아하시는지 몰라 밥도 한그릇 가져와봤소."

"막걸리 한잔이면 됐지 뭘."

도래실영감이 잔을 들자 한몰댁이 주전자를 들어 술을 따른다.

"카아! 좋다."

도래실영감은 대용이한테 잔을 넘긴다.

"요새 막걸리 맛이 좀 나아졌습디다."

고구마를 욱여넣고 있던 대용이가 잔을 받으며 한마디 했다.

"옆에도 쪼깐 돌아봄서 마셔!"

저쪽에서 방촌영감이 소리를 질렀다.

"어서 오게! 한자리 빈 것 같아서 뉘 자린가 했더니 자네 자리였구먼. 하하하."

도래실영감이 너털웃음을 터뜨렸다.

"내 몫도 한잔 남았단 말인가?"

"어서 와! 웃국은 못 질러놨어도 한잔은 얌전하네."

"발복이 있습니다."

대용이가 주전자를 들었다.

"입으로 벌었은께 발복이 아니라 입복이다."

방촌영감은 잔을 받으며 웃었다.

"저것이 뭔 찬고?"

말끔한 승용차 한대가 동네로 들어오고 있었다.

"장 사장 차 같구먼."

장 사장은 대용이 빚 때문에 이 논을 채어 들인 사람이다.

차 문이 열리자 웬 개가 먼저 훌쩍 뛰어내렸다. 스피츠보다 좀 큰 애완견이었다. 고구마 껍질을 주워 먹고 있던 대용이 개가 쪼르르 달려갔다. 다른 개들도 서너마리 달려왔다. 개가 작아서 그런지 으르렁거리지 않았다. 그 애완견도 당돌하게 꼬리를 말아 올리고 똥개들하고 주둥이를 맞댔다.

"이 산골까지 오다니 다급했구나."

방촌영감이 핀잔 조로 말했다.

"소작 때문에 오는 것 같은데 나한테 맡겨! 제 할 새나 우리 할 새나 마찬가진께 우리도 배짱을 한번 퉁겨보아야겠어. 밑져야 본전이여."

장 사장은 이 논을 팔려고 했지만, 팔리지 않자 자기 앞으로 이전을 한 다음 소작을 놓으려 했다. 그러나 이 동네 사람은 아무도 이 논을 부치려 하지 않았다. 방촌영감 체면 때문이었다. 그래서 이웃 동네까지 소작 벌 사람을 염탐한다는 소문이었다.

"제가 발복 있게 왔습니다. 저도 한잔 얻어 마십시다."

장 사장이 다가오며 너스레를 떨었다. 얼굴에 웃음을 바르고 달려드는 게 전 같지 않았다.

"맑은 술만 자시던 사장님이 이런 막걸리를 입에 대실까?"

방촌영감이 뼛성 있게 한마디 했다.

"무슨 말씀입니까? 술이야 막걸리만 한 술이 없지요."

"꼭 한잔쯤 남았습니다."

대용이가 주전자 뚜껑을 벌려 보고 장 사장에게 잔을 건넸다. 장 사장은 막걸리를 꿀꺽꿀꺽 들이켰다.

"술맛 좋다. 카아."

젓가락을 디밀었으나 마다하고 손가락으로 배추 겉절이 한가닥을 집었다.

"어쩌시렵니까? 기왕 버시던 논이니 영감님께서 그대로 버셔야 피차에 기분도 그렇고 두루 좋을 것 같습니다. 소작료는 예가 있으니 그것은 이러고저러고 할 것 없고 비료대나 좀 보태드리지요."

장 사장은 크게 선심이라도 쓴다는 가락이었다.

"기왕 넘어간 것 다른 사람한테 주시요."

도래실영감이 차갑게 퉁기며 얼굴을 걷어갔다.

"이 보리농사도 혀 댈 생각이 없으니 다시 한번 생각해보시지요."

"제 논을 벌어도 수지 안 맞는 것이 농산데, 이런 산골 박토에 소작료를 한섬씩이나 주고 나면 뭣이 남겠소?"

"허지만, 저는 한마지기에서 한섬씩 받아봤자 이부 이자 턱도 못 됩니다."

"우리도 마찬가집니다. 작년에 염소 기른 사람들은 염소 열마리가 논 열마지기보다 나았소. 이런 판에 누가 애 숙여 농사짓겠소?"

방촌영감이었다.

"그게 무슨 말씀입니까?"

"흑염소 한마리가 한배에 서너마리씩 일년에 두배를 낳소. 그 새끼 값이 암놈 한마리에 십오만원이니 계산을 해보시요."

장 사장은 방촌영감을 건너다보며 한참 눈을 씀벅였다.

"지금도 염소 새끼 값이 그렇게 존가요?"

"요사이는 반값으로 드잡이를 했소마는 논 한마지기에서 석섬 나온다고 해봤자, 그걸 몽땅 팔아도 염소 새끼 네마리 값이 못되니 천하지대본이라던 농사가 이게 뭐요?"

"허허. 농사 소출이 이렇게 허망한 줄은 나도 이제야 알았소."

"정치한다는 작자들은 새마을이니 헌마을이니 농촌사람들 살림까지 해주는 것같이 야단법석입니다마는, 그 작자들 쌀값 매기는 것 보면 이것이 정치인지 말이 삼은 소 신인지 모르겠습디다."

"나도 이제 농토를 가졌으니 농민이 된 것이나 마찬가집니다마는."

"뭣이요? 농토를 가졌은께 농민이 된 것이나 마찬가지라 했소?"

방촌영감이 장 사장 말을 채뜨리며 허옇게 노려봤다.

"여보시요. 말을 해도 이치를 방불하게 발라가면서 말을 하시요. 제 몸뚱이 부려서 농사를 지어야 그것이 농민이제, 논 사놓고 자가용 타고 댕기면서 소작인 구하는 사람이 농민이란 말이요?"

방촌영감이 얀정머리 없이 쏘았다.

"허허. 그걸 가지고 무얼 그렇게 따지십니까? 내 말은 나도 이제 농민들하고 같이 쌀값 걱정을 하게 생겼으니 처지가 같아서 하는 말입니다."

장 사장이 웃으면서 말을 바뤘다.

"당신같이 자가용 타고 다니며 이자 따지는 사람은 우리하고는 시쳇말로 번지수가 달라요."

"하하. 하여간, 어쩌시겠습니까? 농촌에서 농사 안 짓고야 뭘 하시겠습니까?

그때 대용이가 갈마들었다.

"나는 농사만 들여다보다가 하도 답답해서 한몫 잡아보자고 나대다가 이 꼴이 됐습니다만, 농사는 자기 논에다 지어도 빈손인데 소작을 지어 뭣이 남겠소? 그래서 농사에는 아예 손을 떼고 염소나 돼지 같은 가축벌이나 할 생각입니다."

"그래도 농촌에서 식량까지 팔아먹는대서야……"

"촌사람 식량 걱정까지 해주시니 말씀입니다마는, 정 소작을 놓고 싶다면 나는 제삼자니 뚝 잘라 말을 할까요? 소작료를 한마지기에 한가마니로 하시요."

"뭐요? 한마지기에 쌀 한가마니요?"

"그렇소. 한가마니요."

"그게 말씀이라고 하십니까? 그러면 일부 이자 턱도 안 됩니다."

"당신네 사정만 가지고 보면 그렇지만, 우리 사정은 더 험한데 어떡합니까? 경지정리 된 들녘 논에 비하면 이런 데는 경운기도 제대로 댈 수가 없으니 손이 두배나 더 가는데, 아무리 잘 지어봤자 석섬 내기도 고달픕니다."

"그렇지만, 한마지기에 한가마니라니 그건 너무 하잖습니까?"

"산골 논다랑이 붙잡고 오뉴월 뙤약볕에 아무리 몸뚱이 곰 고아봐야 남는 것이 없으니, 너무한 것은 쌀값 매기는 사람들이지요."

"그렇지만, 한마지기에 한가마니라니 그건 말이 안 됩니다."

"그럼 마시오. 헌데 땅문서는 당신이 가지고 있지마는, 농사짓는 사람은 이 동네 사람들이오. 농민들이 농사짓지 않으면 맨땅에서 쌀이 나옵니까? 더구나 저 논은 저 영감 아니면 이 동네에서는 저 논 벌겠다는 사람 없을 테니 그것이나 아시요."

"그러고 보니 영감님께서 여태 동네 사람들을 누르고 계셨구먼요."

장 사장 눈꼬리가 치켜 올라갔다.

"내가 뭘 얻어먹자고 남의 일에 논을 누르고 자시고 한단 말이요. 농투성이 농사짓는 일은 비 내려주고 눈 내려주시는 하느님 이치를 좇아 하는 일이라, 농사꾼들은 이치에 닿지 않는 일은 좀체 하지 않소. 아마 이 일도 이치가 틀려도 어디가 틀렸으니 이 동네서는 이 논에다 농사짓겠다고 나설 사람 없을 것이요."

"제가 이치에 틀린 게 뭡니까? 법으로든 무엇으로든 틀린 일은 하지 않았소."

"이치라는 것은 꼭 법으로만 따져지는 것도 아닌 성부릅디다."

"그렇지만, 생각해보시오. 한달에 일부 이자도 안 되는 소작료는 이게 어떻게 이치에 닿는 일입니까?"

"일부건 이부건 그건 우리가 알 바 아닙니다. 억울하거든 논을 떠메 가든지 지고 가든지 알아서 하시요."

"허허. 정말 미치겠네."

그때였다.

"개가 흘레붙었다."

승용차 곁에 몰려 있던 동네 조무래기들이 소리를 지르며 이쪽으로 우르르 뛰어오고 있었다. 정말 논 가운데서 개가 교미를 하고 그 곁에는 여러마리가 서성거리고 있었다. 대용이 수캐하고 장 사장 애완견이었다. 장 사장 애완견은 몸피가 대용이 개 반밖에 되지 않아 뒷발이 공중에 한참 쳐들려 장 사장 애완견이 거꾸로 매달린 꼴이었다.

“아이고. 큰일났네. 오십만원짜리 순종인데 이 일을 어쩐다?”

장 사장은 다급하게 달려갔다.

“시골 똥개가 오십만원짜리한테 장가가다니, 네놈이 사람보다 낫다.”

방촌영감이 너털웃음을 터뜨렸다.

“허허. 정말 환장하겠네.”

가까이 간 장 사장은 험한 상판으로 개들을 노려보고 있었다. 일요일이라 조무래기들까지 모두 몰려와 야단법석이었다. 가뜩이나 심심하던 산골 아이들이라 이만큼 신명나는 구경거리도 드물었다.

“이 방정맞은 놈들아, 남 대사 치는데 왜 그리 야단들이냐?”

방촌영감이 조무래기들한테 소리를 질렀다. 조무래기들은 낄낄거리고 장 사장은 우거지상판으로 씨근거리고 있었다.

4. 선진조국 아낙네들은 니나노 관광에 휘돌아가고

동구 앞 산모퉁이 다복솔 밑에서 꿩들이 무엇에 잔뜩 놀란 듯 푸드덕 날아올라 저쪽 보리논에 내려앉는다. 꿩이 날아오른 산모퉁이에서 난데없는 버스가 고개를 내밀었다. 색색으로 요란스럽게 치장한 관광버스였다.

—빵 빵.

버스는 크게 경적을 울리며 동네로 들어왔다. 버스에 가득 찬 사람들이 벌써부터 '오동추야 달이 밝아' 어쩌고 니나노 가락이 흐드러졌다. 트럭이나 택시 같은 차는 간혹 동네에 들어왔지만, 저렇게 크고 화려한 관광버스가 들어온 것은 이 동네 생기고 처음이었다.

"오매오매, 빨리도 왔네."

골목에서 여자들 발자국 소리가 쿵쿵 땅을 울렸다.

"차가 왔소. 차가 왔어. 얼른들 나오시요. 얼른!"

버스는 버스대로 빵빵 경적을 울렸다.

"쪼깐만 기다리라고 해!"

"기다리기는 어떻게 기다려. 한국사람들은 이렇게 시간 지킬 줄을 모른께 서양사람들한테 후진국 사람 취급을 받는단 말이여."

차에서 내린 여자가 소리를 질렀다.

"후진국이고 지랄이고 차가 이렇게 일찍 올 줄 누가 알았어?"

칠성이 아내는 소리를 질러놓고 루주를 뽑아 입술로 가져갔다. 밖에서는 어서 나오라고 소리를 질렀다. 칠성이 아내는 다급하게 입술을 옴지락거리며 루주를 발랐다. 바삐 바르자 한쪽 선이 너무 밑으로 내려가 입이 비뚤어진 것 같았다. 가제로 북북 문지르지만 얼른 지워지지 않는다.

"워매, 환장하겠네."

칠성이 아내는 대충 화장을 끝냈다. 다급하게 토방으로 내려서며 치마를 허리에 걸쳤다. 치마끈을 잡아매며 신을 질질 끌고 사립으로 내달았다.

"엄마, 나도 가!"

여섯살짜리 아들놈이 째지는 소리로 악을 쓰며 따라나섰다.

"오매오매, 이놈의 새끼야. 시방 어디를 간다고 따라나서냐? 어서 안 들어가냐?"

아들놈 어깨를 잡아 손바닥으로 등짝을 탕탕 때려 쫓았다. 치맛자락을 홑이불 휘날리듯 내갈기며 버스로 달렸다. 아들놈은 다시 죽는다고 악을 쓰며 쫓아갔다.

"미안스러워서 으짜까? 깔깔깔."

넉살 좋게 깔깔거리며 차로 올라섰다. 문을 닫으려는 순간이었다.

"오매오매. 쪼끔만. 내 돈지갑. 돈지갑!"

칠성이 아내는 다시 차문을 밀치며 후닥탁 뛰어내렸다. 골목을 향해 뛰었다. 악을 쓰며 달려오던 아들놈이 깜짝 놀라 냅다 저쪽으로 도망쳤다.

"아이고 저것이 먼 꼴이여. 한국사람들은 내남적없이 시간부터 지킬 줄 알아야 써. 우리들도 인제부터 선진조국 백성들인데, 저렇게 시간 하나도 지킬 줄 모르면 그런 사람이 선진국 백성이겠어?"

"누가 아니려. 86아시안게임이나 88올림픽 때는 외국사람들이 수도 없이 떼몰려올 것인데, 그런 사람들 앞에서 저런 꼴 보이면 그것이 나라 망신이제 혼자 망신이겠어?"

"그려 그려. 질서가 버스 탈 때 줄 서는 것만 질서관데? 시간 지키는 것이 첫째가는 질서여."

이내 칠성이 아내가 달려왔다. 아들놈은 또 악을 쓰며 쫓아왔다. 버스는 칠성이 아내를 릴레이 선수 바통 채듯 차 안으로 낚아 들이며 부르릉 출발했다. 버스는 먼지를 일으키며 동네를 떠났다. 칠성이 아들놈은 악을 쓰며 버스를 쫓아가다 말았다.

버스가 떠나자 동네는 아침 햇살 아래 다시 고즈넉한 정적에 싸였다. 저쪽 산자락에서 꿩이 꿩꿩 한가롭게 소리를 질렀다.

"아이고, 이 집 부엌데기는 어느 세월에 남들 사는 세상 한번 살아보고 죽을 것인지. 끙!"

못자리에서 피사리하던 성만이 아내가 꽁 매듭힘을 썼다.

"세상이 덩덩한께 저 사람들이 지금 제 세상인 줄 알고 깔깔거리는데, 동남풍에 잇속 그을리는 줄 모르고 있어. 가을에 보자고. 저 사람들 빚이 지금 얼마씩이나 되는 줄 알아?"

성만이는 오금을 박아 핀잔이었다.

"남의 빚이 얼만지 내가 그걸 알아 뭣 할 것이요? 우리는 빚 없은께 저 사람들보다 비린 반찬 한가지라도 더 사와봤소, 여편네한테 반듯한 옷가지 하나 입혀봤소?"

"여름인께 솔이 푸른 줄 모르지만 겨울이 되어보라고. 지금 저렇게 건들거리고 다니지마는, 가을 타작마당에서 손 털고 나서는 꼴 보라고."

"뻔한 시골 살림, 털든 쥐든 도토리 키 재기지 뭐요?"

"뭣이 어쩌고 어째? 손을 털고 살림이 거덜나는데, 그것이 보통 일이여?"

여태 마누라 비위 맞추느라 소리를 낮췄던 성만이가 말꼬리에 빠듯 성깔을 묻어냈다.

"손 털고 서울로 간 사람들은 쥐고 있는 우리보다 잘만 삽디다."

아내는 지지 않았다.

"날품 팔아 하루 벌어 하루 먹는데, 그것이 잘 사는 것이여?"

"그 사람들이 돈 쥐고 서울 갔더라요? 공판장에서 일하는 떡만이 아버지는 한달 벌이가 사십만원이랍디다. 벌써부터 고등학교 다니는 딸년 시집갈 때 다이아반지 걱정하더라고요. 촌구석에서야 아무리 뼛골 빠지게 땅 뒤지고, 씀씀이에 손톱 여물을 썰어봤자, 뛰어야 벼룩이지 뭐요?"

"세상을 쳐다보지 말고 내려다볼 줄도 알라고. 만득이 서울 가서 산다는 얘기 못 들었어? 됫박만 한 방 한칸에서 젊은 시아버지에 말만 한 딸년까지 삼대 일곱 식구가 비비고 살아."

"서울같이 넓은 바닥에서야 길거리에서 튀김 장수를 하더라도 제 할 나름이지, 아무런들 물 받는 웅덩이에 짜가사리 헐떡거리듯 하는 촌구석 같을라구요. 시골서야 아무리 뼈 빠지게 농사지어봤자, 쌀값·보리값 매기는 사람은 따로 있는데, 이것이 우리가 작정해서 우리가 짓는다고 우리 농사요?"

"개새끼들, 끙!"

성만이는 쌀값·보리값 말이 나오자 떡심이 풀리는지 끙 매듭힘만 썼다. 작년 쌀값을 생각하면 당장 농사고 뭣이고 다 그만두고 싶었다.

오늘 아침에는 관광 간다는 동네 여자들이 새벽부터 야단법석이길래, 떠날 때는 또 요란법석을 떨 것 같아 그 꼴 안 보려고 아침 일찍 아내를 앞세우고 들로 나왔다. 피사리할 때는 해가 옆으로 비쳐야 햇발을 받은 잎사귀 색깔로 피를 제대로 가려낼 수 있기 때문에 그 핑계로 설거지도 미루라 하고 아내를 재촉했다. 못자리에 자리를 잡아 엎드릴 때도 아내는 등을 동네 쪽으로 두르게 신경을 썼는데, 버스가 동네로 들어오며 빵빵거리며 니나노 가락이 흐드러지자 똬리로 눈 가리는 꼴이 되고 말았다.

"하여간, 우리도 이번 가을에는 말이여, 읍내 형님들이랑 저 사람들보다 일박 일일을 더해서 삼박 사일로 한바탕 축 늘어지게 놀다 오자고. 잡것 언제는 언젤 것이여?"

성만이는 푯 엿장수 인심 쓰듯 일박 일일 덤까지 얹으며 큰소리를 쳤다.

"관광이 산천 구경만 하는 것이 관광이라요? 마음 푹 놓고 스트레쑤 풀자는 것이 관광인데, 시숙·시아저씨 층층시하에서 웅크리고 다니려면, 차라리 할머니하고 민화투를 치고 말제 뭣 한다고 그런 고생을 사서 한단 말이요?"

"허허. 참. 환장하겠네. 그렇게 안 가면 아버님이 보내줄 것 같아?"

성만이는 꽥 고함을 질렀다.

"안 보내주면 말아도 그런 징역살이를 뭣 하려 한단 말이요?"

"하여간, 요새 여편네들 놀아나는 것 보면 세상은 다 되었어. 여편네들이 술 마시고 니나노 가락에 흥청거리는 꼬락서니는 정말 못 봐주겠더구먼."

"돈 들여서 관광 갈 때는 그렇게 한번 놀자고 가는데, 남 안 보는 데서 술 한잔도 못 마셔라? 여자들이 술을 마시면, 마셔봤자 병아리 눈물이제 됫술 마시고 말술 마시겠소?"

"허허. 꼭 그렇게 체면이고 염치고 내던져놓고 남의 사내건 제 사내건 민물 갯물 없이 한통으로 후덩거리고 돌아가야 그것이 관광 가는 맛이란 말이여?"

"후덩거리기는 누가 남의 남자들하고 후덩거린단 말이요? 일년 내내 진일 마른일에 찌들었다가 그럴 때 한번 펴고 노는 것을 꼭 그렇게 읃박아서 말을 해야 맛이요?"

"번개는 벼락 늦이라고 그것이 거기서 말면 누가 뭐래? 작년에 솔골 여자들 관광 가서 생판 모르는 사내들하고 얼렸다가 그 소문이 험하게 났다던데, 그것이 남의 동네 일 같지 않아."

작년에 관광 갔던 솔골 여자들이 낯모르는 남자들하고 얼려 나중에는 짝짝으로 놀았던 모양인데, 그중 사내 하나가 그 약점으로 돈을 우려내려다가 들통이 나서 동네가 소가 된 일이 있었다.

"대도 꼭 그렇게 존 데만 갖다 대시요."

"존 데나 마나 푼더분하게 흥청거리면 다 알조지 뭐여?"

"사람 나름이지 아무나 그럴 것 같아요?"

"누구는 열녀라고 패 박아놨관데. 관광 풍속 생기고부터 내질러 논 애새끼들은 남의 성 가진 애들이 수두룩할 것이구먼."

"어이구. 내 속 짚어 남 말 한다더니, 자기 속이 의뭉한게 남도 다 그러는 줄 아는구먼."

"내 속이나 뉘 속이나 사람 속은 다 똑같지 뭐야?"

"당신 지금 말하는 것이 여편네를 이렇게 꽁꽁 묶어놓은 것이 행실 못 미더워 그런다는 거요 뭐요?"

성만이 아내는 눈을 오끔하게 뜨고 남편을 노려봤다.

"못 미덥다기보다도 관광이니 뭐니 내발리고 다니는 여편네들 하는 꼬락서니가 그렇다는 말이여."

"여기서도 그 관광 때문에 티격인가?"

성만이 내외는 깜짝 놀라 고개를 들었다. 언제 왔던지 방촌영감이 논둑에서 웃고 있었다.

"모두 저러고 가는 것 본께 나도 시방 속이 안 좋아서 그만한 생각을 하고 있다. 네 아버님 생신이 모레 아니냐? 너희 내외는 관광 삼아서 거기나 다녀오너라."

"어머, 정말요!"

성만이 아내는 눈이 휘둥그래졌다. 성만이도 깜짝 놀랐다.

"나는 작년에 그이 회갑 지낸 짐작이 있어서 진작부터 그 양반 생신을 생각하고 있었다. 남들 관광 가는 셈 치고 이삼일 푹 쉬었다 와. 그게 관광보다 더 실속 있을 것이다."

"관광은 술 마시며 흥청거리는 맛으로 간다는데, 친정에 가는 것이 어디 관광에 대겠어요?"

성만이가 시치미를 떼고 핀잔을 주었다.

"저인 정말."

성만이 아내가 눈을 흘겼다.

점심 먹고 난 성만이 내외는 나들이옷으로 갈아입고 집을 나섰다. 한복으로 화려하게 성장하고 양산을 바쳐 든 성만이 아내 모습은 여간 화려하지 않았다.

"저 사람들은 어디 가는고?"

정자나무 아래 앉았던 동네 사람이 물었다.

"내일 아침이 저 아이 친정 아범 생신이라 거기 가는구먼. 다른 사람들은 관광 간다고 관광계를 들고 야단일 적에 저 아이들은 처음부터 친정 아범 생신에 가자고 돈을 모았던 모양이구먼. 생각이 고맙기도 해서 기왕 나선 김에 근처 절에 가서 하루저녁 자고 오라고 몇푼 더 얹어줬구먼.”

방촌영감은 엉뚱하게 둘러대며 구레나룻을 쓰다듬었다.

“허허 참. 될성부른 집은 저런 것만 봐도 알아. 효도에다 관광에다 꿩 먹고 알 먹고, 관광치고는 그런 실속 있는 관광도 없겠구먼. 니나노 가락에 흥청거리는 것보다 저런 나들이가 얼마나 차분하고 남 보기에도 좋냐 말이여.”

도래실영감이었다. 그때 방촌영감이 자리에서 일어섰다.

“성만아!”

성만이 내외가 돌아봤다.

“거, 쇠고기를 살 부드러운 데로 서너근 뜨고, 너의 장인 생선회 좋아하더니라. 생선회 감도 싱싱한 것으로 듬뿍 좀 사가거라.”

방촌영감이 소리를 질렀다.

“알았어요.”

성만이 아내가 소리를 질렀다. 내외는 깔깔거리며 돌아섰다.

5. 마누라 아픈 데 직방으로 듣는 약은

진밭실 동네 정자나무가 금년에는 유독 풍성하게 녹음을 드리우고 있다. 오백년이 넘었다는 정자나무였다. 동네 노인들은 봄에 이 정자나무에 새잎이 돋아날 때부터 잎사귀 색깔이며 모양을 유심히 살폈다. 잎이 패는 걸 보고 그해 농사의 풍흉을 점치는 것이다. 정자나무 잎사귀 피어나는 것이나 소쩍새 울음소리로 그해 풍흉을 대충 점치고 나면, 날이 웬만큼 가물어도 크게 걱정하지 않았다.

소쩍새가 '솥 적다' 하고 울면 솥이 적을 만큼 풍년이 든다는 것이고, '솥 탱' 하면 솥이 탱탱 비었다는 것이니 흉년이 들 징조라는 것이다. 잘 들어보면 '솥 적다' 세마디로 울거나, '적다' 두마디로 울 때는 귀가 밝고 어둡기에 따라 '솥' 자가 들리거나 들리지 않았다. 그래서 '솥 적다'라거니, '솥 탱'이라거니 우김질이 나기도 했으며, 더러는 '솥 적다' 했다가 '솥 탱' 했다가 종잡을 수가 없기도 했다. 그에 비하면 이 느티나무 잎사귀 모양은 풍흉의 조짐을 보다 확실하게 짐작할 수 있다고 했다.

진밭실 사람들은 한여름에 점심을 먹으면 모두 이 정자나무 아래로 나왔다. 젊은이들은 점심 먹고 한낮의 뙤약볕만 수그러지면 일터로 가지만, 노인들은 하루 종일 이 정자나무 아래 정각에서 살다시피 했다.

칠성이가 나들이옷을 입고 나왔다.

"이 더위에 어디 가는가?"

"집사람이 비실비실하더니 누워 있길래 약 지러 가는구먼. 지난번 비 올 때 비 맞은 보릿단 나르느라 북새질을 치는 바람에 파지가 되었는데, 그뒤로는 맥을 못 추는구먼."

"여자들 비실거리는 데는 존 약이 있네."

"존 약이라니요?"

도래실영감 말에 칠성이가 돌아봤다.

"약방에 갈 것도 없어."

"무슨 약인데요."

"거기 앉아 내 얘기를 들어봐! 가더라도 더위가 한풀 숙인 뒤에 가게."

칠성이가 들돌 위에 엉덩이를 내려놨다.

"옛날 아들 삼형제를 둔 늙은 부부가 하루는 마누라가 비실비실 하다가 자리에 누웠더란다."

도래실영감은 차근히 옛날이야기를 하기 시작했다.

"남편더러 점을 좀 쳐오라고 장롱에서 돈을 꺼내줬더란다. 다른 일에는 아무리 다급한 일이 있어도 시치미를 뚝 따고 있던 여편네가 돈을 내놓으니 괘씸하거든. 점치러 간다고 집을 나선 이 영감태기가 그 돈으로 술을 마셔버렸어."

"아이고, 그 집에 일났네."

모두 웃었다.

"거나해가지고 집에 돌아오자 아들·며느리가 점 얘길 들으려고 안방으로 모여들지 않겠냐? 약이 있긴 있는데 그걸 어떻게 구해야 할지 앞이 캄캄하다며 한숨이 땅이 꺼진다그랴. 세 아들·며느리가 그게 무슨 약이냐고 묻지 않겠냐?"

"세상 남자들은 그걸 다 하나씩 지니고 있다마는, 아무도 내놓지 않을 것이다."

"누구나 다 지니고 있는데 내놀 사람이 없다니요?"

맏아들이 물었다.

"너도 가지고 있다마는 내놓지 않을 것이다."

"어머님 병환에 닿는 약을 저희들이 가지고 있는데 안 내놀 거라고요?"

둘째가 어디 그럴 법이 있느냐고 그 약이 무슨 약이냐고 다그친다.

"세상에, 어머님 병환에 쓰실 약을 지니고 있으면서 안 내놓다니 그런 불효막심한 작자가 있단 말씀입니까?"

셋째가 주먹을 쥐며 흥분했다.

"그게 이만저만 소중한 것이 아니라 내놀 턱이 없다."

아버지는 고개를 절레절레 저었다.

"어머님 병환에 아까울 것이 무엇이겠습니까? 저희들 효성을 의심하시는 것 같사온데, 염려 마시고 말씀만 하십시요."

큰며느리였다.

"너희 남편들은 내노려 할지 모르겠다마는 너희들이 펄쩍 뛸 것이다."

"세상에 그게 무슨 말씀입니까? 저희들을 그렇게 보시다니 너무 섭섭합니다."

둘째 며느리는 눈물까지 짠다.

"아버님, 정말로 너무하십니다."

셋째 며느리도 덩달아 눈물을 짠다.

"내가 다 그만한 짐작이 있어 하는 말이다. 그 말은 그냥 없던 일로 해두고 더 묻지 마라."

"어머님이 돌아가실 판인데 약이 없다면 모르지만, 가지고 있는 약을 두고 손 개 얹고 있으란 말씀입니까?"

며느리들이 야단법석이었다.

"너희들이 정 그렇다면 말을 할 거나?"

"어서 하십시요."

"여편네가 병을 얻어 걸려도 어쩌다가 이런 고약한 병에 걸렸는지 약이란 것도 고약하기가 이만저만 고약하지 않구나. 사람 불알을 고아 먹어야 낫는다지 않느냐?"

"뭐, 뭐라고요, 사람 불알이요?"

"그렇단다. 사람 불알, 그도 산 사람 불알을 한쪽도 아니고 두쪽을 발라서 푹 고아 먹어야 낫는다는구나."

아들·며느리들은 서로를 건너다봤다. 모두 말이 없이 서로 힐끔힐끔 눈치만 살피고 있다. 한참 만에 장남이 나섰다.

"제가 큰아들이니까 제 걸 내놓겠습니다."

그 말이 떨어지기가 무섭게 맏며느리가 펄쩍 뛰었다.

"여보, 그게 말씀이라고 하세요. 장남은 집안 대를 이을 사람인데, 아들 하나 있지만 아직 어려서 어쩔지 모르는데 어쩌자고 그런 말씀을 하세요."

맏며느리는 시퍼렇게 쏘아붙였다.

"그럼 제 것을 내놓겠습니다."

둘째가 나섰다. 둘째 며느리도 펄쩍 뛰었다.

"여보, 그게 무슨 말씀이에요? 자식이라고는 딸 하나밖에 없는 사람이 그럼 죽어 물 한그릇 떠놀 아들 하나도 두지 말잔 말인가요? 그렇다면 나는 당신하고 다 살았어요."

막말을 하고 나왔다. 그러자 막내가 나섰다.

"그럼 하는 수 없습니다. 이제 제 것밖에 더 있습니까?"

"아이고, 여보, 자식이라고는 딸자식 하나도 없는 사람이 그게 제정신으로 하시는 말씀이요?"

셋째 며느리는 그 말을 주워 도로 남편 입에 넣기라도 할 듯 성화였다.

"내 이럴 줄 알았다. 말을 안 하니만 못하구나. 그러면 하는 수 있느냐? 내 것을 발라서 고아야겠다."

영감이 말하며 일어섰다. 그러자 아랫목에서 끙끙 앓고 있던 할멈이 벌떡 일어났다.

"아이고, 영감! 제발 그만두구려. 그렇게 해서 내가 살아나도 나는 못 살아요."

"뭣이? 살아도 못 살아? 그럼 어쩌겠다는 거요?"

"괜찮아요. 병이 다 난 것 같네요."

할멈은 모시바구니 같은 머리에 손가락으로 군빗질을 하며 자리에서 일어났다는 것이다. 정자나무 아래 사람들은 모두 웃었다.

"그럼 칠성이 자네도 그 약 살 돈으로 막걸리나 마시고 가서 그 영감보다 한술 더 떠서 이렇게 혀! 들어가자마자 식칼을 숫돌에다 썩썩 가는 거야. 뭣 하려고 칼을 가느냐고 물으면 그것밖에 약이 없다더라고 그걸 바르는 시늉을 하는 걸세."

모두 웃었다.

그때 동구 밖에서 오토바이가 한대 들어오고 있었다.

"어디서 오는 물건 짝인고?"

"면 직원인가?"

"아닌 것 같은걸."

동네 사람들은 모두 오토바이를 보고 있었다. 가까이 왔다.

"테레비 시청료 받으러 오는구먼."

"뭐 테레비 시청료? 너 잘 온다. 나 저 작자들한테 할 말 있어."

칠성이였다. 수금원이 정자나무 밑에서 멈췄다. 모두 말없이 건너다보고 있었다. 칠성이는 유독 당당한 상판이었다.

"안녕들 하심까? 테레비 시청료 받으러 왔음다."

작자는 오토바이를 세워놓고 수첩을 꺼냈다.

"최칠성 씨가 뉘십니까? 이분은 지난번 치도 밀렸습니다."

"내가 최가요. 내가 최간디, 나는 시청료가 아니라 방송국에서 되레 손해배상을 받아야겠소."

"손해배상이라니, 그게 무슨 말씀입니까?"

"나는 테레비 때문에 손해가 이만저만이 아닙니다. 손해만 보고 만 것이 아니라 사람이 하나 지금 며칠째 누워 있소."

"무슨 말씀인지 알아들을 수가 없습니다."

"테레비 일기예보 믿었다가 보리가 비를 맞아 밭에서 싹이 나버렸어요."

"농담을 하시려면 웃어가면서 해야지요. 칼칼칼."

"여보시요. 힘들여 말하는데 농담이라니? 그날 비가 오지 않고 볕이 난다고 빨간 해까지 비춰주면서 보도를 하기에 그런 줄만 알고 다른 일을 했더니, 비가 창대같이 쏟아져서 보리를 모두 썩혀버렸소. 그게 한번만 틀렸다면 말도 안 해요. 다음 날은 갠다고 하기에 다시 널어놨더니 또 비가 쏟아져 그러지 않아도 젖은 보리를 이번에는 널어서 비를 맞혔소. 그 젖은 보릿단을 여편네하고 정신없이 거둬들였는데, 그 때문에 여편네는 몸살까지 나서 누운 지가 사흘이나 됐소."

칠성이가 쏘아붙였다.

"일기예보란 게 원래 그런 것인데, 그게 따질 건덕지나 됩니까?"

"뭐요? 엉터리 예보로 촌사람들 보리농사 망쳐놓고 뭐가 어쩌고 어째요?"

그때 또 한사람이 나섰다.

"나도 일기예보 때문에 피 본 사람이라 시청료 못 내겠소. 보리라고 타작을 했더니 보린지 깜부긴지 모르겠습디다."

"그렇게 따지려면 기상대에 가서 따지세요. 테레비는 기상대에서 하는 대로 전하기만 했는데 우리가 무슨 죕니까?"

"여보시요. 우리 같은 촌놈들이 어떻게 기상대까지 가서 따진단 말이요? 우리한테 보도한 것은 기상대가 아니고 테레비니까 방송국이 책임을 져야 합니다."

"엉터리 예보한 것은 기상대인데 그걸 우리가 책임지란 말이오?"

"가만있자, 그럼 내가 개탕을 치지."

방촌영감이 나섰다.

"보리값 보상은 기상대가 하라 할 테니, 엉터리 보도한 방송국은 시청료는 포기해야 하겠구먼."

"바쁜 사람 붙잡고 농담 그만하시고 시청료나 내세요. 하하하."

"농담이라고? 썩은 보리만 보면 미치겠는데 농담이라니? 보리 썩혀버리고 돈줄이 막혀서 시청료는커녕 수면제 사다 먹고 죽으려 해도 수면제 살 돈이 없소."

“그뿐인 줄 아쇼? 테레비가 촌사람 위해서 뭘 해줬소? 정부가 쌀값·보리값 매길 때 촌사람들 형편 들어서 한마디라도 해준 적이 있소? 있으면 말해보시요!”

일만이였다.

“테레비는 처음부터 도시 사람들 노리개로 만든 것이라, 촌사람들은 곁꾼으로 구경하는 꼴입니다. 젊은 계집들 엉덩이 뒤흔드는 것만 봐도 그렇지. 테레비는 며느리도 보고 시아버지도 보는 것인데, 시아비 며느리가 함께 앉아 어떻게 그런 방정맞은 꼴을 봐? 시골 사람들 구미에 맞는 판소리나 육자배기 한 가락 얻어들으려면 한달도 더 기다려야 하겠더구먼.”

“노인들은 그렇지만, 젊은 사람들도 그렇게 흔드는 걸 좋아하는 걸 어떡합니까?”

“좋아하는 것만 쫓아다니라면, 처음부터 활딱 벗기지그려.”

“그런 것뿐이라면 말도 안 해요. 지금 시골 사람들은 수입 소 때문에 골병이 들어도 이만저만 골병이 든 게 아닌데, 외국까지 댕기면서 남의 나라 부엌살림까지 찍어서 비춰주는 테레비가, 가까이 있는 병든 소 한번 찍어서 내놔봤소?”

“또 개값을 똥값 만들어논 것은 누구요? 네길, 조상 대대로 개를 먹어도 개를 잡아먹고 병들었다는 사람 못 봤는데, 멀쩡한 개를 병균 소굴처럼 나발을 불어 팔만원짜리 개가 하루아침에 일만오천원에도 돌아보는 사람이 없소. 저기 몰려다니는 개들 보시요. 저것들이 짐승이라 그렇지 웬만큼 속이 있다면 쫓아가서 가만두지 않았을 거요.”

성만이었다.

“촌사람하고는 무슨 원수가 졌다고 촌에 사는 똥개까지 작살을 내는지 속을 모르겠어.”

“저야 시청료나 받으러 다니지 뭘 압니까?”

사내가 슬그머니 꽁무닐 뺐다.

“뭐요? 시청료 받으러 다니면 이런 말을 들어다가 위에다 전해야지, 당신 같은 사람이 모른다면 누가 압니까?”

방촌영감이 쏘아붙였다.

“그런 말씀은 전하겠으니 시청료들이나 내십시요. 최칠성씨는 지난달 것도 밀렸고.”

“그 사람은 일기예보 때문에 보리를 썩히고, 마누라까지 아파 지금 형편이 생 불알을 발라야 하게 생겼소.”

모두 와 웃었다.

“불알을 바르다니요?”

수금원이 웃으며 물었다.

“지금 마누리가 비 맞은 보릿단 나르다가 병이 났는데, 거기 드는 약은 남편 불알탕밖에 없답니다.”

모두 와 웃었다.

“허허허.”

사내도 건성으로 따라 웃었다.

“저 사람 더 조르다가는 당신 불알 바르자고 식칼 들고 덤벼들테니 조심하슈.”

도래실영감이었다. 모두 와 웃었다.

“허지만, 모두 이렇게 버티면 저는 어떡합니까?”

“빼빼 마른 한여름에 농촌에 와서 돈을 조르면 우리는 어떡합니까?”

“그럼 어쩔 참입니까?”

“보리 매상에 손 털었으니 가을 벼 매상 뒤에나 봅시다마는 그때도 가봐야 알겠소.”

방촌영감은 여기서도 한 자락을 깔았다.

“가을까지 뒤 물림을 하시면서 그나마 가봐야 알겠다고요?”

말꼬리가 빠듯 올라갔다.

“그래요. 금년 벼 매상 가격 정할 때도 테레비가 이번처럼 입을 처깔하고 있으면, 농촌 사람들하고는 담싼 걸로 치고 상종을 않겠다는 말이요. 처음부터 도시 사람들 구미에만 맞추고 도시 사람들 편만 들려면, 도시 사람들한테나 시청료를 받든지 말든지 하시고, 촌에서는 시청료 받을 생각 말라더라 하시요.”

방촌영감이었다.

“허허 참.”

사내는 공허하게 웃으며 수첩을 챙겼다.

6. 개고기 시비 말고 깜둥이 사람 취급이나

깐깐오월, 미끈유월, 어정칠월, 건들팔월, 농사철 어느 때라고 바쁘지 않은 때가 있던가마는, 그래도 7월 한달은 모내기나 가을건이처럼 당장 쫓기는 일이 없어, 불볕이 쏟아지는 한낮에는 갓 시집온 새댁도 눈치 보아 낮잠을 한숨씩 잤다. 한더위가 숙인 뒤로는 이 일 저 일 손 닿는 대로 어정거리다 보면 하루해가 저물었다.

보름 가까이 찔끔거리던 장마가 걷히자 땡볕이 돌멩이가 깨지게 쏟아졌다. 천지가 제 세상이라고 뻗어가던 호박덩굴도 데쳐놓은 푸성귀 꼴로 잎이 늘어지고, 혀를 빼문 개한테서는 털에서 노린내가 나는 것 같았다.

칠성이 집에서 개를 잡았다. 며칠 전부터 복달임하자고 별러오던 참인데, 마침 서울 사는 칠성이 사촌형 만득이가 고향에 오자 오늘로 날을 잡았다. 개고기를 먹지 않는 사람이 많아 다섯사람이 사천원씩 추렴해서 이만원짜리를 눕혔다.

칠성이는 이런 일에도 솜씨가 있지만, 말 잡는 집에서 소금은 해자라 호랑이보다 무섭다는 여름 손님을, 떡 삶은 물에 중의 데치듯 동네 추렴에 얹혀 대접을 하자는 것이다. 개 모가지를 옭아다가 그을리는 것부터 불을 지펴 삶기까지, 칠성이는 몸을 사리지 않고 땀을 뻘뻘 흘렸다.

"자네는 서울 가서 재미가 쪼깐 덜한 성부르던디, 으짠가, 더 지내보면 집 한칸이래도 장만할 계책이 설 것 같던가?"

방촌영감이 만득이한테 물었다.

"집이요?"

만득이는 그냥 멀겋게 웃기만 했다. 그때 개 잡는 걸 거들다가 온 일만이가 끼어들었다.

"서울서 집 한채면 몇천만원인데, 그것이 그렇게 쉬울 것 같소?"

만득이는 무슨 공장에서 날품을 팔다가 몸이 안 좋아 잠시 쉬는 사이 고향에 왔다는데, 크게 아픈 데는 없다는 사람이 몰골이 말이 아니어서 동네 사람들은 눈치만 살피고 있었다. 더구나, 셋방 한칸에서 늙은 아버지에 말만 한 딸년까지 삼대 일곱 식구가 비비댄다는 소문이었다.

"우리같이 몸뚱이 하나 부려먹고 사는 놈들은 어딜 가나 몸이 성해야 하는디……"

만득이가 말꼬리를 흐렸다.

"자네같이 강단지던 사람이 어디가 안 좋아서 그려?"

"글쎄 말이요."

만득이는 허투루 받아넘겼다. 그는 아까부터 저쪽에 있는 들돌에 눈이 멈춰 있었다. 이 동네서 저 들돌을 어깨 너머로 넘겼던 사람은 근래는 만득이뿐이었다. 그가 열여덟살 무렵 저 들돌을 안고 허리를 펴자 우리 동네서 장사 났다고 모두 혀를 내둘렀다.

"딱 집어서 어디가 안 존 것도 아닌데, 탈기진 것같이 영 맥을 못 추겠소."

"언제부터 그려?"

"서울 가서부터 그놈의 자동차야 뭐야 하도 시끌덤벙한께 어디를 걸어 다녀도 발은 공중에 붕 떠 있는 것 같고, 드나나나 가슴은 벌렁거리더니 근자에는 잠도 제대로 잘 수가 없소. 파겁을 하면 괜찮을 줄 알았더니, 꿈을 꿔도 공사판 발판이 무너져서 그 밑에 깔리는 그런 험한 꿈만 꿔지고, 그래도 길이 들면 괜찮을 줄 알았더니 길이 들기는커녕 벌떡증만 더 심해지요."

만득이는 한숨을 쉬며 계속했다.

"지난봄부터는 화학약품 공장에서 날품을 팔았는데, 그 공장 밑으로 물 빠져나가는 하수구 치는 일을 했지라. 냄새가 어찌나 고약하던지 일을 하고 나면 골이 띵하고, 그러잖아도 없던 밥맛이 더 없어집디다. 그래도 품삯 비싼 맛에 한달가량 일을 하다가 그 일을 더는 못 하겠어서 며칠 쉬었더니, 손에서 일을 논께 그런지 어쩐지 그때부터 이렇게 더 맥을 못 추겠소."

"가만있자. 화학약품 공장이라면 농약중독 되듯이 그 독한 냄새에 중독이 된 것 아녀?"

방촌영감은 고개를 살래살래 저었다.

"그랬는지 어쨌는가 모르겠소."

만득이는 시르죽은 소리를 했다.

"틀림없네. 품삯을 더 준 것부터 알만 하구먼. 그 때려죽일 것들이 돈 몇푼 더 주고 그런 데다 생사람을 집어넣었구먼."

방촌영감은 눈을 부릅떴다.

"방에 누워 있으면 눈에 어른거리는 것이 항상 이 동네 들판이더니, 여기 와서 저런 산하고 들만 봐도 살 것 같소."

"이 사람아, 그러면 사장 놈한테 치료를 해주라고 대들어야지, 혼자 방구석에 누웠다가 이러고 내려왔단 말이여?"

"딱 집어서 아픈 데도 없는데 어떻게 치료를 해주라고 할 것이요?"

"그래도 병원에 가서 제대로 진찰을 해보고 떼를 써야 할 것 아닌가?"

방촌영감은 버럭 소리를 질렀다.

"그놈들이 어떤 놈들이라고 나 같은 촌놈이 떼쓴다고 들어줄 것 같소?"

그때 저쪽 골목에서 칠성이가 어서 오라고 소리를 질렀다. 모두 칠성이 집으로 갔다. 감나무 아래 평상에 늘어앉았다. 칠성이 아내가 양념부터 들고 왔다. 초장이며 된장·풋고추·마늘 등이 그들먹했다.

"살이 통통 쪘습디다. 많이들 잡수시요."

칠성이가 개다리 하나 담은 비닐 함지박을 내려놨다.

"잘 삶아졌네. 더위에 수고가 많네."

방촌영감이 치사를 했다.

"어서 드쇼!"

칠성이는 삶은 고기를 듬성듬성 썰어 채반에다 담아놨다.

"들세."

방촌영감이 먼저 배때기 쪽에서 썰어낸 부드러운 살점을 집었다. 도래실영감도 큼직하게 썬 고기를 집어 초장에다 듬뿍 찍어 욱여넣었다.

"호으!"

헛바람을 넣어 식힌 다음 우물거렸다. 도래실영감은 손가락 굵기의 고추를 된장에 찍어 우적 깨물었다. 고추 터지는 소리가 작대기 부러지는 소리였다. 만득이도 아귀아귀 욱여넣었다. 칠성이는 개기름이 범벅이 된 손으로 한점을 집어 고개를 잔뜩 젖히고 입에 넣었다.

"술 듭시다."

두어점씩 욱였을 때 일만이가 방촌영감한테 잔을 디밀었다. 되들이 소주병을 그대로 기울었다.

"크아!"

도래실영감 크아 소리는 어느 때보다 요란스러웠다. 만득이한테 잔을 넘겼다.

"한잔 확 마셔버려!"

만득이도 사양하지 않고 술을 가득 받았다. 꿀꺽꿀꺽 들이켰다. 큼직한 고기 한점을 집어다 초장에 찍어 욱여넣었다. 입맛 없다는 말이 헛소리 같았다.

"자, 부드러운 데로 많이 들어!"

방촌영감은 부드러운 살을 골라 만득이 앞으로 밀어놨다. 개다리 두개를 삽시간에 먹어치웠다. 개다리를 또 하나 건져왔다.

"돈 속으로 개 키우는 사람들한테는 안됐지마는, 도시 것들이 개고기 안 먹는 통에 이제부터 촌놈들 개고기 하나는 포식하게 생겼네."

술에 거늑해진 방촌영감이 한마디 했다.

"개고기 속에 무슨 병균이 있다고 야단들인데, 육십 평생 살았어도 개고기 먹고 병났다는 말 못 들었어."

도래실영감이었다.

"그 사람들이 촌사람들 위하느라고 그런지 어쩐지, 면 단위 아래 사람들은 먹어도 단속을 안 한다고 합디다."

일만이가 받았다.

"뭐라고? 면 단위 아래 사는 촌놈들은 개고기를 먹어도 병에 안 걸린다는 말이냐, 촌놈들은 그런 병에 걸려 죽어도 좋다는 말이냐?"

방촌영감이 발끈했다.

"똑같은 사람인데 병에 걸리기로 하면 촌사람들이라고 안 걸리겠소?"

"그러면 촌놈들은 개고기를 먹고 병 걸려 죽어도 좋다는 소리구나. 이것들이 곡가 매기는 것 보면 촌놈들은 국민 축에도 안 넣는 것 같더니, 이런 데서는 내놓고 사람 취급을 않는구먼."

"그렇게 따지면 그렇습니다마는, 실상은 88올림픽 때 우리나라 사람들이 개고기 먹는 것을 서양사람들이 볼까 싶어 그런답디다. 서양사람들은 개고기 먹는 사람을 보면 사람 잡아먹는 식인종보다 더 험하게 취급을 한답디다."

"그러고 본께 서양사람들한테 체면치레하려고 하는 짓이구나."

"그렇지라. 병균이 득실득실하다고 테레비에서 공갈을 쳐도 먹는 사람이 있은께, 이번에는 법으로 묶어 도시에서는 구탕집은 싹 없앤답디다."

"그러면 처음부터 법으로 묶든지 말든지 할 일이제, 즈그덜도 내나 처먹던 작자들이, 나 안 먹는다고 우물에 침 뱉는 격으로 멀쩡한 음식에 병균이 득실거린다고 나발을 불어?"

"미친것들. 올림픽 두번만 했다가는 밥알도 냉수에 씻어 먹겠구먼. 테레비 보면 서양사람들은 개구리도 먹고 어느 나라 왕인가 하는 작자는 뱀 눈깔 요리를 제일 좋아한다던데, 그런 것 먹는 것은 또 뭐냐?"

도래실영감이었다.

"서양에는 동물애호협회란 것이 있어서, 그런 데서 우리나라 사람들이 개고기 먹는 걸 알면, 한국사람들은 야만인들이라고 떠들 것 같아 그런다고 합디다."

"그러면 그 작자들은 쇠고기·돼지고기·닭고기도 안 먹는단 말이냐?"

"왜 안 먹어라우. 우리나라 사람보다 몇배나 더 많이 먹지라."

"그럼, 동물애호협횐가 짐승애호협횐가 그 회원들은 소야, 돼지야, 닭이야, 개구리야, 다 처먹고 그 아가리로 짐승 애호여?"

"그 작자들은 사람 차별에도 이골이 난 작자들이라 짐승도 차별하는 모양이지라."

일만이 말에 모두 웃었다.

"동물애호협회 얘기가 나왔은께 말인데, 지난번 미스유니버스 대횐가 세계미인대횐가, 테레비에서 그것 구경하다가 배꼽 빠질 소리 하는 미인 하나 봤네."

성만이가 웃으며 끼어들었다.

"아프리카 제일 아래 끄트머리 남아공화국이라는 나라는 원래 흑인들이 살던 나란데, 서양 놈들이 쳐들어가서 독수리 까치집 빼앗듯 나라를 빼앗아 흑인들을 종 부리듯 하고 사는 나라라 합디다. 그런데 이 작자들이 흑인들한테 어찌나 심하게 인종차별을 하던지 그 때문에 올림픽에도 못 나오게 따돌림을 당했다는데, 그 나라에서 온 미인한테 취미가 뭣이냐고 물으니까, 동물애호협회에서 동물들을 거드는 일이라고 합디다. 흑인애호협회 회원이라 해도 션찮을 판인데, 동물애호협회 회원이라니, 그것이 말이요, 막걸리요?"

성만이 말에 모두 웃었다.

"미국 놈들도 흑인 차별한다는 말 들어보면 서양 것들은 모두 그 놈들이 그놈들이여. 그런 놈들이 우리보고 개 잡아먹는다고 어쩌고 어째? 그 따위 말도 안 되는 시비 하면, 이쪽에서는 입이 없어 말을 못한가? 우리는 사람애호협회 회원이라 사람 몸보신하려고 개도 먹고 뱀도 먹고 한께, 너희들은 우리보고 개 먹는다고 시비하지 말고, 깜둥이들 사람 취급이나 해라, 이러고 왜 못 쏘아줘?"

방촌영감이 침을 튀겼다.

"지난번에 테레비에서 「뿌리」라는 영화를 봤더니, 그 작자들 깜둥이 잡아다 무지막지한 짓거리 하는 것 본께, 그 작자들은 사람 종자라고 할 수 없더먼."

도래실영감이었다.

"그런 작자들이 동물 애호라니 삶은 개가 웃다가 아래턱 튕기겠어."

"서양사람들도 옛날에는 그랬제마는, 지금은 모두 정신을 차려 흑인들도 사람 취급을 할 만큼 한다고 합디다."

성만이었다.

"배우려면 그런 것부터 배워서 체면을 차려도 그런 데서 체면을 차려야지, 당장 여기 만득이만 봐라. 생사람을 화학공장 하수구에다 처넣어서, 보통 사람 두배도 더 힘을 쓰던 장골을 이렇게 반병신을 만들어놨다. 개 잡아먹는 것은 서양사람들한테 창피하고, 생사람 이 꼴 만들어논 것은 창피하지 않단 말이냐?"

방촌영감은 아들 성만이가 마치 만득이를 그렇게 만들어놓은 장본인인 것처럼 손바닥으로 상을 치며 눈알을 부라렸다.

"허허. 누가 아니라요?"

"남의 나라 사람들 앞에 체면 차리려면, 동물애호협회보다 사람애호협회부터 만들어서 체면을 차려도 차리라고 해라!"

어지간히 먹은 방촌영감은 담배를 태워 물고, 저쪽 다리를 질끈 당겨 이쪽 다리 위에 얹으며 한마디 했다.

7. 이놈의 소야, 뭣 하러 미국서 건너와서

"저놈의 소가 미친 거야 뭐야?"

"개나 미치제 소가 미치다니 그게 무슨 소리여?"

"시변도 가지가지라. 모를 일이여."

방촌영감 말에 정자나무 아래 모인 사람들이 와크르 웃었다. 칠성이가 소를 장에 내가려고 외양간에서 소를 꺼내자 갑자기 집을 뛰쳐나가버렸다. 칠성이 내외는 소를 붙잡으려고 아침밥도 먹지 않고 쫓아다녔지만, 새참 때가 되도록 잡지 못했다. 동네를 한바퀴 돌아 건너편 콩밭으로 메밀밭으로 마구 휘지르고 다니다가 나중에는 산으로 올라붙었다. 칠성이는 화가 머리끝까지 치솟아 잡기만 하면 요절을 낼 것 같았다.

"쫓지 말고 길가에 가만히 엎뎌 있어!"

큰길로 내려가던 소가 자기 아내를 보고 저쪽으로 내빼자 칠성이가 악을 썼다.

"저쪽 도랑으로 몰아, 도랑으로!"

장에 가던 일만이와 대용이가 소리를 지르며 소를 앞질렀다.

"저놈의 소가 애를 먹여도 두벌 세벌로 먹이는구먼."

방촌영감이 혀를 찼다.

"그 드넓은 미국 벌판에서 코뚜레도 없이 뛰어댕기던 소라 본색이 제대로 나오는구먼. 그런 소를 잡아다가 콧구멍만 한 외양간에다 처박아놨으니 아무리 짐승이라도 벌떡증이 나지 않겠어?"

"솔골서는 새끼를 낳다가 죽은 놈도 있었다더만."

"칠성이가 지금 새끼 밴 소를 내다 팔라고 하는 것도 그 때문인가?"

"그 걱정도 걱정이지마는, 소값은 내려가고 이자는 길어가고, 붙잡고 있으면 그만큼 손해라 앉아서 손해를 보고 있을 수는 없지라우."

그때 소는 건너편 산으로 올라붙었다. 일만이와 대용이가 골목에서 나오다가 건너다봤다.

"저놈의 소가 사람들한테 다시는 안 잡히려고 작심을 한 것 같구먼."

"첨에 트럭에다 싣고 왔을 때 본께 보통 종자가 아닙디다. 트럭에서 몰아내자 훌쩍 훌쩍 뛰어내리더니 사람들이 한쪽으로 몰아붙이자 면사무소 벽돌담으로 훌쩍 뛰어오릅디다."

"아니, 면사무소 담으로?"

"담으로 그렇게 올라가더니 가슴 높이 담을 평지 걷듯 성큼성큼

걸어갑디다."

"그럼 첨부터 뭘라고 그런 종자를 사왔어?"

"그때는 그럴 줄 모르고 사왔겠지라. 오늘도 장에 내가려고 외양간에서 꺼내 비질하다가 놓친 것 같소."

"저런 소를 수입하더라도 성깔이야 뭐야 이것저것 따질 것은 따져보고 수입을 하든지 말든지 할 일이제, 그런께 산토끼 잡아다 집토끼로 팔아먹은 꼴이었구먼."

"그렇지라. 오늘 저 소 장에 끌고 가봤자 육십만원도 못 받을 거요."

"뭣이? 백육십만원이 아니고 홑 육십만원?"

"허허. 영감님은 어디 다른 나라에서 살다 오셨소?"

"저것을 사올 적에 일백십만원이었다던데, 열달을 기른 소가 반값이라니 그것이 무슨 소리여?"

"빚은 빚대로 이자는 다친 데 붓듯이 길어나니, 저런 소 사왔던 사람들은 안아팎으로 모두 골병들었지라."

"그러면 그 이자까지 합치면 손해가 얼마여?"

"자기 돈이 이십만원이고 농협 융자 육십만원에 사채가 삼십만원이었으니 계산해보시요. 농협 이자는 연 일할이니 열달이면 오만원, 사채는 월 삼분께 구천원씩 열달이면 구만원, 이자만 합쳐도 십사만원이지라. 저거 오늘 장에서 잘 받아야 육십만원 받을 테니 본전 날아난 것이 오십만원, 그러면 모두 육십사만원이지라. 소를 열달이나 키웠으니 이익이 그런대도 션찮을 판인데, 손해가 육십사만원이니 세상이 거꾸로 돌아가는지 옳게 돌아가는지 모르겠소."

"병든 소만 말썽인 줄 알았더니, 멀쩡한 소는 또 멀쩡한 사람들한테 육십사만원이나 골병을 들여놨단 말이냐?"

"골병을 들여도 험하게 들여놨지라. 촌사람들한테 육십만원이 적은 돈이요?"

"저 소를 미국에서 들여온 것이 그 전(全)간가 대통령 동생인가 그 작자 농간이라던데, 재미는 그 작자가 보고 촌놈들한테는 저런 골병만 들여놨구먼."

"그 전가 얘기는 모두 쉬쉬하며 하는 소린께 다른 동네 사람들 있는 데서는 그런 말씀 함부로 하지 마시오."

"잡아가려면 잡아가라고 해. 그 작자 대통령 된 뒤로 우리가 덕본 것이 뭐여?"

대통령 말이 나오자 상판이 모두 싸늘해졌다.

"저놈의 소가 사람 애를 먹여도 예사로 안 먹이는구만. 생사람을 그렇게 골병을 들여놨으면 팔려가기나 순순히 팔려갈 일이제, 육십만원이 넘게 생사람 골병을 들여놓고 뭣이 부족해서 저 꼴이여?"

"오늘이 이자 갚을 날이라 저 소를 제대로 팔아야 이자를 갚을 텐데 큰일났소. 나도 가서 거들어야겠구먼."

성만이가 중얼거리며 일어섰다. 그때 소가 산속에서 나와 칠성이 콩밭을 무질러 큰길 쪽으로 내려왔다.

"저 소는 코뚜레도 없고 고삐도 시원찮은데 어떻게 잡지? 고삐가 아무리 단단해도 사람을 끌고 갈 테니 어느 장사가 버텨?"

노인들은 고개를 저었다.

"쫓지 말고 거기 서 있어. 내가 저 아래로 내려가네."

성만이가 칠성이한테 소리를 지르며 동구 쪽으로 내달았다. 칠성이가 멈추자 소도 멈춰 콩 잎사귀를 아귀아귀 뜯어먹었다. 성만이가 가다가 산자락 숲속에 숨고, 칠성이는 소 있는 데로 천천히 갔다. 소는 성만이가 숨어 있는 데로 제대로 가고 있었다. 성만이는 금방 뛰어나갈 자세였다. 소가 그 앞으로 지나갔다. 성만이가 숲속에서 튀어나왔다.

"잡았다."

정자나무 아래 조무래기들이 소리를 질렀다.

"아이고매."

깜짝 놀란 소가 네 굽을 놓고 뛰었다. 고삐를 잡은 성만이가 그대로 질질 끌려가고 있었다. 소가 높은 논두렁을 뛰어내리는 순간이었다. 끌려가던 성만이가 물이 칠렁한 논으로 발랑 나가떨어졌다. 고삐가 끊어진 것이다. 소는 저만큼 내빼고, 위아래 옷이 쫄딱 젖은 성만이는 양쪽 팔을 엉거주춤 벌리고 멍청하게 서 있었다.

"저 소 잡기는 틀렸네. 고삐까지 끊어졌으니 저걸 어느 장사가 잡아?"

도래실영감이었다. 그때 소는 길을 되짚어 동네 쪽으로 달렸다. 그쪽 논에 갔던 사람한테 쫓겨 온 것이다. 이쪽으로 달려오던 소가 다시 방향을 바꿔 진밭등 쪽으로 내달았다. 성만이는 도랑에서 흙을 씻고 이쪽으로 오고 있었다.

"어어. 다리까지 다친 모양이네."

성만이는 한쪽 다리를 조금 저는 것 같았다.

"많이 다쳤냐?"

도래실영감이 물었다.

"허 참. 터서구니 센 집에는 말 뭣도 벙긋 못한다더니, 수입 소 키우는 놈 곁에 있다가 병신 되겠소."

성만이는 들돌에 앉아 무릎을 주무르며 중얼거렸다.

"저 소 잡는 방법은 딱 한가지밖에 없겠어. 테레비에 보면 미국놈들이 말이나 소 잡을 때 올가미를 빙빙 돌리다가 내쏘아 모가지를 걸던데, 미국 가서 그 사람들 모셔오는 것밖에는 방법이 없겠구먼."

모두 웃었다.

"허허 참. 소도 아니고 말도 아니고 저것이 뭐여? 저런 사나운 짐승을 수입하려면 올가미 던지는 사람들도 함께 수입을 하든지 모셔오든지 할 일이제 저것이 뭔 꼴이여?"

방촌영감 말에 모두 비실비실 웃었다. 그때 대용이가 저 건너 칠성이를 향해 악을 썼다.

"산으로 몰아넣어놓고 그냥 건너와! 달리 방도를 궁리해야지 고삐까지 끊어진 소를 맨손으로 어느 장사가 잡겠어."

칠성이는 멍청하게 서 있더니 이쪽으로 오고 있었다.

"많이 다쳤어?"

칠성이는 다리를 주무르고 있는 성만이를 보고 민망스런 표정으로 물었다.

"많이 다쳤는지 골병이 들었는지 모르겠어."

성만이가 튕겼다.

"그러고저러고 저 소를 어떻게 잡지? 동네 사람들이 전부 둘러

싸서 목에다 올가미를 거는 수밖에 없겠구먼."

"저렇게 드센 소한테 어느 장사가 올가미를 걸어? 올가미 건다고 덤벙거리다가 뿔에 들이받히는 날에는 창자는 뉘 창자가 터질 것이여?"

"저 소 잡는 방법은 미국 가서 말 타고 올가미 던지는 그 올가미꾼 모셔오는 수밖에 없겠어. 주먹만 한 목매기송아지한테도 삼부자가 끌려간다는데, 저 사나운 짐승을 어느 장사가 뿔을 잡고 코를 숙이겠어, 꼬리를 잡고 버티겠어?"

도래실영감이었다.

"이럴 게 아니라 파출소에다 알리세."

"파출소에다 알리면 순경들더러 총으로 쏴 죽이라고?"

칠성이가 소리를 질렀다.

"그려. 쏴 죽이지 않고는 다른 방법이 없겠어."

"하여간, 소 잡을 궁리는 따로 하기로 하고 장에 갈 사람은 장에나 갔다 와."

방촌영감이었다. 동네 사람들은 장에 가고 칠성이는 다시 올가미를 만들어 산으로 갔다. 하루 종일 쫓아다녔지만 허사였다. 다음날은 동네 사람들이 다 나서서 싸댔지만 어림없었다. 하는 수 없이 파출소에 알렸다.

"여보시오. 지금 당신들 장난하고 있소? 소 기르는 사람들이 소를 못 잡고 지서에 알리면 우리보고 어쩌란 거요. 소가 순경을 알아보고 발발 떤다던가요?"

핀잔을 듣고 보니 총찮아도 예사로 총찮은 짓이 아니었다.

다음 날도 쫓아다녔으나 이번에는 소가 뒷골 산마루를 넘어 아주 깊은 산속으로 들어가버렸다. 아무리 싸대도 종적을 알 수 없었다. 칠성이와 대용이가 다시 지서로 갔다. 자초지종을 설명하자 주임이 경찰서로 전화를 걸었다. 이야기가 한참 길었다.

"예비군을 동원하기로 했습니다. 그런데 예비군을 동원해서 소를 잡아도 코뚜레가 없으니, 올가미로 목을 매봤자 목매기송아지도 삼부자가 끌려간다는데, 무슨 재주로 붙잡지요?"

주임이 묻자 대꾸할 말이 없었다. 멍청하게 보고 있자 주임이 다시 입을 열었다.

"나도 그 수입 소 이야기 들었소. 장에 내가도 살 사람이 없다니 도살장 말고는 팔 데가 없을 것이오. 내가 축협으로 알아볼 테니 어지간하면 그렇게 처리하시오."

"소를 쏴 죽이잔 말씀입니까?"

칠성이가 눈을 크게 뜨고 물었다.

"그러지 않고 저 사나운 소를 잡다가 사람이 다치면 무슨 꼴이 되겠소?"

칠성이는 우거지상판으로 주임을 보고 있었다. 주임이 축산조합으로 전화를 걸었다.

"여보시요. 사십오만원이라니 그건 너무하잖소?"

주임은 한참 동안 실랑이를 쳤다. 전화통을 손으로 막으며 칠성이를 봤다.

"소가 총에 맞으면 고기를 많이 버린다고 사십오만원밖에 못 주겠답니다."

"좋습니다. 그렇게라도 합시다."

칠성이는 진저리가 나는지 말을 내던지듯 했다.

다섯 동네 예비군이 동원되었다. 한나절이나 산을 뒤져 소를 찾았다. 거기서 쏴놓으면 가져올 일이 큰일이라 큰길까지 몰아내느라 진땀을 뺐다. 소는 동네 앞에서 총을 맞고 고꾸라졌다.

"이놈의 소야, 뭣 할라고 미국서 여기까지 건너와서 나는 나대로 골병을 들여놓고 너도 또 이렇게 험하게 죽냐?"

칠성이는 눈을 허옇게 뜨고 죽어 있는 소를 내려다보며 중얼거렸다.

8. 잠꾸러기 많은 우리나라 좋은 나라

"곶감을 많이도 깎으셨습니다."

칠성이가 알은체하며 방촌영감 집으로 들어섰다.

"타작한다더니 어쩌던가?"

"작년보다는 조금 나은 것 같습디다. 비에 쓰러진 벼들은 어쩐지 모르겠소마는, 다른 동네도 우리 동네만 같으면 금년 농사는 웬만할 것 같소. 그렇지만 소출이 어지간해도 작년처럼 매상가격을 묶어놓으면 별 볼일 없을 거요."

"글쎄 말이네."

"내가 한가지 부탁이 있어 이러고 오기는 왔소마는, 일이 쪼깐 머시기해서 입이 얼른 안 벌어지요."

영감은 칠성이를 쳐다봤다.

"금년에는 재수가 옴이 붙었는가 어쨌는가, 이번에는 또 멀쩡한 여편네가 탈이 붙은 것 같소."

"멋이? 탈이 붙다니?"

"탈이 붙어도 크게 붙은 모양이요. 요새 비실비실하기에 병원에 갔더니, 늑막염이라 하요."

"뭣이? 늑막염?"

방촌영감은 눈이 둥그레졌다.

"늑막염도 급성인가 멋인가 그런 것이라 시각을 다툰다는 것 같소."

"허 참. 또 돈 쓰러질 일 생겼구먼."

"시방 그래서 내가 이러고 왔소. 당장 수술을 않으면 목숨 부지 못한다는데 수중에 돈이 있어야지라."

"나라고 돈이 있간데."

"영감님더러 빌려달란 말씀이 아니고, 수고를 좀 해달라고 왔소."

칠성이는 벙거지 시울 만지는 소리로 변죽만 울리고 있었다.

"나보고 빚지시를 해달라는 소린가?"

"빚지시라기보다도, 금방 나락 매상을 할 테니 매상 값이 나오면 나온 자리에서 이자까지 촘촘히 쳐서 당장 갚아드리겠소."

"무슨 돈이든지 빚은 빚인디, 우리 동네 돈 있는 사람이 누가 있겠는가?"

"있소."

"누구?"

"아는 놈이 도둑질하더라고 일만이요. 그런데 일만이는 지난봄에 각씨 얻었다가 그 꼴이 된 뒤로는 시방 동네를 뜰 작정이라 웬만해서는 돈을 내놓지 않을 것 같소."

"일만이한테 돈이 있어?"

"금년에 고추농사는 너나없이 형편없었지만, 유독 일만이는 진밭등에 심은 것이 제대로 돼서 어제 그 고추를 읍내 사람한테 밭떼기로 넘긴 것 같소."

"그랬다는 말은 나도 들었네마는, 고추를 따기도 전에 고추값부터 받았단 말인가?"

"금년에는 고추값이 금값이라 선금이 아니면 입도 벌리지 못하요. 이십만원 받았다는데, 영감님 아니면 돈을 내놓지 않을 것 같아 이러고 왔소."

"수술비가 얼만데?"

"적게 잡아도 오십만원은 가져야 한다고 하요. 한시가 급하다니 저질러놓고 봐야겠는데, 그러자면 그만한 돈은 손에 쥐어야 될 것 같소."

"오십만원?"

방촌영감은 입이 떡 벌어졌다.

"내가 농협이야 어디야 빚이 여기저기 걸린 데가 많소마는, 이 돈은 그런 돈하고는 다른께 그것은 안심하라고 하십시요. 작년에 내가 일만이한테 실수를 한 일이 있어서 쪼깐 뭣하기는 하요마는 하는 수 없소."

"병원비에 쓰는 돈이 어떤 돈이라고 다른 빚하고 같을 것인가?

지금 일만이한테 다녀서 자네 집으로 감세."

방촌영감은 군소리 없이 자리에서 일어섰다. 일만이는 진밭등 콩밭에 있었다.

"느그 밭에는 콩도 잘 여물었구나."

"어쩐 일이시요?"

"네가 맘을 쪼깐 써야 할 일이 생겨서 왔다."

"맘을 쓰다니요?"

"칠성이 여편네가 늑막염에 걸렸다는데, 당장 수술을 않으면 목숨이 위태로운 모양이다. 고추 판 돈 좀 돌려줘라!"

"늑막염이라우?"

"늑막염도 그냥 늑막염이 아니고 급성 늑막염이라 당장 수술을 해야 할 모양이다."

"그 사람 지금 빚이 대추나무에 연줄 걸리듯 했는데, 또 빚을 내면 어떻게 지고 일어설라고 그런다요?"

"그래도 죽어가는 목숨은 살려놓고 봐야 할 게 아니냐? 나락 매상하면 그 자리에서 갚는다고 했으니 돈 받을 걱정은 마라."

"나는 그 사람 말은 안 믿소."

"그래도 그런 것 아니다. 네 수중에 돈이 있는 줄을 아는데, 수술을 못해 덜컥 죽기라도 해봐라. 그 원망이 어디로 가겠냐?"

"작년에도 돈 돌려줬다가 학질을 뗐는데, 무슨 염치로 또 손을 벌린다요?"

"이 돈은 달라. 더구나, 나를 중간에 세운 것은 내 체면 봐서라도 제때에 갚겠는다는 소리 아니겠냐. 사람들이 모여서 동네를 이루고 사는 것이 호랭이 무서워 그러겠냐? 내가 보증을 선 것이나 마찬가진께 떼일 걱정은 마라."

"알겠소. 드릴 때도 영감님 손에다 드릴 테니 받을 때도 영감님 손으로 받아주시요. 야박한 것 같소마는 작년에 하도 속이 상해놔서 그 사람하고는 돈거래 하고 싶잖아서 그러요."

"알았다."

"그런데 혹시 그 사람 친척 중에 공무원 하는 사람 없소?"

"건 또 왜?"

"공무원들은 모두 의료보험이라는 것에 들어 있다는데, 그 의료보험 카드를 가지면 치료비가 삼분지 일도 안 든다고 합디다."

"그럼, 공무원들은 그 친척들까지도 공짜나 다름없이 치료를 해준단 말이냐?"

"칠성이 마누라를 그 공무원 마누라라고 하는 것이지라우. 지난번에 우리 어머님도 군청에 댕기는 우리 사촌형님 어머님이라고 둘러대서 치료를 받았소. 십만원도 넘을 치료비가 삼만원도 안 됩디다."

"허허. 그런 수도 있구나. 가만있자, 칠성이 동서가 면 직원이라는 것 같더라."

"그러면 잘됐소. 동서 간이면 마누라들끼리 형제니 얼굴도 닮았을 것이고."

"그런 동서라도 있어 다행이다. 돈이 삼사십만원이면 그게 어디냐? 우선 그것부터 의논을 하라고 해사 쓰겠다."

"우리 어머님이 어쨌다는 말씀은 마시요. 그런 소문 나면 큰일나요."

"알았다. 관청을 속이는 일인데, 그런 일을 소문내야 쓰겠냐?"

방촌영감은 금방 돌아서서 바쁜 걸음을 쳤다. 방촌영감은 일만이한테서 들은 의료보험 이야기를 늘어놨다.

"맞소. 저도 그런 이야기를 들었는데 바쁘게만 싸다니느라 그 생각을 못 했소."

칠성이는 대번에 살았다는 표정이었다.

"그 카드만 있으면 치료비가 삼분지 일도 안 든다니 이십만원이면 너끈하겠다."

칠성이는 옷을 갈아입고 나섰다. 동서 집에 갔을 때는 저녁 먹은 다음이었다.

"어려운 부탁이 한가지 있어 왔네."

칠성이는 사정을 늘어놓은 다음 의료보험 카드 말을 꺼냈다.

"안 됩니다. 그걸 빌려줬다가 발각나면 큰일납니다. 주민등록증 사진하고 얼굴을 대조해보는데, 그게 그렇게 쉬울 것 같소?"

"얼굴이 비슷한데, 콩조각만 한 사진을 보고 어떻게 그걸 가려낸단 말인가?"

칠성이는 무슨 소리냐는 투로 따졌다.

"나는 공무원이라 만약에 그게 들통나면 모가지가 백개라도 못 당하요."

"이 사람아. 돈이 삼사십만원이면 촌살림에 그것이 얼만데, 그만한 돈을 빌려달래도 마다지 못할 처지에 그것 잠깐 빌리자는데 못 하겠다는 거여?"

"더구나 그게 발각나면 모가지가 날아가는 것은 둘째고 벌금이 그 열배가 넘소. 금방 말씀하셨듯이 잠깐 새에 삼사십만원이 왔다 갔다하는 일을 나라에서 허술하게 관리할 것 같소?"

"관리나 마나 열가호도 못 되는 우리 동네서도 그렇게 빌려 쓴 사람이 한둘이 아녀."

칠성이는 잔뜩 비위가 상해 목소리가 올라갔다.

"수술비를 조금 보태드릴 테니 그냥 수술을 하십시오."

"뭣이, 내가 자네한테 수술비 동냥하러 온 줄 알아?"

칠성이는 화를 내며 할기시 노려봤다.

"말씀을 왜 그렇게 야박하게 하시오."

동서도 말끝에 성깔이 묻어났다.

"야박? 야박한 것이 누군데?"

"허 참."

그때 처제가 밥상을 들고 왔다.

"전에는 남의 것 가지고 속였던 사람이 많았다던데, 요새는 단속이 부쩍 심해서 빌려줬다가 걸린 사람이 많다고 합디다."

처제가 술을 따르며 한마디 했다.

"알았소. 잘 알았어. 언제는 외갓집 콩죽으로 살았더라요마는, 내가 당초에 생각을 잘못했던 것 같소."

칠성이는 얼굴을 한쪽으로 거둬갔다.

"죄송합니다. 법이 그렇게 되었는데 낸들 어찌합니까? 너무 섭섭하게 생각 마시고 술이나 드십시오."

"법? 그놈의 법 만드는 놈들 법 한번 잘 만들어놨구먼. 법을 만

들어도 죽어라 죽어라 하는 촌놈들은 그런 것 하나도 못 빌려 쓰게 법을 만든단 말이여?”

“법을 제대로 만들려면 빌려 쓰게 만들 것이 아니라 농민들한테도 혜택이 돌아가게 해야지요.”

“이 사람아, 그 작자들이 농민들이 무슨 혜택 받게 법 만든 것 봤어? 전기다마야 농약이야 즈그들이 만드는 것은 제값 다 받아먹는 놈들이, 농민들이 뼈다귀 곰 고아서 농사지어놓으면, 당장 금년에 고추값을 봐. 고추농사가 어지간한 것 같은께 외국에서 고추를 수입한다는 거여. 촌놈들은 어디서 제절로 자란 것을 걸터듬어오는 줄 아는 모양이지. 제기랄 것들.”

칠성이는 술잔이 그 못된 작자들 대가리라도 된 듯이 술잔을 성큼 집어다 입에 탁 털어 넣었다.

“어라. 이게 뭐야?”

푸념을 하다보니 마지막 버스 시간을 놓치고 말았다. 칠성이는 밤늦도록 푸념을 하며 술을 마시다가 새벽녘에야 눈을 붙였다.

아침에 눈을 뜨자 밖이 훤했다. 깜짝 놀라 벌떡 일어났다. 큰방에서는 아직도 한밤중인 것 같았다. 처음에는 이 집 식구들이 모두 어디 갔는가 했다가, 이런 데 사람들은 항상 이렇게 늦잠을 자는 것 같다고 짐작한 것은 한참 뒤였다. 자는 사람들을 깨울 수 없어 벗어놨던 옷을 조심스럽게 입었다. 새벽까지 마신 술이 아직 덜 깨 다리가 휘청거렸다. 슬그머니 집을 나왔다.

새 나라의 어린이는 일찍 일어납니다.

잠꾸러기 없는 나라 우리나라 좋은 나라.

아침 청소를 나온 초등학교 어린이들이 노래를 부르며 지나갔다.

"시끄러, 이 녀석들아!"

칠성이는 턱없이 크게 소리를 질렀다.

"저 아저씨 이상하다."

꼬마들은 걸음을 멈추고 눈을 말똥거렸다.

"내가 이상하다고? 이 녀석들아, 이상한 녀석들은 따로 있다."

"이상한 놈들이 따로 있다니요?"

"이 녀석들아, 아무리 일찍 일어나봤자 별 볼일 없어. 나는 지금까지 늦잠 한번 자지 않았다마는 이 모양 이 꼴이다. 일찍 일어나는 사람치고 사람대접 받는 사람 없어. 잠꾸러기 많은 나라 우리나라 좋은 나라야."

꼬마들이 깔깔거렸다. 칠성이는 아이들을 보고 한번 웃어놓고 바쁜 걸음을 쳤다.

9. 미국쌀 일본쌀 수입 등쌀에

"가을 아침 안개는 중대가리 깬다더니 햇살 한번 두껍다."

방촌영감은 고구마 캐고 있는 대용이 밭둑으로 올라섰다. 영감은 아침에 눈만 뜨면 동네를 한바퀴씩 돌았다. 무슨 볼일이라도 있는 사람처럼 들판과 동네를 돌고 나야 안심이 되는 모양이었다.

대용이는 밭에서 고구마를 캐고 있다. 캐는 게 아니고 쟁기로 갈고 있다. 고구마 둑에 보습 날을 옥박아 갈자 고구마가 허옇게 뒤집혔다. 흙 속에서 뒤집힌 고구마는 뜰망에 떠올린 고기처럼 싱싱했다. 첫서리가 쳤던 다음이라 땅속에 묻혔던 고구마는 보습 날에 맨몸뚱이가 훌렁 뒤집히며 흙덩이 밑으로 뒹굴었다. 마치 할아버지가 이불을 후딱 걷어내며 내지르는 호령소리에 늦잠 자는 손자 녀석이 알몸을 똥그랗게 오므리는 꼴이었다.

"이랴 끌끌."

쟁기 뒤에는 크고 작은 고구마가 계속 허옇게 뒤집혔다. 도래실영감과 한몰댁은 바구니를 들고 뒤따르며 부지런히 주워 담았다.

"거그 함지박에 한잔 있어."

도래실영감은 고구마를 주워 담으며 턱으로 함지박을 가리켰다.

"옥갈지만 말고 더 엇갈아라. 그래야 힘도 덜 들고 제대로 뒤집힌다."

방촌영감이 대용이 쟁기질에 참견하고 나섰다.

"다시 되갈 테니까 상관없소."

"되갈아도 쟁기 날 안 닿는 데는 마찬가지다."

대용이는 말 대접 삼아 보습을 조금 엇질렀다.

"금년에는 고구마 밑도 두둑이 적어 한이구먼."

도래실영감이 고구마를 주워 담으며 웃었다. 정말 밑이 예사로 잘 든 게 아니었다. 모두가 팔뚝 굵기고, 거진 눈 떼기 강아지만 한 놈도 한두둑에서 여남은개씩 뒤집혔다.

"고구마 캐시요?"

칠성이 아내가 자기 논으로 들어서며 알은체를 했다.

"아이고, 더 조섭을 하제 어짤라고 그새 나와?"

한몰댁이 허리를 펴며 깜짝 놀랐다.

"일이 이렇게 천정만정인디, 어떻게 누워만 있겠소."

칠성이 아내는 잦아드는 소리로 대꾸했다. 지난번 늑막염 수술하고 난 뒤, 몸이 제대로 회복되기 전에 너무 일찍 나대다가 탈진해서 다시 누웠던 다음이었다.

"이 사람아, 그러다가 또 더치면 으짤라고 그래?"

"지금은 어지간히 나은 것 같소."

칠성이 아내는 자기 논두렁에 엎디어 대우콩을 뽑기 시작했다.

"저 집도 큰일이구먼. 그러지 않아도 빚이 대추나무에 연줄 걸리듯 했는데, 이번에는 병원비로 오십만원이 넘게 쓰러졌다니, 그 빚을 어떻게 지고 일어서지?"

"오늘 공판장에 열섬 내간다지만, 열섬이랬자 일만이 빚 턱밖에 더 되겠어?"

"탈이구먼."

조생종 통일벼를 걷어낸 논바닥에는 벼를 베낸 그루마다 움벼가 초여름 갓 이종한 모포기처럼 청승맞게 이삭까지 빼물었다. 논두렁에는 서리 맞은 대우콩이 말라가는 띠풀 사이에서 콩꼬투리를 무더기무더기 달고 있고, 첫서리에 잎사귀까지 홀랑 벗어버린 콩줄기도 주인네 손 나기를 기다리고 있었다.

곡식들이 첫서리에 한번 놀라고 나면, 나룻배 기다리는 도선목 저녁 장꾼들처럼 동네를 향해 고개를 빼는 터라, 농사꾼들은 너나

없이 보채는 아이 둔 애어미처럼 마음은 논밭으로만 내달았다. 그래서 가을걷이는 미련한 놈이 잘한다는 것인데, 앞뒤 가리지 않고 무작정 거둬들이는 것이 제일이라는 말이었다.

죽은 중도 꿈적거리고, 마당가 몽당비도 제자리에 박혀 있지 못하는 것이 늦가을 일이었다. 칠성이 아내는 며칠 전에 조바심을 못 이겨 수술 뒤의 허깨비 같은 몸을 이끌고 나섰다가 다시 더치고 말았던 것이다. 칠성이는 화가 머리끝까지 치솟아 오늘 공판장에 가면서도 두번 세번 잡도리를 했는데, 그래도 못 미더웠던지 동구까지 나가다가 다시 돌아와 주먹을 쥐고 을렀다.

"오늘 또 꿈지럭거리기만 했다가는 참말로 다리몽둥이를 분질러놓고 말 테니 알아서 해. 문턱 밖에 나온 흔적만 있어도 가만두지 않을 거여. 이번에도 말 안 들으면 참말로 나 안 참아."

"알았소. 어서 다녀오시요."

"알았으나 말았으나, 하여간 꼼짝달싹 말고 가만 엎더 있으란 말이여."

칠성이는 눈알을 부라리며 두번 세번 을렀다. 그렇지만, 한낮 두꺼운 햇발을 보자 칠성이 아내는 좀이 쑤셔 견딜 수가 없었다. 유독 논두렁 대우콩이 마음에 걸렸다. 된서리에 성깔이 오를 대로 오른 콩꼬투리가 이렇게 따가운 햇볕을 받으면 그대로 있어줄 것 같지 않았다. 콩 껍질이 햇볕에 꼬여 당장 콩알을 툭툭 튕기는 것 같아 그대로 누워 있을 수가 없었다.

"아따, 이 집 대우콩 한번 제대로 여물었구먼. 과부 여윈 데 없고, 대우콩 죽은 데 없다더니 다른 시절이 좋아논께 대우콩도 유독 잘 여물었구먼."

방촌영감이 지나가며 늦 있는 아이 칭찬하듯 한마디 했다. 칠성이 아내는 대꾼하게 들어간 눈을 들어 꾸벅 인사를 했다.

"단손이라 몸조리 한번도 제대로 못하는구먼. 몸도 시원찮은데 우리 집에 도리깻열을 새로 틀어놨은께, 한나절만 볕을 보였다가 칠성이더러 도리깨로 후려달라 하시요. 제자리에서 이렇게 말라놨으니 도리깻열만 봐도 제절로 바숴지겠소."

방촌영감은 말해놓고 뒷골로 올라갔다.

칠성이 아내는 다리가 휘청거려 콩 거두던 손을 멈추고 논둑에 앉았다. 이만한 일에 힘이 부쳐 그런 게 아니었다. 여기저기 걸린 빚을 생각하면 저절로 손발에 떡심이 풀렸다. 멀쩡하던 소까지 날려도 험하게 날렸는데, 이번에는 이렇게 병까지 들어 안아팎으로 골병을 들여도 이렇게 험하게 들여논단 말인가?

칠성이 아내는 한참 멍하게 앉아 있었다. 산자락 나무들이며, 논둑 밭둑 풀도 누렇게 시들어가고 있었다. 쇠비름·쑥부쟁이·여뀌·강아지풀 들은 무서리에 진작 얼이 들었고, 껑충한 들국화만 꽃송이가 바람에 할랑거리고 있었다.

저쪽 찔레덩굴 속에는 굴뚝새 한마리가 바지런히 자리를 옮아 앉으며 포실거리고 있었다. 굴뚝새를 보니 이제 정말 겨울이 가까워오는구나 싶었다. 여름 내내 보이지 않던 놈이 동네 따뜻한 굴뚝 곁을 찾아 내려오는 것 같았다.

칠성이 아내는 무심결에 강아지풀 꺾어 들었다. 어렸을 때는 강아지 꼬리같이 생긴, 이 강아지풀 모가지만 보면 이것으로 칫솔을 할 수 없을까, 그걸 뽑아 건성으로 칫솔질하는 시늉을 했었다. 철들어 남들 사는 데 눈이 뜨였을 때는 그 첫 소원이 치약과 비누를 제대로 한번 써보는 것이었고, 더 자라 앞가슴이 부풀어 오를 때는 화장품을 한번 써보기가 소원이었다. 아침에 일어나면 칫솔에 뜸뿍뜸뿍 치약 짜서 서걱서걱 이빨 닦고, 비누 거품 뭉게뭉게 일으키며 활활 머리 한번 감아보기가 소원이었다. 더구나 로션이라던가 하는 것으로 손등이며 얼굴 구석구석, 그리고 빼근한 젖무덤을 싸잡아 남몰래 쥐엄쥐엄 문질러보고 싶었다.

칠성이와 결혼을 했을 때 논 일곱마지기에 소 한마리를 타서 제금을 났다. 이 정도 밑천이면 마음먹기에 따라 얼마 가지 않아 남부럽잖게 살 수 있을 것 같았다. 우선 소만 하더라도 새끼를 뱄으니 오년만 새끼를 불려나가면 열마리는 쉬울 것 같았다. 소 한마리에 삼백만원이라니 열마리면 삼천만원, 생각만 해도 가슴이 벌렁거렸다. 자기 분수에 소가 열마리라니, 그런 생각을 하는 것만으로도 남의 것 훔치는 것 같아 두렵기까지 했다. 그런데 얼마 안 가 소가 거짓말같이 불어나고 있었다. 새끼는 새끼대로 기르고, 어미를 팔아 새끼를 샀더니 대번에 소가 세마리가 되는 게 아닌가? 삼년만에 어미 새끼 합쳐 다섯마리였다.

그 무렵 방촌영감이 엉뚱한 말을 했다.

"소보다 돼지가 몇배 낫다더라. 저 소 다섯마리면 돼지 백마리는 기르겠더구나. 돼지 병 안 걸리게 하려면 우리를 잘 지어야 한다는데, 그 돈이면 현대식 우리에다 새끼 백마리를 사고도 남는다더라. 삼백만원이면 물이 자동으로 나오고 사료도 반자동으로 주는 우리를 지을 수 있다는 거여. 육만원 주고 새끼 사다가 석달 열흘만 기르면 십만원짜리가 된다니 일년 세 파수면 그 돈이 얼마냐?"

사실이었다. 돼지사육장에 직접 가보고 왔던 것이다. 바로 일을 시작했다. 현대식 돼지우리를 근사하게 지었다. 돼지 새끼 백마리를 들여왔다. 사람 새끼고 짐승 새끼고 젖먹이 때 예쁘지 않은 새끼 없지만, 항상 지저분하게만 보이던 돼지 새끼가 이렇게 예쁜 줄은 미처 몰랐다. 칠성이는 밥숟갈만 빼면 돼지우리에 붙어살았다. 돼지새끼는 무럭무럭 장마에 물외처럼 자랐다.

그런데 이게 뭔가? 그때부터 돼지값이 내리막길이었다. 처음 한 파수는 겨우 본전치기였고, 그다음에는 석달 열흘 기른 돼지가 이전 새끼돼지 반값도 안 되었다. 값이 요동을 쳐도 이렇게 요동을 칠 줄은 몰랐다.

반으로 줄어든 본전을 쥐고 얼얼한 기분으로 몇달 쉬고 있는데, 사료상 사장이 왔다. 지금 너도 나도 손을 놔버리자 돼지값이 다시 고개를 쳐든다며, 이럴 때 목을 잘 짚으면 한몫 볼 수 있다는 것이다. 그 말을 듣자 우선 삼백만원짜리 돼지우리가 아까워서도 그냥 있을 수가 없었다. 그렇지만, 이번에는 본전까지 홀랑 날아가고 말았다. 일년 뒤 또 사료상이 와서 다시 돼지값이 방불하다는 것이다. 이번에는 남의 빚으로 일을 시작할 판이라 확실하게 형편을 보고 시작한다는 게 때를 놓쳐 빚만 늘었다.

남은 것은 삼백만원 빚하고 삼백만원짜리 돼지우리였다. 빚은 그런다 치고 돼지를 기르지 않으면 돼지우리를 무엇에다 쓸 것인가? 칠성이는 술을 마시기 시작했다. 칠성이 아내는 그 심정을 알만 해서 잠시 그러다 말리 했는데 그게 아니었다. 마음을 잡기는커녕 되레 술만 더 마셨다.

칠성이 아내는 옛날 자기 아버지를 생각하자 앞이 캄캄했다. 자기 아버지도 크게 한번 살림을 날리고 마음을 잡지 못하고 폐인이 되었던 것이다. 그때 아버지가 얼른 마음을 잡지 못한 것은 반은 어머니 극성스런 바가지 긁기 때문이었다. 칠성이 아내는 그때 어머니가 떠올라 칠성이가 술을 마시고 오면 방실방실 웃으며 맞았고, 괜한 트집을 잡아 역정을 낼 때도 막내둥이 응석 받듯 만수받이해주었다.

“여보 지금도 늦잖아요. 새로 다시 한번 시작해봅시다. 돼지는 값을 종잡을 수 없지만, 소는 아직도 괜찮다고 합디다. 농협에서 수입 소 자금을 대준다니 그걸 한마리 들여옵시다. 한마리가 세마리 되면 세마리가 열마리 되기는 쉽겠습디다.”

칠성이는 아내 말에 솔깃했다. 이리저리 줄을 대어 농협에서 육십만원 빚을 내고, 나머지는 논문서를 잡히고 오십만원 사채를 끌어들였다. 소를 가져온 날 칠성이는 새로 힘이 나는 것 같았다. 칠성이 아내는 남편이 마음을 잡은 게 우선 대견스러웠다.

그 무렵이었다. 관광회사 사원이 이웃 동네 여자를 하나 달고 관광계원 모집을 왔다.

“아이고, 우리 형편에 관광은 무슨 관광이요. 공짜로 보내준대도 품이 안 납니다.”

칠성이 아내는 두말도 못 하게 손을 활활 저었다. 그런데 칠성이가 엉뚱한 소리를 했다.

"몇푼 안 되겠구먼. 하나 들어!"

"뭐라고요? 관광계에 들라고요?"

무슨 정신없는 말이냐는 눈으로 남편을 빤히 건너다봤다.

"돈 벌 때 따로 있고 놀 때 따로 있는 게 아니더구먼. 지난번 돼지로 손 털고 났을 때 젤로 마음이 아픈 것이 그 흔한 관광 한번 못 보낸 것이더구먼."

칠성이 아내는 가슴이 찡했다. 남편 말이 너무 고마워 되레 사양을 했지만 칠성이가 우겨 계에 들었다. 그러나 그들이 마지막 꿈을 실었던 소값이 요동을 치는 바람에 그나마 날려버리고 말았다. 지난번 돼지로 진 빚만도 삼백만원이 시퍼렇게 살아 있는데, 거기다 또 빚이 얹힌 것이다. 논 일곱마지기 전부 팔아야 삼백오십만원, 온 재산을 탈탈 털어도 빚 턱이 못 되었다.

물에 빠진 놈 더위잡듯 애면글면 빚어냈던 마지막 꿈마저 어느 구름에 싸여 갔는지도 모르게 날아가버렸다. 칠성이는 밤이 늦어서야 술이 곤드레가 되어 돌아왔다.

"나락 매상해서 일만이 빚 갚고 한잔했구먼. 그런데 나 오늘 존 노래를 하나 배웠구먼. 들어봐."

칠성이는 동네가 떠나가라 고래고래 노래를 불렀다.

나에 살던 고향은 꽃피는 산골
미국 쌀 일본 쌀 수입 등쌀에
매상가격 시장가격 똥값 된 동네
그 속에서 사는 농민들 행복합니다.

10. 88올림픽에 한몫 보려면

서울로 일자리 보러 갔던 일만이가 돌아왔다. 지난봄 결혼 사기 당한 뒤로 동네서 마음이 한참 떠나 있다가 서울로 일자리를 찾아 갔었는데, 며칠 만에 추레한 꼴로 돌아온 것이다. 정자나무 아래 앉았던 동네 사람들은 동네를 들어오는 일만이 표정부터 살폈다.

"서울 가서 일 잘 봤냐?"

대용이가 물었다.

"아녀. 막노동이라도 일할 만한 데가 없을까 했더니 쉽지 않더라."

"둘례 아버지는 만나봤어?"

서울 농산물 공판장에서 십장 비슷하게 일하는 사람이었다.

"그런 데도 비비고 들어가기가 하늘에서 별 따기여. 차례 기다리고 있는 사람이 줄을 섰다더만."

"더 알아본 데는 없고?"

"그 공판장에 자리 나기만 기다리는 수밖에 없겠는데, 그런 데도 뒷구멍으로 오가는 것이 있어야 되는 것 같아. 공장 같은 데는 자리가 있는 것 같은데, 그런 데서는 우리 나이는 환갑으로 치는 것 같아."

점심을 먹은 사람들이 정자나무 아래로 모여들었다. 칠성이도 오고 성만이도 왔다.

"그럼 거기 자리 났다는 소식 있을 때까지 여기서 기다릴 참이냐?"

"그래도 올라가놓고 봐야겠어. 기다려도 거기서 서울 물정도 익히며 다른 데도 알아보는 것이 좋을 것 같아."

"그래도 방불하게 계책을 세워서 가야지 무작정 올라갔다가 어쩌려고?"

"우리 모자도 모자지만 일순이도 마음이 떠서 명년에는 집에 있을 것 같지 않다. 계집애를 그런 데 혼자 내돌릴 수도 없고, 그런 아이들은 어디 가든 제 밥벌이는 할 성부른께 기왕 맘먹은 김에 올라가놓고 보라 했다."

일순이는 금년 봄에 중학교를 나온 일만이 누이동생이었다. 같이 졸업한 아이들은 서울이나 부산으로 가서 벌써 자리를 잡아 서로 편지 왕래가 끊이지 않는 것 같았다. 돈을 벌려고 가겠다면 모를까 공장에 다니며 고등학교를 다니겠다는 데야 더 말릴 수도 없었다.

"촌에서는 아무리 나대봤자 백년 가도 이 꼴인데, 말릴 수도 없고, 이러다가는 동네가 비게 생겼다."

"나대도 촌에서 나대면 나나 칠성이 꼴로 열에 아홉은 이 꼴이잖아? 전답이 어지간한 사람들은 크게 나대지 않아도 밥은 먹고 살지만, 당장 이런 데 시집올 여자가 있어야 가정을 이루고 살지 않겠냐?"

대용이였다.

"솔골 농민회 그 누구냐, 그이 말을 들어봤더니 정부는 촌놈들 망해묵자고 작정을 한 것 같더라. 미국 소 수입해서 촌놈들 골병들여놓더니, 양파 같은 것도 기가 막혀서 말이 안 나와. 작년에는 양파값이 똥값이어서 밭에서 그냥 져내다시피 했는데, 금년에는 값이 좀 오르자 외국에서 수입을 한다지 않냐. 콤퓨터까지 있는 세상에 정부가 맘만 먹으면 그런 것 하나 조절 못 하겠어?"

그때였다.

"어떤 물건 짝이 저러고 댕기는고?"

성만이가 진밭등을 건너다보며 중얼거렸다. 어깨에 가방을 멘 사람이 진밭등 이 밭 저 밭 땅을 유심히 내려다보다가 쭈그리고 앉아 무얼 집어서 찬찬히 보는 것 같았다. 그렇게 한참 보고 있더니 그걸 종이에 싸서 가방에다 간수하는 것 같았다.

사내는 동네로 왔다. 산골 동네라 낯선 사람이 오면 무엇 하러 오는지 모두 내다보았고, 어디서 무얼 하러 온 사람인지 알고 나서야 안심이었다.

"무엇 하는 사람이요?"

느릅나무로 소코뚜레를 휘고 있던 방촌영감이 물었다.

"이 동네가 진밭실이라는데, 땅이 질지도 않은데 어째서 진밭실입니까?"

"그런 것을 멀라고 묻소?"

"그만한 까닭이 있습니다."

"까닭이라니?"

"이 동네에 해로울 일은 아닙니다."

작자는 웃으며 말했다.

"저 건네 저 등성이가 길다고 진밭등이요."

"깊은 내력은 모르시는 것 같은데, 내 생각에는 이 동네 밭이 그냥 밭이 아니고 진짜 밭이라 진밭이 아닌가 싶소. 옛날 사람들 이름 지어놓은 것 보면 아무렇게나 지은 것 같아도 따지고 보면 이름마다 깊은 뜻이 숨어 있지요. 저기 경상도 마산 위에 부곡온천은 십여년 전에야 그 온천이 발견되어 그것을 발견한 사람이 큰 부자가 되었는데 그곳이 부산처럼 가마 부(釜) 자 부곡이었소. 부산이란 이름도 동래온천 때문에 부산이란 이름이 붙었듯이, 마산 부곡(釜谷)도 그래서 옛날부터 부곡이라 불렀지만, 그곳 사람들은 온천이 발견될 때까지 어째서 부곡인 줄을 모르고 살았지요."

그때 일만이 집에 있던 젊은이들이 몰려왔다. 그들이 오자 작자는 진밭등 이름 풀이를 아까처럼 하며 감탄했다.

"혹시 이 동네서 특용작물 재배해보신 분 계십니까?"

"특용작물이라니요?"

방촌영감이 물었다. 곱지 않은 눈초리였다. 이 작자 생긴 것부터가 축축한 얼굴에 눈꼬리가 밑으로 처진 게 불량하게 생겨, 아까부터 네놈이 무슨 야료를 부리러 왔냐는 눈으로 노려보고 있는 참이었다.

"일테면 약초 같은 것이나, 하여간 벼농사나 보리농사 아닌 것 말이요."

"딸기도 그런 작물이라면 이 동네 그런 사람 많소. 딸기 비닐재배 하다가 폭삭 망한 사람도 있고, 돼지 기르다 망한 사람, 소 기르다가 망한 사람, 그런 사람이 여럿이니 그런 쓰잘데없는 말 하려고 왔으면 어서 돌아서시요."

방촌영감이 작자를 허옇게 노려보며 퉁겼다.

"하하. 영감님께서 화를 내시는 심정을 알 만합니다. 그런데 이런 동네서 딸기 재배를 했다면 그건 처음부터 잘못입니다. 내가 지금 공자님 앞에서 문자 쓰는 것 같소마는, 근교농업이라는 말씀 들어보셨을 것입니다. 도시 근처에서 하는 농업을 근교농업이라 하는데, 딸기나 도마도 같은 것은 도시 근처에서 해야 시세가 어쩐지 얼른 알아보고 바로 내갈 것 아닙니까? 이런 데서는 딸기가 익으면 가격도 알아보지 않고 무작정 내갔으니 제값을 받을 까닭이 없지요. 그뿐입니까? 딸기 같은 것은 그냥 바구니에 담아도 밑에 있는 것은 눌려서 상하는데, 그것을 여기서 읍내까지 이십리가 넘는 길을 경운기로 털털거리고 가봐요. 밑에 깔린 딸기는 제대로 물건 꼴 갖추고 있겠습니까?"

대용이는 딸기 말이 나오자 아까부터 상판을 으등그리고 있었다. 옳은 말이었으나 옳은 말이라 더 화가 났다.

"그런 소리는 그만하고 당신 할 소리나 하시요."

대용이 상판을 보던 성만이가 끼어들었다.

"더덕 있잖소?"

"더덕? 산에 있는 더덕이 어쨌단 말이요?"

방촌영감이 성급하게 물었다.

"더덕 재배를 하시라는 말씀인데, 제 말씀을 한번 들어보시요."

작자는 가방에서 종이에 싼 더덕을 꺼냈다.

"이것이 일년생이고, 이것은 이년생입니다. 이년만 기르면 이렇게 자랍니다. 이 이년생은 말리지도 않고 캔 자리에서 한관에 구천원이면 뉘 돈 받을지 모릅니다."

"그러니까, 한근에 천오백원이란 말이요?"

칠성이가 얼른 근으로 환산해서 물었다. 모두 놀라자 사내는 계속했다.

"나는 대구에 있는 식품회사에서 왔는데, 더덕 재배에 알맞은 토질을 골라서 더덕 계약재배를 하고 다닙니다."

"계약재배를 하면 어떻게 한단 말이요?"

성만이가 솔깃한지 다그쳤다.

"그걸 말씀드리기 전에 이 동네 토질부터 말씀드리지요."

그는 또 가방을 벌려 그 속에서 흙 봉투를 여러개 꺼냈다.

"이 흙은 아까 내가 저 건너 밭에서 가져온 것이고, 이 흙은 지금 더덕을 기막히게 잘 재배하고 있는 강원도서 가져온 흙입니다. 그리고 이것은 경상도 합천 흙, 역시나 더덕 재배에 알맞은 흙입니다. 내가 장담하지만 저 건너 밭에는 고구마 같은 뿌리 작물이 다른 데보다 잘 되지요?"

모두 서로 돌아봤다. 그게 사실이었다.

"조금 부족한 것이 있다면 모래가 덜 섞인 것인데, 그건 저 아래 냇가에서 조금만 져다 부리면 됩니다. 내가 여러군데를 다녀봤으니 말이지만, 더덕 재배에는 이 동네 땅만 한 땅도 찾기가 어렵습니다. 이런 특용작물일수록 토질에 맞춰서 재배를 해야지, 토질이 맞지 않으면 아무리 정성을 들여도 정성만 가지고는 안 됩니다. 지금 선진조국 어쩌고 해쌓는데, 선진조국을 만들려면 우리나라처럼 자원이 부족한 나라에서는 그만큼 머리를 써야 합니다. 창의력이 있어야 한다, 이 말씀입니다. 아까 딸기 이야기 했습니다마는 남이 하는 것을 그대로 본받아……"

"여보시요. 그 딸기 얘기는 그만하시고 당신 할 얘기나 하시요."

대용이가 큰 소리로 쏘았다.

"아이고, 형씨가 그 딸기로 피해 보신 것 같은데, 내 말 한번 잘 들어보시오."

작자는 넉살 좋게 웃고 나서 계속했다.

"요사이 이런 일 하다가 실패한 사람이 많아 긴가민가하실 것입니다마는, 이 더덕은 전혀 실패할 염려가 없습니다. 이것은 우선 토질이 문제라 너도나도 재배할 수도 없고, 외국으로 수출 길까지 터져 판로도 훤합니다. 국내 시장만 보더라도 지금 서울이나 큰 관광지 같은 데서 더덕구이 한접시에 오천원입니다. 한접시라 해봤자 종잇장같이 얇게 썰어서 접시 바닥에다 발라논 것이라 이것 두 뿌리면 한접시가 너끈합니다."

작자는 말이 여간 매끄럽지 않았다.

"더덕은 우리나라 사람만 좋아하는 게 아닙니다. 요사이 외국사람들이 먹어보고 고개 두번 세번 끄덕입니다. 누구든지 객지에 나가면 그 지방 특색 있는 음식을 찾는데, 전주 가면 비빔밥, 부산 가면 토주, 제주 가면 생선회입니다. 그런데 이 더덕은 유독 외국사람들 구미에 맞아 지금 우리 회사에서는 이 점에 착안해서 86아시안게임에 한몫 보자는 것입니다. 바로 금년 봄에 심으면 86아시안 게임에 딱 들어맞습니다. 그때 성공할 것은 틀림없는데, 지금 더 크게 보는 것은 88올림픽입니다. 먹어보면 사가지고 갈 사람도 많을 것 같아 우리 회사에서는 지금 그에 대비하여 깡통 공장까지 지을 작정입니다. 그때 가보십시오. 이런 토산물은 없어서 못 팝니다."

모두 멍청하게 작자만 건너다보고 있었다.

"그러면 아까 그 계약재배 이야기 한번 해보시요."

칠성이가 끼어들었다.

"말씀드리지요. 재배를 하려면 더덕 씨가 문젠데, 우선 그 씨를 드립니다. 물론 그 씨로 재배한 사람은 그 더덕을 우리 회사에 판매를 한다는 조건으로 씨를 드립니다."

"공짜로요?"

"공짜로 드릴 수도 있지만, 솔직히 말해서 더덕 씨를 공짜로 가져다 팔아먹어버리고 재배를 안 하면 그 사람 배를 따겠소? 그래서 더덕 씨 값을 드리되 싸게 드립니다."

"얼만데요."

"시중 가격은 한홉에 십오만원인데, 우리는 종자 장사를 하자는 것이 아니니까 원가대로 십만원에 드립니다."

"십만원이요?"

모두 깜짝 놀랐다.

"우선 이 씨는 종자가 다릅니다. 저런 감나무에 열리는 감도 크고 작기가 다르고 맛이 다르듯이 이런 더덕도 마찬가집니다. 이것은 강원도에서 제일 좋은 종자만 골라 거기서 채취한 씨라 보통 사람은 사재도 살 수가 없습니다. 이 더덕 크기 보시오. 이년생이 이렇게 크게 자라는 종자는 이 종자밖에 없어요. 이것 한홉을 오십평에 뿌리는데 당장 일년생으로 팔아도 이것 한 뿌리에 오십원입니다. 자금이 좀 넉넉한 사람들은 씨로 재배하지 말고 일년생을 재배하면 그만큼 이문이 좋겠지요."

"그래도 십만원이면 너무 비싸요."

"다른 것은 다 아껴도 종자에는 돈 아끼지 마시오. 지금 비싼 것만 생각하지 마시고 당장 일년 뒤를 내다보세요. 이것 한홉을 오십평에 뿌리면 뿌리는 놔두고도 더덕 씨를 한되나 따는데, 그 값이 얼맙니까?"

"괜찮을 것도 같구먼."

대용이가 한마디 했다.

"그럼 한번 해볼까요?"

성만이가 자기 아버지 방촌영감을 돌아봤다.

"괜찮을 것 같다마는."

방촌영감이 어정쩡하게 말했다.

"당장 돈이 없는데, 어쩌지요?"

"나도 씨를 다 가져오지 않았습니다. 한홉에 이만원씩만 선금을 내고 신입을 하시오."

작자는 신입서 용지를 꺼내놨다. 모두들 돈이 없다고 엄살이었지만, 매상 뒤라 너도 나도 돈을 가지고 왔다. 작자는 열홉 신입금 이십만원을 받아가지고 갔다.

"가만있자. 저 작자가 신입금만 떼어먹자는 수작은 아닐까?"

한참 만에 방촌영감이 고개를 갸웃거렸다. 작년에 어디서도 저런 사기꾼한테 당했다던 생각이 얼핏 떠올랐던 것이다.

"성만아!"

방촌영감은 다급하게 아들을 불렀다.

"아무래도 그 작자 수상하다. 얼른 쫓아가서 그 작자 주민등록증이라도 봐라!”

그제야 젊은이들도 깜짝 놀라 쫓아갔다. 그 사내는 이미 사라지고 없었다. 아랫동네 가서 물어봤더니 거기서도 똑같은 수작을 부리고 갔다는 것이다. 그 옆 동네도 마찬가지였다.

“토질이 이 근방에서는 우리 동네밖에 맞는 동네가 없다더니 이게 뭐야?”

동네 사람들은 닭 쫓던 강아지 꼴로 멍청하게 서로 보고 있었다.

11. 방촌영감의 망신살

방촌영감이 풀어헤친 잠바 자락을 사뭇 갈기며 오고 있었다. 얼굴이 불콰한 게 한잔 걸쭉하게 마신 모양이다.

“뭘 하고 있어? 차가 한나 지나가버렸어.”

동태 두마리를 묶어 든 도래실영감이 짜증 섞인 소리로 튕겼다. 벼 매상하고 나서 잠깐 만날 사람이 있다고 조금만 기다리라던 사람이 한시간도 더 있다 온 것이다.

“차가 문제가 아녀. 시방 좋은 수가 하나 생길 것 같네.”

무슨 일인지 방촌영감은 지레 들떠 있었다.

“뭣이? 존 수?”

도래실영감은 잠바 깃 속에 목을 움츠린 채 무슨 시답잖은 소리냐는 표정이었다. 방촌영감은 원체 오지랖이 넓은 사람이라 도래실영감은 어지간한 일은 신용을 하지 않았다.

"다름이 아니고 일만이 얘긴데, 잘하면 그 녀석을 동네다 잡아놓을 방도가 있을 것 같네."

"일만이를?"

이건 또 무슨 뚱딴지같은 소리냐는 표정이었다. 벼 매상하여 매상 값을 받았지만, 여기저기 아가리 벌린 큰 구멍 작은 구멍이 홍부네 집 창구멍이라 울가망해 있던 참이었다. 그래서 막걸리 한잔도 마시지 않고 담배만 줄담배로 빨고 있는 참인데, 씨알머리 없는 소리로 설레발이자 대답이 고울 수가 없었다.

"내 말을 들어봐!"

도래실영감은 방촌영감을 멍하게 건너다보고 있었다. 귀는 열려 있으니 말을 해보라는 표정이었다.

"일만이가 동네를 뜨려는 것은 농촌에서는 장가를 갈 수 없기 때문이거든. 그러니 우리들이 나서서 짝을 지어주면 어쩌겠는가?"

"짜악?"

지난봄에 중매한답시고 낮도깨비도 아니고 밤도깨비도 아닌 계집을 데려왔다가 우세를 했던 다음이라, 이 영감태기가 제정신인가 하는 표정이었다.

"아녀. 이번에는 그것이 아녀."

방촌영감은 자신 있게 말했다.

동네에서 일만이와 칠성이가 나가면 열가호도 못 되는 동네가 이건 나간 절간도 아닐 것 같아, 엊그제만 하더라도 두 영감이 그 얘기를 하며 한숨을 쉬었던 다음이다.

"그럼 맞춤한 혼처라도 있단 말인가?"

"혼처라기보다도 그런 계집이 하나 있어."

"장가갈 자리라면 그것이 혼처지, 그런 계집이라니?"

"그런께 시방 그것이 쪼깐 뭣해서 하는 말인데, 까놓고 말하면 술집 계집이여."

"뭣이, 술집 계집?"

도래실영감은 이 사람이 제정신인가 하는 눈으로 말꼬리를 올렸다.

"지금 술집에 있기는 해도 들어간 지가 사흘도 안 됐다니, 그것을 흠이라고 하자면 하고 말자면 말 일 아니겠어?"

"사흘이든 하루든 술집에 빠졌으면 골로 빠진 계집인데, 아무런들 대도 그런 데나 댄단 말이여?"

"사람이란 것이 형편이 그렇게 되면 그런 수도 있는 것이지 술집 계집이라고 얼굴에 패 박혔겠어? 그 계집아이는 형편에 밀려 하는 수 없이 그런 데로 밀린 계집이라니 예사 술집 계집하고는 달라."

"아무리 형편이 어쨌도 그런 데로 기어들었다면, 싹수머리는 이미 벌레 먹은 싹수지 뭐여? 마음이 떠도 열길 스무길 공중에 떴을 거여."

"그 계집은 바람이 나서 그런 데로 빠진 게 아녀. 혼사 치르려고 날 받아놨다가 혼사가 깨진 바람 그런 데로 빠졌다는 거야."

"그렇지만, 그런 데 있던 계집이 우리 동네 같은 산골짜기에서 살 수 있을까?"

"아녀. 얼굴도 수더분하고 행동거조도 예사 술집 계집이 아니더만. 더구나 그 술집 주인을 이모라고 부르는 걸 보니 잠시 자기 집에 데려다 놓은 모양이야."

"그럼 본인의 의향은 알아봤어?"

"그 주인 여자한테 넌지시 떠봤더니, 존 데만 있으면 시집 마다할 계집이 있겠냐고 하더구먼."

"그럼 본인 의향도 안 물어보고 맹물에 취해서 이 야단인가?"

"아녀. 주인 여편네보고 한번 의중을 떠보라 했더니, 술이라도 한잔하면서 그 아이를 앞에 앉혀놓고 조근조근 물어보라는 걸세. 그래서 내가 시방 이렇게 달려왔네."

"그렇지만, 그 계집이 의향이 있다 하더라도 일만이가 마다하면 헛공사 아닌가?"

"그건 내가 생각이 있은께 그것은 나한테 맡기게. 수가 있네."

"수라니?"

"계집 입에서 허락만 떨어지면 당장 계집을 제 친정으로 쫓는 걸세. 그러고 나서 그 계집이 술집에 있었던 일은 자네하고 나하고만 알고 일만이한테도 입을 딱 봉해버리는 걸세. 여기 온 지 사흘도 못 되고, 또 그 술집은 관광객들이나 들어 댕기는 고급 술집이라 우리 동네 사람들이 그 계집 얼굴 알 까닭이 없어."

"그래도 소문이 나면 낭패 아닌가?"

"우리 둘이만 입 봉하고 있으면 모두 예사 처녀가 시집왔는가보다 하제, 어느 미친놈이 저 여자가 술집에 있다 왔냐, 지리산에서 중질을 하다 왔냐, 이러고 남의 각씨 앞섶 들쳐 보고 뒷섶 들쳐 볼 것이여?"

"하기야 그렇기는 그렇지."

"가세. 가서 그 계집을 술상머리에 불러다 앉혀놓고, 우리 동네에 이만저만한 총각이 있는데 네 의향은 어쩌냐, 마음잡고 살겠느냐, 안 살겠냐? 이러고 다짐을 받자 이 말이여. 아까 벼 매상 값 받아서 우리 집 아이에 넘길 때 만원짜리 한장을 떼어놨는데, 이런 일이라면 백번이라도 그만한 돈은 내가 쓰겠네. 어서 날 따라오게!"

방촌영감은 잔뜩 들떠 기세 좋게 앞장섰다. 도레실영감은 출출하던 판에 공술이라니 싫지 않았다. 영감은 벼 매상 값이 들어 있는 잠바 안주머니 단추를 다시 잠갔다.

"커엄!"

방촌영감이 큰기침을 하며 술청으로 들어섰다.

"아이고, 우리 영감님 또 오셨네. 우리 춘심이한테 반했구나. 춘심아!"

"예끼!"

영감은 점잖게 눈을 흘겼다. 두 영감은 방으로 들어갔다. 춘심이란 계집이 들여다봤다.

"안주는 뭘로 하실까요?"

"웬만하게 차려 와!"

춘심이는 문을 닫았다.

"어떤가?"

방촌영감은 낮은 소리로 물었다.

"맘만 잡아 살기로 한다면 더 말할 것이 없겠구먼. 그런데 쉽잖을 것 같아."

"왜?"

"얼굴이 저렇게 반반한 계집이 우리 동네 같은 산골에 박히려 할까?"

"어엿한 서방을 얻어 가는데, 아무런들 술집에 있는 것에 대겠어?"

이내 술상이 들어왔다. 불고기 한접시하고, 가지런히 썬 큼직한 돔 한마리가 상추 잎과 대팻밥을 깔고 얌전하게 올라 있었다.

"잔 받으십시요."

다소곳이 앉은 춘심이가 두 영감 잔에 술을 따랐다. 춘심이 볼이 발그레한 게 다른 자리에서 어지간히 마신 모양이었다.

"카아, 술맛 좋다."

방촌영감이 카 소리를 크게 질렀다.

"고향이 어디여?"

"남원이요."

"허허. 춘향이 골에서 왔구먼."

춘향이 골이니 절개 하나는 떨어지겠다는 표정으로, 방촌영감은 춘심을 건너다봤고, 도래실영감은 멀리 왔다며 멀리 온 까닭을 알 만하다는 투로 고개를 끄덕였다.

"춘심이 시집갈 생각 없나?"

방촌영감이 게슴츠레한 눈으로 물었다.

"이 할아버지가 아까부터 주책이셔. 깔깔깔."

"주책이라니, 힘들여 하는 말인데 그렇게 말하면 쓰는가?"

"깔깔."

"어쩔 텨?"

"맘만 맞으면 누구한테는 못 가나요?"

춘심이는 자지러지게 깔깔거렸다.

"그려. 말 한번 잘하는구먼. 사람이란 것이 마음이 맞으면 오두막도 대궐보다 낫게 보이고, 콩 쪼가리 하나로 어이며느리가 시장 멈춤을 한다는 거여."

"깔깔깔. 할아버지들 정말 멋쟁이들이셔!"

춘심이는 더 호들갑스럽게 깔깔거렸다.

"커엄, 우리가 지금 시골에 묻혀 있어 그렇지, 젊었을 때는 다 한 가락씩 했던 사람들이야. 지금도 돈이 없어 한이지, 우리라고 자가용을 못 굴리겠나, 미국을 못 가겠나?"

방촌영감은 잔뜩 뽐내는 가락으로 큰소리를 쳤다.

"춘심아, 잠깐 나와라."

춘심이가 밖으로 나갔다. 술꾼이 또 한패 온 것 같더니, 춘심이가 그 방으로 들어가는 것 같았다.

"어떤가?"

"술집에 있다는 흠만 없다면 저만한 계집이 어디 쉽겠어? 일만이한테는 과하지."

"그려. 일만 어우러진다면 그게 다 일만이 복이지 뭔가? 사람이란 것이 연분이 닿으면 바보 온달이도 임금 사위가 되었다지 않던가?"

"칠성이야 이미 살림이 거덜이 났으니 하는 수 없지만, 일만이만 잡아놔도 동네가 든든할 것 같아."

"든든하다마다. 그 녀석이 나간다는 바람에 대용이도 마음이 뜨지 않을까 모두들 그 걱정인 것 같아."

여기 술 더 달라고 방촌영감이 소리를 질렀다.

"안주도 더 드릴까요?"

주모가 술 주전자를 들여놓으며 물었다. 굴풋하던 다음이라 금방 안주가 바닥나버렸던 것이다. 안주가 들어왔다.

"춘심이더러 어서 오라고 하시요."

"참말로 춘심이 데리고 갈 참이요."

주모가 음충맞게 웃으며 물었다.

"데려가다마다. 내가 그렇게 실없는 사람으로 보이요?"

"그럼 잘 해줘사 쓰요잉."

"그런 것은 마음 턱 노시요."

방촌영감은 큰소리를 쳤다.

"미리 말씀드리는데, 석장 밑으로는 안 돼요."

"석장이고 넉장이고, 패물만 소 한마리 값을 썼던 사람이야."

"시원시원하시군요. 깔깔."

주모가 자지러지게 웃으며 문을 닫았다.

"석장이라니? 그게 무슨 소리여?"

도래실영감이 덩둘한 표정으로 물었다.

"결혼식 할 때 삼백만원쯤 쓰라는 소리겠지. 일만 되면 그까짓 것이 대순가?"

방촌영감은 연방 큰소리였다. 춘심이는 소주를 세병째 비울 때까지 오지 않았다.

"이러다가는 막차 놓치겠어."

거듭 채근해서야 춘심이가 깔깔거리며 들어왔다. 저쪽 방에서 여러잔 했는지 얼굴이 더 붉었다.

"뭘 하고 있어? 하던 얘기를 마무리져야지."

방촌영감이 말했다.

"아이구, 주책! 골로 생겼어."

춘심이가 윗몸을 방촌영감한테 찰싹 기대며 방촌영감 볼을 꼭 꼬집었다.

"이런, 이런."

느닷없는 습격에 방촌영감은 맹수라도 피하듯 윗몸을 한쪽으로 젖혔다.

"이모한테 들었어. 이모한테도 팁 좀 줘야 혀!"

방촌영감은 벼락 맞은 꼴로 춘심이를 바라보고 있었다.

"깔깔. 어디 힘이나 제대로 쓰겠는가 보자."

춘심이 손이 거침없이 방촌영감 사타구니로 쑥 들어갔다.

"네끼!"

느닷없는 습격에 방촌영감은 불에라도 덴 것처럼 고함을 질렀다.

"아니, 이 할아버지가 왜 이래?"

춘심이는 멍청한 눈으로 방촌영감을 쳐다봤다.

"뭣이 으짜고 으째, 이 고얀 년 같으니라고."

방촌영감은 대들보가 욱신거리게 고함을 질렀다. 도래실영감은 술잔을 들고 웃고 있었다.

"왜 그러슈?"

주모가 문을 열었다.

"이모, 이 영감, 이렇게 된 게 아냐?"

춘심이는 놀란 눈으로 주모를 보며 머리를 향해 손가락을 핑글 핑글 돌렸다.

"이런 못된 계집년 같으니라고, 뭣이 으짜고 으째?"

방촌영감은 오래 지켜오던 정조라도 겁탈당한 것처럼 분에 못 이겨 수염이 부들부들 떨었다.

"우리 애가 실수했나 봅니다. 많이들 취하셨으니 가시지요. 술값은 이만오천원입니다."

"뭣이, 술값이 이만오천원? 이런 도둑년들!"

방촌영감이 고함을 질렀다.

"뭐라고 했소? 도둑년들!"

도둑년이란 말에 주모가 시퍼렇게 악을 쓰고 나왔다. 춘심이도 덩달아 악을 썼다. 두 여자 서릿발 같은 서슬에 두 영감은 금방 주눅이 들었다. 더 따졌다가는 망신만 더 당할 것 같은지 방촌영감은 벌레 씹은 상판으로 멍청하게 서 있었다. 도래실영감이 돌아서서 잠바 주머니에 손을 넣으려다 다시 뺐다. 다시 주머니로 손을 넣었다. 돈을 꺼냈다. 돈을 세는 손이 달달 떨고 있었다.

"옛수다. 내 생전에 비싼 술 한번 마셨소."

도래실영감은 문밖에 걸어놨던 동태를 들고 술집을 나섰다.

"망했구먼. 이놈의 세상 망했어. 망해."

방촌영감도 구시렁거리며 따라나섰다.

"아이고, 막차도 가버렸구먼."

두 영감은 서로 멍청하게 보고 있었다.

"그럼 걸어갈 수밖에 없구만."

도래실영감이 힘없이 내뱉으며 앞장을 섰다.

"정초 토정비결에 묘한 괘가 나오기에 무슨 일일까 했더니 그 액땜을 해도 단단히 한 것 같네. 하하."

"액땜이나 마나 이놈의 세상 망했다. 망했어."

두 영감은 달도 없는 이십리 길을 터벅터벅 걸었다. 방촌영감은 망했다는 소리만 연방 뇌며 한숨을 쉬다 화를 내다 했다. 말없이 가는 도래실영감 동태 묶음이 유난히 초라해 보였다.

12. 신고산이 우르르

신고산이 우르르 화물차 떠나는 소리에
고무공장 큰애기들이 벤또 밥을 싸누나

방촌영감은 오늘 무슨 일이 있는지 아침에 눈이 뜨이자마자 뒷골로 올라가며 「신고산타령」을 흥얼거렸다. 오늘은 일만이 식구들이 서울로 이사 가는 날이었다. 아까 골목을 빠져나오며 그 집안을 살펴보자 방 안에서 두런거리는 소리가 이삿짐을 싸며 하는 소리 같아 들어갈까 하다가 발길을 돌리고 말았다.

어제 일만이 집에서는 간단하게 이사 잔치를 베풀었다. 거기서 걸쭉하게 마시며 젊은 녀석들 흥에 뜨여 부른 것이 「신고산타령」이었다.

—푸드득

방촌영감은 깜짝 놀랐다. 바로 발밑에서 장끼와 까투리가 튀어 올랐다. 영감은 진밭등으로 가며 동네를 내려다봤다. 일만이 마당에는 벌써 농짝이 나와 있었다. 아침 일찍 차가 온다더니 바삐 서두르는 것 같았다.

영감은 너럭바위에 걸터앉았다. 담배를 한개비 빼물고 불을 붙여 길게 연기를 뿜었다.

이 너럭바위는 동네 아이들 놀이터였다. 여름이면 곁으로 흐르는 시내에서 멱 감고 이 바위에서 놀았으며, 꼬마들이 소꿉놀이하기에도 안성맞춤이었다. 이 바위는 이 동네 사람이라면 누구든지 여러가지로 추억이 얽혀 있지만, 유독 방촌영감에게는 가슴 저미는 일이 얽혀 있었다.

얼핏 손을 꼽아보니 사십년도 넘은 것 같았다. 군대에서 제대하고 돌아왔을 때였다. 일만이 어머니가 다른 총각한테 시집을 갔다는 것이다. 그때 방촌영감은 이 바위에 앉아 한없이 눈물을 흘렸다. 일만이 외할아버지는 진작부터 자기를 사위로 꼽고 있었던 터라 더 서글펐다. 군대 가기 전날 그이가 자기의 그런 속마음을 드러내놓기까지 했다. 그이가 좀 보자고 한다기에 갔더니 저녁상을 차려놓고 기다리고 있었다.

"하도 섭섭해서 저녁이나 한끼 먹자고 오라고 했다. 시국을 잘못 만나 모두 고생들이 많다. 몸이나 성하게 지내다가 오너라."

막걸리잔을 권하며 말했다. 술이 두어순배 돌았을 때였다. 딸을 불렀다. 아직 밥에는 숟가락도 대지 않았는데 엉뚱하게 숭늉을 청했다. 숭늉을 떠가지고 지게문을 열고 안으로 들어왔다. 당신 잔에 술을 따르라 했다. 술을 단숨에 들이켜고 그 잔을 방촌영감한테 넘기며 거기도 한잔 따르라 했다. 딸은 놀란 눈으로 아버지를 봤다. 아버지가 빙긋 웃자 딸은 골을 붉히며 방촌영감을 건너다봤다. 방촌영감이 내민 잔에 떨리는 손으로 술을 따랐다. 처녀는 술을 따르자마자 도망치듯 방문을 빠져나갔다.

이것은 세사람만 있는 자리에서 있었던 일이었다. 그때 방촌영감은 온 세상을 다 얻어버린 것 같았다. 항상 마음에 끼고 있던 처녀를 아내로 맞을 수 있다는 것도 그랬지만, 이런 든든한 분을 장인으로 모시는 것도 그에 못지않게 감격스리웠다.

그이는 택호가 진골양반이었는데, 그냥 좌장님이라고도 불렀다. 이 동네 두레의 우두머리인 좌장이었기 때문이다. 두레는 다른 데서는 두레의 우두머리를 영좌라 부르는 모양이었으나, 여기서는 좌장이라 불렀다. 방촌영감은 그때 두레의 총각대방이었다. 총각대방은 두레가 일을 할 때 좌장의 영을 받아 일을 총지휘하는 직분이었다.

다른 동네는 두레가 진즉 없어지고, 기껏 젊은이들이 보리 거름할 풀을 치는 풀두레가 남아 있을 뿐이었다. 그러나 이 동네는 8·15 뒤까지 두레가 거의 제 모습대로 남아 있었고, 6·25 뒤에도 제구실을 하고 있었다. 두레가 그때까지 남아 있었던 것은 무엇보다도 진골영감 위세 때문이었다. 동네 사람들이 모두 두레꾼이 되어, 초봄 보막이부터 모내기며 볏논 김매기까지 고된 농사일은 몽땅 이 두레가 해버렸다. 두레에 나올 사람이 없는 과붓집이나 노인들만 사는 집은 그런 일을 거저 해주었다.

진골영감은 정초에 풍물 칠 때는 상쇠이기도 했다. 이 풍물은 일제 때는 철저하게 금했기 때문에 다른 동네서는 거의 없어졌지만, 여기는 깊은 산골이라 관의 간섭이 미치지 않아 풍물이 그대로 남아 있었다. 두레는 모를 심을 때는 '농자천하지대본'의 농기를 들고 풍물을 치며 논으로 가서 쇠재비의 신바람 나는 꽹과리 가락에 맞춰 모를 심고 벼가 자라면 논매기를 하기도 했다.

그래서 8·15 뒤에 이 동네만큼 풍물을 고스란히 간직하고 있는 동네는 거의 없어, 이 동네 사람들만큼 풍물 솜씨를 고루 지니고 있는 동네도 별로 없었다. 그래서 이 동네 사람들은 걸궁을 꾸며 그 면의 동네마다 돌기도 했다. 그때야 다른 동네서도 없어진 풍물을 다시 장만하여 풍물을 치기 시작했고, 진골영감은 여기저기 상쇠로 불려 다니기도 했다. 그때마다 그이는 방촌영감을 데리고 다녔다. 그때는 모두 손이 노는 정초라 불려 가도 돈으로 사례는 하지는 않았지만 대접은 극진했다. 진골영감은 그렇게 동네마다 새로 풍물이 살아나는 것만 신명이 나서 어느 동네든지 부르기만 하면 열일을 제쳐놓고 달려갔다.

"요새 사람들은 너나없이 너무 제 실속만 챙기니 탈이다. 사람들이 모여서 마을을 지어 사는 것은 호랑이 무서워 그러겠느냐? 나 같은 사람 처지를 한번 생각해봐라. 아니할 말로, 지금 내가 덜컥 죽어버리면 우리 집은 누가 농사를 짓겠느냐? 모두들 자기한테는 그런 일이 없을 것이라 생각하고 자기 앞만 가리지만, 익은 감도 떨어지고 생감도 떨어지는 것이 세상 이치다. 사람답게 살려면 서로 돕고 살아야 하고 그러자면 남 앞에 큰 감부터 놀 줄 알아야 한다. 지금 세상 돌아가는 것을 보면 나 죽고 나면 우리 동네 두레도 옛날 같지 않을 것 같다. 그래도 너라도 있기 망정이지 너마저 나이를 먹으면 옛날 같지 않을 것 같다."

이런 말을 했던 게 6·25 나기 바로 앞 해였다. 그때 그 말이 마치 자기 죽음을 내다보고 했던 것처럼, 방촌영감이 군대 갔다 휴가를 오자 그이는 세상을 뜨고 없었다. 방촌영감은 그이 영호 앞에 엎드려 마치 자기 아버지 영호 앞에 엎드린 것처럼 눈물을 흘렸다. 자리에서 일어나자 그이 딸은 눈물을 흘리고 있었다. 하루도 잊어본 적이 없는 여자였지만, 그때만 하더라도 처녀들은 낯가림이 심해 어쩌다가 길목에서 마주치면 서로 골을 붉히며 지나쳤다.

제대를 하자 날듯이 달려왔더니 청천벽력 같은 일이 기다리고 있었다. 그가 동네 총각한테 시집을 갔다는 것이다. 그 말을 듣는 순간 방촌영감은 하마터면 그 자리에 주저앉을 뻔했다. 까닭은 물으나 마나였다. 모두가 그만그만하게 사는 동네서 그 신랑 집 한집이 조금 포실했기 때문에 그 어머니가 우겨서 그리 시집을 보냈다는 것이다.

방촌영감은 그때부터 반편이가 된 것 같았다. 집에서는 눈치를 채고 혼인을 서둘러 장가를 가자 그럭저럭 살 수 있을 것 같았다. 아이를 낳고 나이를 먹어가자 골목에서 만나도 예사로워지기 시작했다.

그이가 바로 일만이 어머니였다. 그런데 그가 이제 영영 이 동네를 떠난다 생각하니 그들 떠난 자리가 너무 클 것 같았고, 그이로

해서 동네에 생기가 돌기라도 했는데, 그 집이 떠나고 나면 동네서 찬바람이 날 것 같았다. 신고산이 우르르 무너지듯이 무엇이 와르르 무너질 것 같았다. 방촌영감은 일만이 어머니가 자기 마음속에 그렇게 크게 자리를 잡고 있었던가 새삼스럽게 놀랐다.

어제는 그 집에서 떠나는 잔치판이 벌어졌다. 돼지고기 다리를 두개나 사다가 삶고 막걸리 두말을 풀어놓자 잔치판이 그들먹했다. 남녀 가릴 것 없이 동네 사람들이 모두 나와 위아래 방에 앉아 밥을 먹고 술을 마셨다. 방촌영감은 기분이 너무 스산해서 주는 대로 마시다가 「신고산타령」까지 뽑으며 주접을 떨었다.

술자리가 한창 무르익었을 때였다. 조카 대용이가 무슨 눈치를 챘는지 장난스런 표정으로 돌아봤다.

"삼춘!"

"왜?"

방촌영감이 멀뚱한 표정으로 돌아봤다.

"지난번 그 술집 색시 이야기인디라."

대용이가 허두를 꺼내자 동네 사람들은 와크르 웃었다.

"방정맞은 놈 같으니라고. 시방 네가 나를 우세시키자는 것이냐?"

방촌영감이 부러 눈알을 부라렸다. 그 소문은 며칠 뒤 동네에 좍 퍼졌던 것이다.

"소문 내막을 자세히 듣고 봤더니, 삼춘께서 하신 말씀하고 도래실영감님이 하신 말씀은 다른 데가 있습디다."

대용이가 시치미를 따고 능청을 떨었다. 곁에 앉아 있던 아들 성만이도 웃음을 참지 못했다.

"다르기는 뭣이 다르단 말이냐?"

"달라도 크게 다릅디다."

"이놈의 자식이 지금."

"그때 돈을 삼만원이나 쓰셨다던데, 참말이요?"

모두 와 웃었다.

"이 녀석아, 이만오천원인께 삼만원이나 이만오천원이나 그것이 그것이제 뭐냐?"

"술값이 아니고 그 아가씨한테 팁을 삼만원이나 쓰셨다고 하던데요."

"네끼 이놈."

"아니, 그런께, 술집 색시한테 돈을 삼만원이나 썼다고?"

그때 윗방에서 한몰댁이 끼어들었다. 다시 웃음판이 벌어졌다.

"내 눈으로 안 본 일이라 잘은 모르겠소마는 소문이 그렇게 났습디다."

"오매오매. 술집 색시한테 돈을 삼만원이나 쓰다니, 우리 오라버님이 바람이 나도 크게 나셨네. 이 일을 으째사 쓰꼬?"

한몰댁이 호들갑을 떨었다. 동네 사람들이 배를 쥐고 웃었다.

"늙마에 바람도 제대로 못 피우고 망신살만 무지갯살이구나. 허허."

방촌영감이 불쾌한 얼굴로 호탕하게 웃었다.

"우리 일만이 땜새 그런 망신을 당했은께, 내가 술이나 한잔 따라드려야겠다. 방촌댁 달리 생각 말게."

저쪽에서 술 시중을 들던 일만이 어머니가 주전자를 들고 아랫

방으로 내려왔다. 방촌영감한테 잔을 권하며 주전자를 디밀었다.

"내가 시방 이 동네를 떠나기는 하요마는, 이 동네를 어찌 잊을 수가 있겠소?"

"아니, 이거."

방촌영감은 술잔을 내밀며 어쩔 줄을 몰랐다.

"우리 친정아버지 뒷등이야 뭣이야, 방촌영감이 계신께 내가 다 믿고 가요."

술을 따르는 일만이 어머니를 보자 사십년 세월이 소리를 지르며 벌떡 일어서는 것 같았다. 목구멍에서는 뜨거운 것이 치밀어 오르고 있었다.

"일만아, 너도 한잔 따라 올려라. 옛날 너의 외할아버님은 방촌영감밖에 모르셨느니라."

일만이가 다가와 무릎을 꿇고 술을 따랐다.

"고맙다. 서울 가서 잘 살아라. 너는 어디서든지 잘 살 것이다."

—빵 빵

모두 깜짝 놀랐다. 동구 밖 산모퉁이에 트럭이 고개를 내밀고 있었다. 동네 사람들이 모두 방에서 우르르 나갔다. 차가 골목에 멈추자 모두 이삿짐을 날라 실었다. 날파람 나게 움직여 금방 이삿짐을 모두 실었다.

"출발합니다. 타실 분은 어서 타시오."

여인네들이 눈물을 찔끔거리기 시작했다. 방촌영감은 운전석 가에 앉은 일만이 앞으로 갔다.

"가서 잘 살아라. 살다가 살기 어렵거든 뭣하게 생각 말고 이리 다시 오너라. 조금치라도 뭣하게 생각 말고 도로 와!"

방촌영감은 일만이 손을 잡고 말했고, 일만 어머니는 곁에서 눈물을 짜고 있었다. 동네 사람들은 차가 동구 밖을 빠져나갈 때까지 보고 있었다. 방촌영감은 골목으로 들어와 휑하게 빈 일만이 집 마당에 한참 서 있다가 혼자 뒷산으로 올라갔다. 너럭바위에 앉았다. 동네가 일만이 집처럼 텅 빈 것 같았다. 혼자 멀겋게 웃다가 일어섰다. 입에서 저절로 「신고산타령」이 빚어 나왔다.

신고산이 우르르 화물차 떠나는 소리에
고무공장 큰애기들이 벤또 밥을 싸누나.

노래를 불러놓고 혼자 웃었다. 웃는 모습이 여간 쓸쓸해 보이지 않았다.

『그리고 기타 여러분』(사회발전연구소 1985); 2006년 7월 개고

부르는 소리

"명자 걔 짓이지?"

"글쎄요."

"틀림없어. 걜 어떡한다? 하여간, 우선 증거부터 잡아!"

박 사장은 담배를 박박 빨아 재떨이에 짓이겼다.

"재수가 없을라니까 허 참. 어쩌다가 그런 녀석이 하필 우리 회사에 기어들어왔지?"

박 사장은 다시 담배를 물고 수화기를 들었다.

"사장님 계시냐? 얼른 바꿔. 난데, 지난번에 말한 걔 말이야, 틀림없이 운동권 같아. 아무래도 빨리 조칠 취해얄 것 같아. 응응. 시간 있나? 그리 좀 나와!"

박 사장은 반쯤 남은 담배를 재떨이에 박박 짓이기고 일어섰다.

"나 잠깐 나갔다 오겠어."

박 사장은 바삐 사무실을 나가 좁은 마당을 가로질렀다. 뚱뚱한 몸뚱이를 잔뜩 구부리고 철대문에 달려 있는 새끼문을 빠져나갔다. 팔 톤 트럭이 짐을 싣고 드나드는 철대문 한쪽에 나 있는 새끼문은 너무 낮고 작아, 박 사장 몸뚱이가 빠져나갈 때는 문도리 사방이 가득 찼다. 새끼문 곁에 매여 있던 송아지만 한 셰퍼드가 일어나서 싸리비만큼 큼직한 꼬리를 두어번 흔들어 주인을 배웅했다. 셰퍼드는 크다기보다 우람하다고 할까? 우람하기로 하면 박 사장 몸피도 우람했고, 철대문도 우람해서 이 회사에 처음 오는 사람들은 모두 그 우람한 크기에 압도당하는 것 같았다.

"김 상무!"

박 사장은 빠져나갔던 문을 다시 밀치고 상체를 들이밀고 상무를 불렀다.

"관둬. 금방 오겠어."

셰퍼드가 다시 건성으로 꼬리를 흔들다 말았다.

김이태는 오늘따라 '김 상무'라는 호칭이 새삼스럽게 공허하게 느껴졌다. 사무직이라고는 자기 한사람뿐이라 상무라는 호칭이 허황했지만, 다른 회사에서도 그랬으므로 그저 그러려니 했다. 그런데 공원들이 노조를 결성하려고 들썩이자 사장이 줄담배를 피우며 씩씩거렸다. 명색 상무라는 자신은 무엇을 해야 할 것인지 상무라는 호칭이 새삼스럽게 허황하게 느껴졌다.

공원 팔십여명의 봉제 하청업체 태평섬유회사는 얼마 전까지만 해도 하청업체로는 경영 상태가 좋아 사장이나 김이태나 회사의 상호처럼 천하태평이었다. 그런데 한달 전부터 회사에 먹구름이 끼기 시작했다. 운동권 출신 대학생으로 짐작되는 이명자란 계집아이가 들어오면서 분위기가 달라졌다. 그가 들어온 지 한달쯤 되었을 때 작업장에 유인물이 뿌려졌다. 노동삼권이 어쩌고, 공원들의 의식화를 노리는 내용이었다.

유인물이 처음 뿌려졌을 때 박 사장은 이게 틀림없이 외부 소행일 거라고 단정했다. 우리 회사 공원 가운데서 이런 못된 짓 할 공원은 없을 거라는 것이다. 그것은 그가 공원들한테 그만큼 잘해주고 있기 때문에 자기를 배신하고 이런 짓 할 녀석은 없을 것이라 믿고 있는 것 같았다. 그러나 며칠 뒤 또 유인물이 뿌려졌다. 공원들이 점심을 먹고 있는 사이였다.

"이게 뭐야? 이것들이 이번에는 우리 회사에서 한판 벌이자는 거야? 내가 호락호락 굽실거릴 것 같아? 어림없는 소리."

사장은 주먹으로 깡 책상을 쳤다. 이번에는 외부 소행이라 할 수 없기 때문에 그만큼 화가 난 모양이었다. 지난번에는 아침에 발견됐으니까 누가 밤중에 던져놨다고 할 수 있었다. 사실은, 지난번에도 아침에 발견되기는 했지만 외부 소행이라 하기는 어려웠다. 셰퍼드와 철대문이 아니더라도 공장 구조가 웬만해서는 밖에서 침입할 수가 없었다. 박 사장이 단호하게 외부 소행이라고 나오는 바람에 김이태도 그런가보다 했다.

그러나 내부 소행이 아니라던 확신이 무너지자 박 사장은 얼굴이 험하게 일그러졌다. 외부 소행이라던 확신이 맹목적이었던 만큼 그 노기에는 살기가 번득거렸다. 유인물이 문제가 아니라 배신감 때문인 것 같았다. 김이태는 박 사장이 이렇게 화를 내는 것은 처음 보았다. 그는 그만큼 온화하고 침착했기 때문이다.

박 사장은 다음 날 조회 시간에 공원들에게 으름장을 놨다.

"직원들한테 나만큼 잘해준 사장도 드물 것이다. 요구할 것이 있으면 나한테 와서 내 앞에 당당하게 말해라. 숨어서 이런 짓을 하는 것은 나에 대한 배신행위다. 앞으로 이런 일이 다시 일어나지 않으면 지금까지 일은 모두 없었던 것으로 여기겠다. 그렇지만 만약 이런 일이 또 일어나면 결단코 가만있지 않을 것이다."

박 사장은 단호했다. 그러고 나서도 안심이 안 되는지 재단부와 봉제부 조장들을 따로 불러 조원들 단속 잘 하라고 한 다음, 조회 때보다 더 큰 소리로 으름장을 놨다. 그러나 그런 으름장을 비웃기라도 하듯 바로 다음 날 또 유인물이 뿌려져 있었다. 박 사장은 이제 절대로 용서할 수 없다고 주먹을 쥐었다. 각 조장들을 한사람씩 따로따로 불러 범인 색출에 협조를 당부했다.

김이태는 박 사장이 흥분한 것을 보며 다른 걱정을 하기 시작했다. 이런 일은 이 회사에 노사분규가 일어날 조짐으로 보이는데, 박 사장은 그런 것은 안중에 없고 자기에 대한 배신행위로만 여겨 도둑놈 잡듯 범인 색출에만 제정신이 아니었다.

그러는 사이 그게 명자일 거라는 추측이 나돌기 시작했다. 명자는 이번 유인물 내용을 쏙 꿰고 있었고, 다른 회사 노동조합 사정을 손바닥에 놓고 보듯 뜨르르 꿰고 있더라는 것이다. 공장 이층 기숙사에서 명자와 함께 기거하며 야간 고등학교에 다니는 아이들 입에서 나온 말인데, 그게 조장들을 거쳐 사장한테 들어간 것이다.

그 제보 속에는 명자가 이 회사에서 퇴직한 공원들의 집과 지금 다니는 직장을 꼬치꼬치 캐더라는 말도 들어 있었다.

"그만둔 애들 그건 알아서 뭘 하겠다는 거야?"

"글쎄요."

김이태는 애매하게 대답했다. 아무래도 무언가 심상찮은 일이 벌어질 것 같았다. 다음 날 아침에도 유인물이 뿌려졌다. 박 사장의 분노는 폭발점에 이르렀다. 박 사장이 방금 만나러 간 김 사장은 얼마 전에 노사분규로 단단히 홍역을 치른 사람이었다.

김이태는 멍청하게 밖을 내다보고 있었다. 함박눈이 소복소복 내리고 있다. 철대문이며 셰퍼드 집 지붕에도 눈이 쌓이고, 완강하게 닫힌 철대문에는 강아지 머리통만 한 자물쇠가 철대문 두 고리를 더 단단히 물고 있는 것 같았다.

김이태가 이 회사에 처음 들어왔을 때 가장 답답하게 보였던 게, 멋없이 큰 철대문과 강아지 머리통만 한 자물쇠와 새끼문 앞에 묶여 있는 셰퍼드였다.

"박 사장만큼 회사를 단단히 운영하는 사람도 드물 것이다. 그 회사는 소가 밟아도 안 깨질 거야. 비록 하청업체지만 그 회사만큼 단단하게 운영하는 회사는 별로 없을 것이다. 너는 사업을 크게 할 뜻을 두고 있는 것 같은데, 그렇다면 월급에 구애받지 말고 그런 사람 밑에서 일을 배워야 한다. 젊었을 때는 눈앞의 월급 몇푼보다 장래성을 봐야 한다."

외삼촌이 이 회사에 소개하며 한 말이었다. 그는 박 사장을 여러모로 칭찬을 하며 특히 무슨 일이든지 단단하게 한다며, 단단하다는 말을 여러번 했다. 그런데, 김이태가 이 회사에 들어와서 느낀 단단하다는 첫인상은 엉뚱하게도 저 철대문과 셰퍼드에서였다. 김이태는 외삼촌이 몇번이나 되풀이하던 단단하다는 말이 머리에 박혀 박 사장의 태도가 늘 그런 눈으로만 보였다. 박 사장은 인간미도 있고 여러가지로 좋은 점이 많았으나, 그런 게 모두 단단한 철대문과 무서운 셰퍼드로 귀착이 되는 것 같았다.

단단하다는 말을 성실하다는 뜻으로 보면 박 사장은 정말 성실한 사람이었다. 사업 관계에서 금전거래 같은 것은 두말할 것도 없고, 하찮은 약속시간 하나 어기지 않았으며, 일상생활에서도 근검절약의 표본이라 할 만했다.

"일하는 데는 주인이 아흔아홉 몫이라는 시골 아낙네들 말이 허투루 한 소리가 아니야."

박 사장은 아침에는 공원들보다 한시간 먼저 나와서 공장을 돌며, 재단기야 미싱이야 각종 기계나 공구며 하나하나 점검하여 손볼 것은 손보고, 기름 칠 곳에는 기름을 쳐서 공원들이 출근하면 바로 제자리에 앉아 일할 수 있도록 했다.

박 사장의 이런 자상한 태도는 공원들한테도 마찬가지였다. 날마다 이층 기숙사에 올라가 수도꼭지를 틀어보고 전구나 전기 스위치를 점검하는가 하면, 석유곤로 같은 것도 손을 봐주고, 늘어진 빨랫줄까지 단단히 매주었다. 그래서 공원들은 가방 지퍼가 고장나도 스스럼없이 박 사장한테 가지고 갔다.

이런 일뿐만이 아니었다. 공원들이 웬만한 물건을 살 때는 반드시 자기한테 알리라 하여 아는 상점에 전화를 걸어 몇푼이라도 깎

아주었다. 화장품 같은 것은 도매처를 뚫어 거의 반 가격으로 공동 구매를 해주고, 신발이나 내의 같은 것은 단골가게를 정해놓고 쿠폰을 발행하듯 자기 도장을 찍은 물품구입표를 발행하여 물건을 가져오게 한 다음 파격적인 가격으로 월급에서 지불해주었다.

이런 걸 기업 경영의 인사관리 범주에 넣어 그만큼 잘하고 있다면 그럴 법도 했으나, 박 사장의 그런 걸 사원 '관리'라고 표현하기에는 인간적인 잔정이 너무 깊게 스며 있었다.

그러던 사장이 유인물이 나돈 뒤부터 공원들에 대한 태도가 돌변이라 할 만큼 달라졌다. 자기의 인간적인 성의에 대한 배신으로 생각하는 것 같았다. 그 범인을 잡으려고 희번덕이는 박 사장 눈은 표독스럽기까지 했다. 김이태는 박 사장의 이런 태도가 안타깝다기보다 무서웠다. 보다 못한 김이태는 여러번 벼르다가 용을 쓰고 한마디 했다.

"사장님, 주제넘은 말씀입니다마는 한 말씀 드리겠습니다. 저는 고등학교를 졸업한 뒤에 공기총을 가지고 새를 잡으러 다닌 적이 있습니다."

"뭐, 공기총?"

박 사장은 무슨 뚱딴지같은 소리냐는 표정이었다.

"예. 그 공기총으로 새를 잡으러 다닌 뒤로는 새를 보는 제 눈이 크게 삐뚤어져버렸습니다. 나뭇가지에 앉아 있는 새를 보면, 저놈은 쏘기에 아주 좋게 앉았구나, 저놈은 조금만 아래 앉았으면 쏘기 좋겠구나, 이렇게 모든 새들이 총으로 쏠 눈으로만 보였습니다. 사오년이 지난 지금까지 그렇습니다."

"그게 어쩐다는 거야?"

박 사장은 퉁명스럽게 퉁겼다. 김이태는 히죽 한번 웃고 나서 말을 이었다.

"사장님께서 공원들을 전부 파업 용의자로 보시는 바람에, 그게 회사 운영에 크게 영향을 주고 있는 것 같아 드린 말씀입니다. 사장님께서 그렇게 보시니까 공원들이 모두 주눅이 들어 사장님을 슬슬 피하고 있습니다. 전에는 가방 자크가 고장나도 고쳐달라고 사장님께 가던 아이들이 말씀입니다."

"허!"

박 사장은 먼지 날리는 소리로 피글 웃었다. 젊은 녀석이 건방진 소리를 한다는 표정이었다. 그러던 박 사장이 좀 만에 정색을 했다.

"자네 말이 맞아. 좋은 말을 해주었네. 내가 너무 성급했던 것 같아."

박 사장은 진정으로 고맙다는 표정이었고, 그런 태도를 당장 고치려고 하는 것 같았다. 박 사장은 이렇게 단순하고 솔직한 데가 있었다. 그러나 그 장본인이 명자라는 추측이 사실로 드러나자 박 사장 태도는 다시 원점으로 돌아가고 말았다. 명자를 보는 눈은 두말할 것도 없고, 누가 명자하고 가까운지 눈을 번득이는 것 같았다.

김이태는 보다 못해 또 한마디 했다.

"사장님, 제가 보기에는 이게 노사분규가 일어날 조짐이 아닐지 모르겠다는 생각이 듭니다. 그런 점에 무슨 꼬투리 잡힐 만한 일이 없는가 우선 그런 것부터 생각해보시는 게 좋을 것 같습니다. 노조를 결성하려는 것인지도 모르겠고요."

"뭣이? 노사분규? 지금 나만큼 잘해주는 회사가 어디 있는데 노사분규라니 말도 안 되는 소리. 더구나, 노조? 그런 소리가 이 회사 공원들한테 먹혀들 것 같아? 이 회사에서 나를 배반하고 그런 짓에 동조할 사람이 하나라도 있을 것 같아?"

박 사장은 정신 나간 소리 말라는 투였다. 이럴 때 보면 사장은 꼭 철대문만큼이나 칵 막힌 것 같았다. 김이태는 사장 가까이 있기도 끔찍했다. 사장하고 가까이 무슨 말을 하고 있으면 자기 꼴이 공원들 눈에는 꼭 철대문에 매여 있는 셰퍼드로 보일 것 같았다. 주구(走狗)라는 말이 떠오르며 자기 꼴이 저 셰퍼드 꼴로 보일 것 같았다.

김이태는 저 셰퍼드가 처음부터 여간 눈에 거슬리는 게 아니었다. 대문 앞에 개를 매어놓을 수도 있지만, 너무 크고 무섭게 생긴 개를 대문에 너무 바짝 매어놓아서 처음 오는 사람들은 두말할 것도 없고 항상 드나드는 사람들도 섬뜩한 위협감을 느꼈다.

당장 김이태 자신부터가 이 회사에 처음 들어올 때 깜짝 놀라 하마터면 뒤로 나가떨어질 뻔했다. 철문 앞에 붙어 있는 간판에서 이 회사 이름을 확인한 다음, 열려 있는 새끼문으로 머리를 들여놓는 순간이었다.

"으엉!"

느닷없는 개 소리에 김이태는 흘쩍 뒤로 물러섰다. 여태까지 그토록 무서운 소리를 들어본 적이 없었다. '으엉' 하는 저음이 컹컹 짖는 것보다 몇배나 더 위압적이었다.

"아, 김군인가? 물지 않네. 들어오게. 둘리야. 가만있어, 가만!"

박 사장이 사무실에서 내다보며 소리를 질렀다. 그러나 김이태는 너무 겁을 먹은 다음이라 가슴이 벌렁거려 도무지 다시 들어갈 엄두가 나지 않았다. 그렇지만, 처음 출근하는 처지에 못난 꼴을 보이고 있을 수도 없었다. 마치 호랑이 굴에 머리라도 처넣듯 결사적인 심정으로 다시 고개를 디밀었다. 몸뚱이를 잔뜩 웅크리고 개 쪽으로 고개를 잔뜩 외로 튼 채 상체를 밋밋이 안으로 밀어넣었다. 셰퍼드와 눈이 마주치는 순간이었다.

"어웅."

셰퍼드는 시퍼런 눈으로 쏘아보며 그 공포의 저음으로 으르렁거렸다. 그는 거의 절망적인 심정으로 새끼문에서 하체를 뽑아냈다. 회사에 처음 들어온 입사식(入社式)이 아니라 글자 그대로 입문식(入門式)을 치른 꼴이었다. 지금은 드나들 때마다 그 우람한 꼬리를 두어번 흔들었지만, 그건 대중식당 종업원들이 어섭쑈오 하는 소리만큼도 감정이 느껴지지 않았다.

"사장님 계세요?"

누가 새끼문을 밀치고 안으로 들어서고 있었다. 예쁜 아가씨였다. 공원은 아니었다. 그런데도 셰퍼드가 으르렁거리지 않고 되레 꼬리를 휠렁휠렁 흔들었다.

"무슨 일로 오셨습니까?"

"이 회사에 새로 오셨나요?"

아가씨는 사무실로 들어서며 스카프를 벗어 눈을 털며 물었다.

"어디서 오셨지요?"

"육개월 전에 이 회사를 퇴직한 사람입니다. 사장님은 금방 안

오실까요?"

그때 새끼문 열리는 소리가 났다. 사장이었다.

"사장님 안녕하세요?"

"아이고, 길순이가 웬일이야?"

박 사장은 반색을 했다.

"혹시 여기 다시 있으려고 온 거 아냐? 길순이가 나가고 나니까 나간 자리가 너무 크구먼."

박 사장은 사실인지 빈말인지 너스레가 호들갑스러웠다. 그동안 어떻게 지냈느냐, 회사에는 별일 없느냐, 한참 인사말이 오갔다.

"그런데, 갑자기 웬일이야?"

"실은요, 사장님께 말씀드릴 게 있어 왔어요. 지금도 그렇겠지만, 이 회사는 오래 전부터 매일 여덟시간 외에 한시간 삼십분씩 우리들이 초과로 일을 했잖아요. 그런데 우리하고 똑같은 다른 회사 아이들 말을 들으니까, 그들도 한시간 삼십분씩 초과근무를 했는데, 법정 근로시간은 하루에 여덟시간이라 여덟시간을 뺀 한시간 삼십분을 초과로 일한 급료를 요사이 받았대요. 그래서 저도 그 때문에 왔어요. 삼년 치를 얼추 계산하니까 일년에 이십오만여원씩 칠십오만원이 조금 넘더군요."

길순이는 방실방실 웃으며 말했고, 박 사장은 멍한 눈으로 길순이를 보고 있었다.

"그건 새삼스런 일 아녀?"

박 사장은 낮은 소리로 말했다.

"다른 회사도 우리하고 똑같았으니, 우리가 몰랐을 뿐 새삼스런 일이 아니지요. 들어보니까 다른 회사 아이들이 노동청에 가서 물어봤더니, 노동청에서는 사장들한테 두말 말고 주라고 했대요."

길순이는 또렷또렷 야무지게 말했다.

"우리 회사도 다른 회사하고 똑같이 줬는걸."

박 사장은 이내 웃는 얼굴로 말했다.

"그렇지만, 우리는 초과수당은 받아본 적이 없는걸요."

"초과수당이라는 명목으로는 주지 않았지만, 그게 월급에 다 계산된 거야. '제일섬유'나 '동아섬유' 같은 데서도 우리하고 똑같이 아홉시간 반을 일했는데, 우리하고 월급이 똑같아."

"그 회사 공원들도 법정시간 여덟시간을 일하고 한시간 삼십분을 더 일했는데, 한시간 삼십분 더 일한 수당은 못 받은 거지요."

"그것은 서류상으로만 그래. 우리도 다른 회사와 똑같은데 다른 회사는 그게 아홉시간 삼십분 임금이라고 서류를 꾸몄고, 우리 회사에서는 여덟시간이라고 꾸몄을 뿐이야. 그러니까 그런 회사처럼 한시간 삼십분 치를 받은 것이나 마찬가지야."

박 사장은 차근하게 설명했다.

"다른 데는 모르겠구요. 저는 초과수당을 받은 적이 없으니까 그걸 받아야겠어요. 그렇게 받아도 총액으로는 다른 회사보다 못해요."

길순이는 야무지게 말했다. 김이태는 결국 일이 이런 식으로 터지는구나 싶었다. 칠십오만원이라면 공원이 팔십명이니 얼추 육천여만원이었다.

"다른 업종에 비하면 그렇지만, 섬유 업종에서는 우리라고 다른 회사에 비해 그렇게 박할 까닭이 있나? 섬유 업종이 박한 것은 나도 인정하지만."

"하여간, 여기 계산서 있으니까 착오 있는지 보세요. 사흘 뒤에 오겠어요."

길순이는 계산서를 사장 책상에 놓고 사장에게 공손히 절을 하고 돌아섰다.

"잠깐! 도대체 이제 와서 이런 말을 하는 것은 어떻게 된 거지?"

"전에는 몰랐으니까 가만있었지만, 지금은 알았으니까, 일한 임금을 제대로 달란 거지요."

길순이는 방실방실 웃으며 대답했다. 조금도 구김이 없는 태도였다. 길순이는 안녕히 계시라고 고개를 까딱하고 나갔다. 박 사장은 얼빠진 꼴로 길순이 뒷모습을 보고 있었다. 길순이가 가까이 가자 셰퍼드가 일어서며 꼬리를 크게 흔들었다.

"그러니까, 명잔가 그 계집애가 나간 공원들이 얼마나 되느냐고 묻더라고 하더니 결국 이런 일을 꾸미려고 그랬던가? 맹랑한 계집애 같으니라고. 이 앨 정말 가만둬선 안 되겠구먼."

박 사장은 전화기를 들었다.

"아까 그 얘긴데 알고 보니 애들이 터무니없는 수작을 부리고 있구먼. 자네 말마따나 선불리 닦달해선 안 되겠어. 아까 그리 갈 테니 바로 나오게."

박 사장은 바삐 나갔다. 박 사장 태도는 아까와는 달리 착 가라앉아 있었다. 김이태는 일이 만만찮게 벌어질 것 같아 조마조마했다. 퇴직한 공원들이 공장 밖에서 치고 들어오는 방식부터가 그랬다. 현직 공원들은 사장과 날마다 얼굴을 맞대고 있으니까 퇴직 공원들이라야 일하기가 유리할 것 같았다. 퇴직자들이 받아내면 현직 공원들은 가만히 앉아서 혜택을 받을 것 같았다.

김이태는 난롯가에 멍청하게 앉아 있었다. 할 일이 많았으나 손에 잡히지 않았다. 그때 퍼뜩 떠오르는 사람이 있었다. 다급하게 전화기를 들었다. 노동청 지방사무소에 있는 친구 형님이었다. 그를 만나본 적은 없지만 이름은 알고 있었다. 김이태는 친구 이름을 대며 자기소개를 했다.

"실은, 우리 회사에 난처한 일이 생겼는데요……"

김이태는 자초지종을 죽 늘어놨다.

"서류가 그렇게 생겼으면 꼼짝없이 내놔야 해. 요사이 그런 노임 관계로 말썽이 생기면 가차 없이 조치하라는 것이 상부의 지시야. 어떤 방식으로든지 말썽이 나지 않도록 해야 할 거야."

그는 몇가지 사례까지 말하며 쉽게 생각할 일이 아니라고 했다.

"우리 사장님은 그 앨 쫓아낼 궁리만 하고 계십니다."

"지금 노동운동은 어제가 옛날이야. 근거 없이 해고가 가능할 것 같아? 선부른 짓 하다가는 호랑이 콧등에 불침 놓는 꼴 될 거야. 가만있자. 거기가 태평방직이랬지? 방금 우리 과장님한테 온 전화도 그 사장 전화 같은걸."

해거름에 사장이 왔다. 나갈 때와는 달리 풀이 죽어 있었다.

"명자 개 좀 불러오게."

김이태는 포장실로 갔다. 사장이 오란다고 하자 명자는 기다렸다는 듯 따라나섰다.

"앉아!"

사장은 침통한 얼굴이었다. 지난번 공원들에게 으름장 놓던 표정이나, 오늘 아침 무슨 조칠 취해야겠다고 벼르던 표정과는 너무도 대조적인 표정이었다.

"터놓고 이야기하지. 이길순이 알지?"

"예. 잘 압니다."

명자는 담담하게 대답했다.

"그럼 걔가 오늘 여기 다녀간 것도 알고 있겠지?"

"알고 있습니다."

"삼년 치 초과수당을 내놓으라 하는데, 서류상으로는 그렇게 되었지만 다른 회사하고 거의 같아."

박 사장은 자세하게 설명했다. 명자는 다소곳이 듣고 있었다.

"그러니까, 다른 회사하고 임금은 똑같았는데, 잘못이라면 서류를 잘못 꾸며논 것뿐이야. 그런데 그런 약점을 잡고 이렇게 나오면 나는 어떻게 되겠어? 공장 문 닫으라는 얘기밖에 안 돼."

"서류를 그렇게 꾸미신 것은 그만큼 유리한 점이 있었기 때문이었겠죠."

"유리한 점이라니?"

"잘은 모르지만, 노동청 저임금업체 명단에서 제외되어 우수업체 선정 조건이 된다든지 세무 관계랄지……"

"전혀 그렇잖아."

"하여간, 그런 것은 잘 모르겠지만, 사장님 처지만 생각하실 게 아니라 공원들 처지도 한번 생각해보세요. 다른 아이들 같으면 부모님들이 준 돈으로 대학 다니고, 데이트하고 그럴 나이들입니다. 그런 아이들이 고되게 일한 임금을 제대로 달라는 것입니다."

명자는 또렷또렷하게 말했다.

"누가 그걸 모르나? 그래서 나는 지금까지 공원들을 마치 내 딸 같이 생각하고, 내 힘닿는 데까지는 잘해주었어."

"잘해주셨다는 것이 구체적으로 무엇이지요? 저희들은 다른 회사 사정도 잘 알고 있습니다. 이 회사가 다른 회사보다 나은 게 하나도 없습니다."

"그게 무슨 소리야. 나만큼 잘해준 회사가 어딨어?"

"저는 사장님께서 무얼 가지고 잘해주신다고 하시는지 도무지 알 수 없습니다. 다른 것은 놔두고 생리수당만 하더라도……"

"다른 회사도 그걸 주기 시작한 것은 육개월도 안 돼. 우리 회사도 다음 달부터 준다고 했잖아?"

"자꾸 잘해주셨다고 하시지만, 그런 것만 하더라도 다른 회사에 비해 육개월이나 늦잖아요."

"하여간, 길순이가 말한 식으로 하면, 오년간 전 종업원 팔십여 명으로 쳐서 일억원이 넘는데, 내 전 재산을 다 처분해도 일억원이 못 돼."

"사장님, 이건 노동자들이 일한 노임 얘깁니다. 노동자들이 약한 처지에 있으니까 그렇지, 죄송한 말씀입니다마는, 사장님께서 그렇게 일하신 노임을 놓고 그걸 어쩌라고 한다면, 상대방 사정이 아무리 험하다 하더라도 그런 얘기가 귀에 들어오겠습니까?"

김이태는 그대로 앉아 있을 수가 없어 슬그머니 자리에서 일어섰다. 명자와 박 사장 사이에 한참 동안 설전이 벌어졌지만, 명자는 조금도 꿀리지도 않고 밀리지도 않았다. 삼십분이 더 지나서야 명자가 비웃는 표정으로 나왔다.

"허허. 이것도 기업이라고, 그러니까, 나는 오년 동안 공원들 노임을 착취해 먹고 살았던 악덕 기업주였단 말인가? 그럼 착취한 일억원은 어디로 갔지? 그동안 술 한번도 마음 놓고 마셔본 일이 없는데, 착취한 그 일억원은 어디로 갔어?"

박 사장은 혼잣말로 뇌며 허옇게 웃었다.

"김군, 이것은 정말 어이없는 일이군. 따지고 보면 저 애들 말이 조금도 틀린 데가 없어. 다른 업종에 비하면 여덟시간에 초과수당을 전부 보태준다 하더라도 많은 편이 아니야. 그러니까, 나는 여태까지 공원들한테서 하루 한시간 삼십분 치를 착취한 셈이었어. 내가 오년 동안 먹고살고 이 공장 세울 때 진 빚 삼천만원을 갚았으니까, 그게 그 착취한 액수하고 맞먹는군. 그럼 착취 아닌 내 정당한 이익은 어디로 갔지?"

박 사장은 넋두리처럼 말했으나 그 표정은 진지했다. 김이태는 멍청하게 서서 박 사장만 건너다보고 있었다.

"그래도 전국적으로 산업은 성장을 했으니까, 그 성장한 만큼은 나한테도 착취 아닌 내 정당한 이윤이란 게 있어얄 게 아냐?"

박 사장은 마치 도둑이라도 맞은 것 같은 표정이었다.

"섬유 하청조건이 그만큼 나쁘다는 얘기겠죠. 은행 이자도 있었을 것이고."

"그런 것은 당연히 제하고도 내 몫이 있어얄 게 아냐? 나는 명색

기업을 했어. 성실하게 했다구. 그렇다면 착취 아닌 정당한 내 몫이 있어야 할 게 아냐?"

"그럼 그게 대기업 쪽으로만 몰렸다는 얘긴가요?"

"허!"

박 사장은 여태까지 살아온 자기 인생이 와크르 무너진 것 같은 표정이었다. 특히 착취라는 말을 감당할 수가 없는 모양이었다. 단단하다는 말을 몇번이나 뇌었던 외삼촌 말이 떠오르며 김이태는 말없이 앉아 있었다.

"그래서 어떻게 하기로 했지요?"

"바늘 끝도 들어갈 틈이 없어. 듣고 보니 나도 더 뭐라고 할 염치도 없고."

"그렇지만……"

그때 아까 그 김 사장한테서 전화가 왔다.

"자네가 말한 대로야. 응 응. 그렇지만 그럴 수야 있나? 설득할 때까지는 설득해야겠지. 알았어. 응. 그리 갈게."

박 사장은 맥 빠진 소리를 하며 일어섰다.

김이태는 사장이 저쪽 사람과 말하며 '그렇지만 그럴 수야 있나?' 했던 말이 불길한 여운으로 남아 있었다. 아무래도 좋지 않은 일이 벌어질 것 같았다.

그날밤 김이태는 숙직실에 혼자 누워 회사 일을 생각하고 있었다. 박 사장의 처참한 표정을 생각하며 몸을 뒤척이다가 까무룩 잠이 들었는가 했을 때였다. 전화벨이 울렸다.

"태평섬유지요? 말하지 말고 이쪽 말만 들어요."

위압적인 저음으로 속삭이듯 말했다.

"경찰인데, 여기는 회사 바로 앞 골목 공중전화 박스요. 급히 조사할 일이 있으니 개 끌러다 안에 잡아매놓고 대문 열어요. 소리 안 나게 조용조용히 해야 합니다. 알겠지요? 빨리 해요."

"무슨 일이지요?"

"말하지 말라고 했잖아? 대공(對共)사건이니까 정신 바짝 차리고 빨리 움직여!"

김이태는 대공이란 말에 화들짝 겁이 났다. 그러고 보니 전화벨이 울리기 전에 셰퍼드가 요란스럽게 짖었던 소리를 잠결에 들었던 것 같았다. 김이태는 떨리는 손으로 옷을 주워 입고 문을 열었다.

"어?"

문을 나서려던 김이태는 깜짝 놀라 뒤로 물러섰다. 명자가 바로 문 앞에 서 있었다. 명자는 손가락을 입 앞에 세우며 김이태를 밀고 방으로 들어왔다.

"나를 잡으러 온 것 같아요. 저 벽장 안에 좀 숨겠어요."

명자는 속삭이듯 말하며 이쪽에서 미처 뭐라 하기도 전에 벽장 문을 열었다. 꽤나 높은 벽장을 운동선수처럼 날렵하게 솟구쳐 올라갔다. 안에서 문을 닫았다. 김이태는 얼른 밖으로 나갔다. 셰퍼드를 끌러다 창고 안에 매고 다시 나와 새끼문을 열었다. 문을 열자마자 시커먼 몸뚱이가 안으로 쑥 들어왔다. 이어서 또 한사람이 들어왔다.

"이명자 이층에서 자지요?"

"예."

"앞장서요."

플래시를 발 앞에 비추며 말했다. 기숙사에는 두 방에 여남은명이 기거하고 있었다. 복도에 들어서자 어느 방이냐는 눈짓을 했다. 한쪽 방을 가리켰다. 문을 열라는 시늉을 했다. 문이 잠겨 있었다. 문 열라고 소리를 질러 공원들을 깨웠다. 방 안에 불이 켜지고 문이 열렸다. 있을 리가 없었다. 건너편 방에도 없었다.

"이게 어찌 된 일이야?"

형사는 이층을 다시 뒤졌다. 아래층으로 내려가 샅샅이 뒤졌다. 김이태는 간이 올라붙었다. 다행히 김이태 방은 뒤지지 않았다. 형사들은 다시 이층으로 올라갔다. 공원들에게 같이 자지 않았느냐고 물었다. 초저녁에는 같이 잤는데 나중에 나간 모양이라고 했다. 형사들이 김이태를 봤다.

"공원들이 많아 대문은 열한시에 잠급니다. 그 전에는 누가 들어오고 나가는지 알 수 없습니다."

형사들은 공원들에게 요사이 명자 동태를 여러가지로 물었다. 명자의 소지품이 어느 것이냐고 했다. 큰 가방을 가리켰다. 가방을 열었다. 옷가지며 책이며 화장품 등 잡동사니가 쏟아졌다. 책은 제목만 보고 내던졌다.

"걔는 보안법 위반으로 수배 중입니다. 나타나면 곧바로 신고해야 합니다. 무슨 말인지 알겠지요?"

형사들은 김이태한테 위압적으로 말해놓고 나갔다. 김이태는 철문을 걸어 잠그고 셰퍼드를 끌어다 제자리에 맸다. 방으로 들어가자 명자가 벽장 문을 열고 내다봤다. 그러나 내려올 자세가 아니었다.

"저 사람들이 가는 척하고 밖에서 집안 동정을 살필지 몰라요. 여기 잠깐만 더 있다가 내려가겠어요. 미안해요."

명자는 속삭여놓고 다시 벽장 문을 닫았다. 김이태는 멍청하게 서 있다가 자리에 앉으며 담배를 태워 물었다. 담배를 낀 손이 떨고 있었다. 가슴도 뛰었다. 한참 만에 명자가 벽장에서 내려왔다.

"고맙습니다."

명자는 고개를 까딱했다.

"좀 앉으세요."

김이태 목소리는 아직도 떨리고 있었다.

"이렇게 쫓겨 다니면 무섭지 않아요?"

김이태가 물었다.

"무서워요."

명자는 진저리를 쳤다.

"그럼 왜 그런 일을 하지요?"

"글쎄요."

명자는 일그러진 표정으로 피실 웃었다. 쓸쓸한 웃음이었다.

"아까 형사들이 보안법 어쩌고 하던데……"

"전에 내가 있던 방에서 좀 과격한 유인물이 하나 나온 걸 가지고 그래요. 억지로 그렇게 얽어매자는 거죠."

둘러대는 소리가 아닌 것 같았다.

"이렇게 쫓기면 무서워서 어떻게 살지요?"

"무섭지요. 그렇지만 이런 일은 함께하던 사람이 한사람 빠져나간 자국이 열사람 빠진 자국만큼 커요."

"앞으로 어쩔 테요?"

"아직 계획이 없어요. 그렇지만 친구들이 있어요."

"그 친구들도 쫓기는 친구들이겠지요?"

"그래요. 서로 의지가 돼요."

그때 김이태는 초저녁에 마시다 둔 윗목의 소주병으로 눈이 갔다. 한잔 따라 꼴깍 털어 넣었다.

"좀 하시겠어요?"

명자는 도리질을 했다.

"이럴 때는 술을 마시면 마음이 좀 가라앉아요. 조금만 마셔보세요."

명자가 잔을 받았다. 반만 따르라고 했다. 상을 찌푸리며 두번에 나눠 마셨다.

"무섭지 않느냐는 말을 들으니까 옛날이 생각나네요. 제 고향은 산골이에요. 열가호도 못 되는 산골인데……"

명자는 무슨 생각에선지 엉뚱한 말을 늘어놓고 있었다.

"우리 동네서 초등학교까지는 오리가 조금 넘었어요. 작은 동네라 나하고 같은 학년은 둘뿐이라 우리들은 항상 붙어 다녔지요. 산골길인데다 중간에 공동묘지까지 있어서 낮에도 혼자는 무서웠어요. 육학년 때던가, 그 친구가 학교 근처 마을에 제 어머니 심부름을 가느라 조퇴하여 일을 본 뒤 먼저 집에 가버렸어요. 집에 갈 때는 만나서 함께 가자고 했는데, 해가 기울어도 오지 않아 그제야 약속이 잘못 된 줄 알고 뛰었지요. 해가 넘어가고 금방 어두워지기 시작했어요. 공동묘지까지 있는 산길에서 날이 어두워졌으니 그 나이에 얼마나 무서웠겠어요. 그래도 집에서 마중 나올 거라 생각하며 용을 쓰고 뛰었죠. 공동묘지 있는 산굽이를 돌 때는 어찌나 무섭던지 그 자리에 까무러칠 것 같았어요."

명자는 벌벌 떠는 시늉을 했고, 김이태는 웃었다.

"바로 그때 저쪽 산굽이에서 등불이 나타나며 내 이름을 부르는 거예요. 얼마나 반가웠겠어요? 그 무서운 어둠속에서 나를 부르던 그 소리를 나는 지금도 잊을 수가 없어요. 영영 잊지 못할 거예요."

명자는 죄었던 가슴이 그만큼 풀렸는지 웃으며 이야기를 맺었다. 티 없이 밝은 얼굴이었고 웃을 때는 더 밝아 보였다. 저런 처녀 입에서 아까 사장을 그토록 곤혹스럽게 했던 말이 나왔을까 싶을 지경이었다.

"나는 그 부르는 소리가 지금도 귀에 쟁쟁하고 더러는 그런 꿈을 꾸기도 해요."

김이태는 또 소주를 따라 마셨다.

"오늘 경찰이 온 것, 우리 사장님을 의심하는 것은 아니겠죠?"

"글쎄요. 난 어차피 쫓기고 있는 처지예요. 어쨌든, 내가 여기서 나간다고 그것으로 일이 쉽게 끝나지 않을 거예요. 이제 공원들도 노동조건이며 알 만한 것은 다 알고 있어요."

"오늘 경찰이 여기 온 것은 우연의 일칠 거요."

"나도 그렇게 믿고 싶어요. 그렇지만, 그 사람들은 그런 방법으로밖에는 일을 해결할 수 없을 거예요. 아까 사장님 말씀을 들어보니 사장님도 우리 같은 노동자로 굴러떨어지지 않으려면 다른 길이 없겠더군요."

"정말 좋으신 분인데……"

김이태는 다시 술을 따라 마셨다.

"저는 공원들 방에서 자고 내일 아침 일찍 나가겠어요. 오늘은 정말 고마웠어요."

명자는 자리에서 일어섰다.

"실은, 나도 이 회사를 그만두기로 했습니다."

"왜요?"

문을 열고 나가려던 명자가 돌아봤다.

"나는 어디서 오란 데도 없고, 내가 여기를 떠나는 이유도 시시해요."

김이태는 멋쩍게 웃었다.

"이유가 뭔데요?"

"무서워서요."

김이태는 정색을 하고 말했다.

"무서워서? 누가요?"

"사장님도 무섭고 경찰도 무섭고 공원들도 무섭고, 세상이 모두."

김이태는 손에 들고 있던 잔을 다시 털어 넣었다.

"그만한 일로 그만두다니 집안 형편이 좋은 모양이지요?"

"그냥 먹고살 만합니다."

"부럽네요."

명자는 싸늘하게 웃으며 돌아섰다.

『매운 바람 부는 날』(창비 1987); 2006년 8월 개고

파랑새

은내골은 평화로운 동네였다. 동네 뒤에 치솟은 산이 양쪽으로 팔을 벌려 동네를 싸안고 있었으며, 동네 앞 당산나무도 풍성하게 가지를 늘어뜨려 동네가 그만큼 아늑하게 느껴졌다.

나는 이 동네에 들어서는 순간 이상하리만큼 마음이 푹 놓였다. 이 동네는 전쟁 같은 것과는 전혀 상관이 없는 것 같았다. 형님도 그렇게 느끼는 것 같았다.

나는 광주에서 우리 집으로 피난 온 사촌형과, 우리 동네보다 좀 더 안전하다고 여겨지는 이 은내골로 다시 피난을 온 것이다. 우리 동네서 삼십리 떨어진 이 은내골에는 사촌형의 이모 댁이 있었다. 나는 그때 초등학교 육학년이라 가족을 두고 어디로 피난할 나이가 아니고, 그냥 사촌형을 따라온 것이다. 사촌형이 나를 데리고 간 것은 길이 선 탓도 있지만, 나 같은 어린아이를 데리고 다님으로써 의심의 눈을 피하자는 속셈인 것 같았다.

우리들은 읍내 장날을 택해 장꾼들 틈에 끼여 갔고 은내골에 갈 때도 그랬다. 그때 형님은 세무서 말단 공무원이라 그렇게 피해야 할 만한 일은 없는 것 같았지만, 세상이 하도 험하게 돌아가던 판이라 어느 물결에 휘말릴지 몰라 피난을 온 것 같았다.

당산나무 아래 정자에 있는 동네 노인들은 낯선 사람이 나타나자 모두 우리를 건너다보고 있었다. 전쟁 통이라 낯선 사람에 대한 경계는 어디든지 날카로웠다.

"김병문 씨 댁이 어느 집입니까?"

형님이 밀짚모자를 벗고 손수건으로 땀을 닦으며 물었다.

"어디서 오시요?"

형님은 우리 동네 이름을 댔다.

"무슨 일로 찾소?"

"친척입니다."

노인들은 이내 경계의 눈을 푸는 것 같았다.

"마침, 그 집 아이가 저기 오는구만."

논둑길에서 당산나무 아래로 들어서는 소녀가 있었다. 내 나이 또래였다.

"혜선아, 느그 집에 손님 오셨다."

혜선이는 형님과 나를 번갈아 봤다. 눈이 유독 까맸다.

"네가 혜선이냐? 많이 컸구나. 나는 광주 사는 네 사촌오빠다."

"아아!"

혜선이는 그제야 알겠다는 듯 방긋 웃으며 형님에게 꾸벅 절을 했다. 그러고 나서 나한테로 눈을 돌렸다.

"저기 우리 고모님 집 아들이다. 너희 식구들은 집에 계시냐?"

"아버지는 장에 나가시고, 어머니는 계셔요."

혜선이는 앞장을 섰다. 그는 제 집 골목이 가까이 가자 쪼르르 달려갔다. 대문으로 들어서며 소리를 질렀다.

"엄마!"

부엌에 있던 혜선이 어머니는 치맛자락으로 손을 닦으며 밖으로 나왔다.

"아니, 이것이 누구냐? 오매오매, 어디서 이러고 오냐?"

혜선이 어머니는 형님 손을 잡았다.

"허. 귀한 손님이 오는구나."

구레나룻이 풍성한 할아버지가 외양간에서 나오며 얼굴 가득히 웃었다. 손에는 휘고 있던 소코뚜레를 들고 있었다. 형님은 마루로 올라가 두분에게 큰절을 했다.

"고모 댁 아들입니다."

형님이 나를 소개했다. 순간, 내 눈이 혜선이한테로 갔다. 혜선이도 나를 보고 있다가 실없이 골을 붉혔다.

이 동네에 처음 들어설 때 그랬던 것처럼 이 집 분위기도 여간 안온하게 느껴지는 게 아니었다. 살림속도 썩 포실해 보이고, 집안 단속도 꽤나 알뜰했다. 집안 분위기가 더 안온하게 느껴지는 것은 무엇보다 혜선이 할아버지와 혜선이 어머니의 따뜻한 인상 때문인 것 같았다. 유독 할아버지 인상은 온화하기 그지없었다.

"죄진 것은 없습니다마는, 하도 뒤숭숭해서 잠시 피해 있자고 집을 나섰습니다."

"잘 왔네. 이런 난세 때는 피하고 보는 걸세. 안심하고 우리 집에 있게."

혜선이 할아버지는 형님을 안심시켰다.

"웬수 놈의 세상!"

혜선이 어머니는 세상 한탄을 하며 이것저것 형님 집 안부를 물었다.

"어서 점심 준비해라. 먼저 웃국 질러놓고 술도 한잔 걸러봐라!"

할아버지 말에 혜선이 어머니는 부엌으로 갔다. 좀 만에 술상을 들고 나왔다. 상에는 도라지나물이며 명태조림이 놓여 있었다.

"내일 아침에 올벼신미하려는 참인데 마침 잘 왔다."

그때 혜선이가 어머니한테 어리광 비슷한 소리로 뭐라 했다.

"허허. 그래라. 애기 손님이 더 어렵다는 것인데 잘 생각했다."

어머니 말에 혜선이는 골을 붉히며 담 안 텃밭으로 들어갔다. 몇 그루 서 있는 자잘한 감나무에 큼직큼직한 감이 드문드문 열려 있었다. 혜선이는 감을 큰 것으로 골라 두개를 따 왔다.

"일되는 단감이라 작년부터 열기 시작했다."

혜선이 어머니가 말했다. 혜선이는 감을 하나 나한테 내밀었다. 나는 이렇게 일찍 익는 감이 있는 줄은 몰랐다. 개량종 중에서도 월등 품종이 좋은 것 같았다.

점심상이 나왔다. 어른들은 밥을 먹으면서도 계속 시국담이었다.

"얼마 안 있으면 여기까지 밀고 내려올 것 같은데, 사람이 많이 다치겠지? 어제도 읍내로 들어가던 짐차가 호주기(濠洲機) 폭격에 맞았다고 하더구먼."

할아버지는 근심스런 표정으로 말했다.

"전쟁 통에는 사람들이 죽기 마련이지만, 민간인들이 눈에 칼을 세우고 날뛰고 있으니 그게 탈입니다."

"글쎄 말일세."

"이 동네는 괜찮겠습니까?"

"이 동네는 어느 세상이 되든지 괜찮을 것 같기도 하네마는……"

"다행입니다. 어느 쪽으로도 머리 쓰는 사람이 없는 모양이지요?"

"아녀. 머리를 써도 크게 쓰는 사람이 둘이나 있네. 지금은 부산으로 후퇴했을 것이네마는 경찰서장도 있고, 좌익 쪽으로도 이 고을에서 젤 우두머리가 이 동네 출신일세. 그이들은 서로 머리 쓰는 것은 달라도 당내간이라 서로 껄끄러운 일은 없이 지냈었구먼."

"허허. 그러면 이 동네는 어느 세상이 되어도 안심이겠습니다그려."

형님이 웃으며 말했다.

"두사람 다 크게 노는 사람들이라 사람됨이 든든하고, 이 동네 사람들도 거의가 일가들이라 탈이 없을 것 같네."

"김씨는 이 동네에 몇집이나 됩니까?"

"오십여호 가운데 삼십호가 넘어. 그중 절반 이상이 당내간이라 자작일촌이나 마찬가지지."

형님은 고개를 끄덕였다. 앞으로 자신의 안위와 연결시켜 안심하는 표정이었다.

"새 보러 안 가냐?"

혜선이 어머니가 혜선이한테 말했다. 그러니까, 혜선이는 아까 올벼 논에서 참새를 보다가 점심 먹으러 왔던 것 같았다.

"곧 갈 거야."

혜선이는 갈 거라 하면서도 충그리고 있었다.

"어서 가거라. 네가 가야 그 애도 점심 먹으러 가지."

"너도 가서 새막에서 같이 놀아라."

그때 형님이 나에게 말했다. 혜선이가 나를 봤다.

"그래라. 집에 있으면 혼자 심심할 테니 같이 가거라."

혜선이 어머니였다.

"고동도 잡아올 거야."

"고동 잡느라고 거기다 너무 정신 팔지 마라."

혜선이는 환하게 웃으며 작은 바구니와 어레미를 챙겼다.

"족대도 가져갈까? 붕어도 많고 피라미도 많다."

외양간 벽에 조그마한 족대가 걸려 있었다. 그물코가 촘촘했다. 혜선이는 족대는 나한테 넘겼다. 우리는 새막으로 갔다. 혜선이 새막에서 조금 떨어져 새막이 또 하나 있고, 거기 혜선이 또래 소녀도 새를 보고 있었다.

"우리 친척이야."

혜선이는 그 소녀한테 나를 가리키며 자랑스럽게 말하면서, 가서 밥 먹고 오라 했다. 그 소녀는 나를 한번 보고 집으로 갔다 .

개울에는 아이들이 몇 붙어 돌을 뒤지고 있었다. 고동을 잡는 모양이었다. 여기서는 민물다슬기를 고동이라 했다. 그 소녀가 점심 먹고 오기를 기다렸다가 혜선이와 나는 개울로 내려갔다. 이 두 소녀들은 논이 가깝기 때문에 새를 볼 때는 같이 앉아서 보기도 하고, 또 겨끔내기로 서로 이렇게 놀기도 하는 것 같았다.

날이 가물어 냇물이 바짝 밭아 고동이나 고기 잡기에 안성맞춤이었다. 혜선이는 고동을 줍고 나는 족대로 징거미를 잡았다. 혜선이는 돌을 뒤지다 징거미가 나타나면 나를 불렀다. 나는 우리 동네서도 징거미 잡는 데는 솜씨가 있는데, 족대 크기가 알맞아 눈에 보이는 징거미는 한마리도 놓치지 않았다. 어른 손가락 크기 탐스런 징거미를 한꺼번에 세마리를 잡기도 했다.

"메기!"

혜선이가 소리를 질렀다. 나는 족대로 징거미를 몰아넣다 말고 족대를 들고 그쪽으로 달려갔다. 큰 돌 밑에서 메기가 내다보며 수염을 할랑거리고 있었다. 아주 컸다. 냇물이 밭을 대로 밭았기 때문에 조그마한 웅덩이인데도 이렇게 큰 놈이 있었고, 사람을 보고도 도망칠 생각을 하지 않았다. 나는 족대 그물을 조심스럽게 댔다. 혜선이더러 족대 채를 잡으라 한 다음, 나는 조심스럽게 바위 밑으로 손을 넣어 메기를 몰았다. 메기가 움직였다. 그물로 들어가는가 하는 순간이었다.

"아이고!"

메기가 그만 화닥탁 도망치고 말았다. 바위 속으로 깊숙이 박혀 버린 것 같았다. 나는 웃통을 활활 벗었다. 혜선이가 까르르 웃었다. 좀 창피했지만 혜선이 앞에서 기어코 그놈을 잡고 싶었다. 물이 턱에 닿도록 바위 밑으로 손을 넣었다. 손끝에 미끌 스치는 게 있었다.

"들어!"

내가 소리치는 순간 혜선이가 족대를 훌쩍 들었다.

"야, 크다!"

그런데 아까 그놈이 아니었다. 엄청나게 컸다. 거의 내 팔뚝만 한 메기가 허연 족대 속에서 거세게 파닥거렸다. 바구니에 메기를 털어 넣었다. 메기가 어찌나 거세게 파닥거리는지 바구니에서 튀어 나와버릴 것 같았다. 나는 바구니를 저만큼 갖다 놓고 달려와서 다시 그 자리에 족대를 받쳤다. 아까 그놈도 잡을 참이었다. 또 바위 밑을 뒤졌다. 별로 깊이 더듬지 않았는데 이놈이 쉽게 족대로 들어갔다. 덤으로 붕어까지 몇마리 더 잡았다.

우리는 다시 개울을 더트며 내려갔다.

"저거 게 구멍 같다."

혜선이가 소리쳤다. 참게 구멍이었다. 바위 밑에 구멍이 있고 그 앞에 방금 파낸 생모래가 하얗게 쌓여 있었다. 구멍이 여간 크지 않았다. 그렇지만, 참게를 잡기는 이만저만 어렵지 않다는 걸 나는 잘 알고 있었다. 구멍이 바위 사이로 오불꼬불 난데다가 너무 깊어 어지간해서는 손이 닿지 않았다. 그러나 이놈은 구멍에 물이 밭아 그 아래다 새로 구멍을 파고 있는 것 같아 혹시 모른다는 생각이 들었다. 구멍 속에 있는 돌을 뽑아내고 모래를 파냈다.

"잘 지켜. 게는 흙탕물이 이렇게 나오면 흙탕물에 싸여 감쪽같이 도망치거든."

"아, 그런 수도 있구나."

나는 한참 게 구멍에서 모래와 자잘한 돌을 파냈다. 다시 웃통을 벗었다. 혜선이는 또 웃었다. 나는 안으로 깊이 손을 넣었다. 구멍 끝이 손에 닿았다. 그러나 게는 없었다. 한참 더듬었다. 감촉이 좀 이상했다.

"아야!"

"왜?"

고함소리에 혜선이가 깜짝 놀랐다.

"게가 손가락을 물었어."

"얼른 빼버려!"

혜선이는 발을 동동 굴렀다. 그렇지만, 게가 손가락을 어찌나 세게 물고 있었는지 나는 꼼짝할 수가 없었다.

"아야!"

나는 다시 비명을 질렀다. 다음 순간, 잔뜩 용을 쓰고 손을 비틀었다. 내 손가락을 물고 있는 게 발이 떨어진 것 같았다. 나는 손을 뽑아냈다. 게 엄지발이 내 가운뎃손가락을 물고 있었다. 엄지발이 엄청나게 컸다. 시커멓게 털이 난 엄지발은 꼭 그렇게 생긴 한마리 짐승 같았다. 게 엄지발은 그대로 내 손가락을 꽉 물고 있었다.

"내가 벌려볼까?"

혜선이는 마치 제가 물리기라도 한 듯 진저리를 치며 다가왔다.

"한번 벌려봐!"

나는 오만상을 찌푸리며 혜선이한테 손가락을 내밀었다. 혜선이는 게 발을 잡고 벌리려 했으나 어림도 없었다. 꼭 방울집게가 그렇게 문 채 고장이 나버린 것 같았다.

"가만!"

나는 주변을 두리번거렸다. 돌멩이를 하나 집었다. 게 발을 돌 위에 대고 돌멩이로 깡 찍었다. 게 발이 으깨졌다.

"호오!"

혜선이가 내 손을 잡고 한참 입김을 쏘였다. 나는 혜선이한테 손을 맡기고 상판을 찌푸리고 있었다. 한참 만에 아픈 기가 좀 가시는 것 같았다.

"이놈의 새낄 내 기어코 잡아내고 말 테야."

나는 이를 앙다물었다.

"안 돼. 또 물리면 어쩌려고?"

혜선이는 질겁했다.

"염려 마!"

"안 돼!"

혜선이는 손으로 나를 막으며 말렸다.

"걱정 마! 이놈이 박혀 있는 모양을 알았어."

나는 기어코 게 구멍에다 다시 조심스럽게 손을 넣었다. 구멍 안을 더듬어 들어갔다. 혜선이는 조마조마한 표정으로 내 얼굴을 내려다보고 있었다. 웃어주었다. 혜선이는 애가 다는 표정으로 내 표정만 보고 있었다. 손끝에 닿는 게 게딱지 같았다.

"여깄다!"

"조심해!"

나는 게딱지 짐작을 해서 하나 남은 게 엄지발을 잡았다. 작은 발들도 싸잡았다. 뽑아냈다.

"어이구!"

혜선이는 뒤로 한발 물러섰다. 게는 거의 어른 손바닥만 했다.

"이렇게 큰 참게는 첨 봤다."

"정말 크다."

나는 자랑스럽게 혜선이가 내민 바구니에 참게를 담았다. 우리들은 더 더트고 내려갔다.

개울이 큰 강으로 들어가는 곳에 이르자 해가 서산으로 들어갈 구멍을 잡아 서고 있었다. 우리는 그사이 게 두마리와 메기 한마리를 더 잡았고 붕어와 피리, 그리고 징거미도 많이 잡았다.

집에 오자 혜선이 어머니는 바구니를 들여다보더니 깜짝 놀랐다.

"아이고, 이렇게 많이 잡았냐?"

"얘가 다 잡았어."

"참게를 세마리나 잡았구나. 이렇게 큰 놈을 어떻게 잡았지?"

어머니는 거듭 감탄했다.

"손까지 물려가며 잡았어. 참, 손 괜찮아?"

혜선이는 그제야 생각난 듯 물었다. 나는 아무렇지도 않다고 뒤로 손을 감췄다.

"허, 고놈 참. 참게는 젓 담가라."

할아버지는 바구니를 들여다보며 내 머리를 쓰다듬었다.

"사돈네 총각 덕분에 참게 젓을 다 담겠구나. 혜선이 할아버지는 참게 젓을 유독 잘 잡수시는데……"

어른들은 저녁밥을 먹고 나서도 시국담이었다. 할아버지를 닮은 혜선이 아버지는 허우대도 할아버지처럼 우람했고, 항상 웃는 얼굴이었다.

"짐승도 시변을 타는지 금년에는 멧돼지까지 극성도 보통 극성이 아니구먼."

밤이 이슥해지자 저쪽 골짜기께서 양철통 두들기는 소리가 요란스러웠다. 멧돼지 쫓는 소리였다. 멧돼지는 올벼를 먹으며 논을 뭉개버리고 고구마밭을 뒤지기 때문이었다. 그런 산골짜기 논에는 주인들이 논에다 아예 움막을 치고 멧돼지를 지키는데, 금년에는 유독 극성이라 이 동네보다 더 산골인 우리 동네 사람들은 멧돼지를 지키느라 잠을 설쳤다.

"시변은 원래 미물부터 타는 법이다."

곰방대를 빼끔거리던 혜선이 할아버지가 말했다.

"까치 같은 짐승도 그해 큰바람이 불려면 집을 낮게 짓고, 개미 같은 미물도 홍수 날 걸 미리 안다는 거여. 출항을 앞둔 배에서 쥐가 뛰어내리면 뱃사람들은 그걸 이만저만 흉조로 여기지 않는다는구먼."

"왜 그럽니까?"

"쥐들이 파선할 낌새를 채고 미리 도망친다는 거지."

형님과 혜선이 아버지는 고개를 끄덕였다.

"지금 멧돼지가 극성을 피우는 것도 까닭이 있는 것 같다."

"까닭이라니요?"

형님이 물었다.

"깊은 산골짜기에서 눈사태가 나려면 제일 먼저 낌새를 채는 놈들은 멧돼지라는구나. 그래서 포수들은 멧돼지들이 내빼는 것을 보고 눈사태를 짐작한다는 거야."

"하아!"

두사람은 고개를 끄덕였다.

"지금 멧돼지가 저 극성인데, 그 멧돼지들은 이 근처에서 살던 멧돼지들이 아니다."

"뭐요, 그럼 그놈들이 어디서 왔단 말입니까?"

형님이 물었다.

"멧돼지 발자국이 이만저만 크지 않은데, 발자국을 보면 그런 놈들이 한두마리가 아니라 떼로 몰려다니는 것 같다. 그놈들이 저 윗녘 설악산이나 지리산에서 살다가 도망쳐 온 것 같다."

"아니, 강원도 설악산이나 지리산에서 살던 멧돼지들이 여기까지 왔단 말씀입니까?"

너무 엉뚱한 말에 혜선이 아버지는 멍한 표정으로 물었으나, 형님은 짐작 가는 게 있는 터라 고개를 크게 끄덕거렸다.

"십중팔구 그럴 게다."

"그럼 총소리 대포소리를 듣고 이놈들도 피난을 왔단 말이에요?"

혜선이 아버지가 웃으며 물었다.

"꼭 총소리 대포소리에 도망쳐 왔다기보다 더 크게 뭘 느끼고 도망쳐 왔을 게야."

"그 말씀이 맞습니다. 며칠 전에 재네 동네서 그 동네 사냥꾼이 엄청나게 큰 멧돼지를 한마리 잡았습니다. 이놈이 어찌나 크던지 눕힌 자리에서 각을 냈는데, 다리 하나를 두 장정이 떠메고 왔습니다."

"그렇게 커? 그럼 몇근이나 되게?"

혜선이 아버지 눈이 둥그레졌다.

"삼백근 가까울 거라고 합디다. 그 사냥꾼도 사냥꾼 생활 이십년에 그렇게 엄청난 멧돼지는 첨이랍디다. 그이는 이십여년 동안 강원도 함경도까지 안 가본 데가 없다는데, 그렇게 큰 멧돼지는 처음이라고 혀를 내두릅디다."

"거 봐라. 그렇게 큰 놈들이 설악산이나 지리산 아니면 어디서 살았겠냐?"

혜선이 할아버지는 내 말이 어떠냐는 표정이었다.

"그런데 이놈이 그 전에도 다른 포수한테 크게 당했던 것 같습디다. 한쪽 앞발 한군데가 불룩해서 거길 칼로 후비자 꼭 이만한 엽총 탄환이 나왔습니다."

형님은 엄지손가락 한 매듭을 짚어 보였다.

"야아!"

혜선이 아버지는 연방 감탄을 했다.

"그런 걸 보더라도 이 난리가 예사 난리가 아닌 것 같다."

혜선이 할아버지는 다시 근심스런 표정을 지으며 뇌었다.

"그런 짐승도 짐승이다마는 애먼 사람이 많이 다칠 것 같지요?"

"그려. 나 같은 늙은이는 살 만큼 살았으니 여한이 없다마는, 이런 난리 때는 젊은이들이 안됐고, 더구나 어린애들이 불쌍하지."

혜선이 할아버지는 길게 한숨을 쉬었다.

"옛날 동학난리 때도 사람들이 많이 죽었다지요? 일본군들이 전라북도에서 동학군들을 해남 바닷가로 몰아붙여 삼만명을 죽였다는데 그게 정말일까요?"

"해남 대흥사 서쪽 백방포라던가 거기서 죽였다. 그런데 지금은 그때하고는 또다른 것 같다."

다음 날이었다. 아침밥을 먹고 나서 나는 우리 집에 가겠다고 나섰다.

"아니, 더 놀다 가지 않고 왜 그러냐?"

"다음에 또 오겠어요."

혜선이 어머니는 말렸으나 형님은 말이 없었다. 나까지 군식구로 끼는 게 미안한 모양이었다. 혜선이 어머니는 그럼 내일 가라고 했으나 나는 그냥 오늘 가겠다고 했다. 내가 이렇게 우긴 데는 엉큼한 속셈이 있었다. 붙잡는다고 문치적거리고 있는 것보다 지금 훌쩍 떠나는 것이, 이다음에 또 오기가 쉬울 것 같았던 것이다. 이다음에도 와서 이렇게 하루씩만 자고 가면 형님 안부를 살핀다는 핑계로 장날마다 왔다 갈 수 있을 것 같았다.

형님과 혜선이는 큰길까지 바래다주었다.

"다음 장날 꼭 와!"

혜선이는 형님 몰래 말했다.

"으음. 꼭 올게."

나는 길을 걸으며 자꾸 뒤를 돌아봤다. 형님 뒤를 따라가던 혜선이도 자꾸 나를 돌아봤다. 나는 다음 장날까지 손을 꼽아보았다. 네 밤이나 자야 했다. 나흘이 너무도 아득하게 느껴졌다.

그런데 우리 고장에서 그 나흘 동안 인민군이 진주한 것이다. 세상이 발칵 뒤집힌 것 같았다. 읍내서는 인민재판이 벌어져 누가 누가 죽었다는, 흉흉한 소문이 꼬리에 꼬리를 물었다. 나는 무엇보다 은내골에 갈 수 없을 것 같아 그게 걱정이었다.

다음 장날의 전날이었다. 나는 어머니한테 형님이 별일 없는지 은내골에 갔다 오겠다고 했다.

"뭣이라고? 그것이 지금 제정신으로 하는 말이냐?"

어머니가 펄쩍 뛰었다. 예상했던 대로였다.

"허허, 네가 그 형님을 꽤나 좋아하는 모양이로구나."

아버지는 껄껄 웃으며 형님한테는 별일이 없을 테니 소문이 좀 잠잠해지면 가라고 했다. 나는 아버지 말에는 대거리를 하지 않았다. 사실 겁이 나기도 해서 한 이틀 더 있다 가는 게 어떨까 하는 생각이 들기도 했다. 그렇지만, 혜선이가 나를 기다릴 걸 생각하면 그럴 수가 없었다. 혜선이는 나를 기다리느라 새막에 앉아 하루 종일 길목에다 눈을 대고 있을 것 같았다. 그러다가 날이 저물면 얼마나 실망을 할 것인가? 우리 집에 무슨 일이라도 난 줄 알고 더 걱정을 할 것 같았다. 그 까만 눈에서 눈물을 흘리고 있을 혜선이 모습이 눈앞에 어른거렸다.

나는 그날 저녁 이불 속에서 오래도록 몸을 뒤척이다가 주먹을 쥐었다. 못 가게 하면 도망쳐 가기로 결심한 것이다. 나중에 종아리를 맞아도 좋다고 생각했다. 초등학교 들어가기 전에 종아리 한번 맞은 뒤로 지금까지 한번도 맞아본 일이 없지만, 하는 수 없었다.

나는 아침에 일어나자 어머니 아버지 눈치부터 살폈다. 다시 한 번 말했다가 안 들어주시면, 안 가는 척하고 있다가 틈을 보아 내뺄 참이었다. 그런데 일은 뜻밖에도 쉽게 풀리고 말았다. 동네 사람들이 장에 가려고 나서고 있었다. 평소에는 장에 안 가던 사람들도 세상 소식이 궁금해서 나서는 것 같았다. 어제 그렇게 펄쩍 뛰시던 어머니도, 장에 별로 다니지 않던 아버지도 나섰다. 나는 어머니를 따라 동네 사람들 맨 뒤에 따라갔다. 우리 동네 사람들이 막 읍내에 들어서고 있을 때였다. 비행기가 나타났다. 호주기였다.

—따 따 따 따

느닷없이 호주기가 드르륵 드르륵 총을 쐈다. 장꾼들은 장짐을 내팽개치고 쥐구멍을 찾았다. 남의 집 대문으로 뛰어드는 사람, 담 밑에 머리만 처박는 사람, 모두 제정신이 아니었다. 나는 어디로 뛰어든다는 게 길가로 판자문이 나 있는 집 부엌이었다. 한참 만에 비행기 소리가 사라졌다.

"어디다 쐈어?"

"냇가에다 갈기고 간 것 같구먼."

"미친놈들, 그렇게 전쟁을 하니 이길 턱이 있어?"

"그래도 이승만이가 처갓집 덕은 단단히 보네."

호주기가 이승만 대통령 부인 나라 비행기라는 말이었다. 이건 이승만 대통령의 부인이 오스트리아 출신인 데서 나온 엉뚱한 소문이었다. 오스트리아가 호주(濠洲) 곧 오스트레일리아와 발음이 비슷한 데서 빚어진 오해였다. 그러나 그때 시골 사람들은 모두 그렇게 알고 있었다.

"오늘도 저녁나절 읍내서 인민재판이 있다지?"

장꾼들은 귓속말로 속삭이며 공포와 호기심이 엇갈리는 표정으로 발걸음을 재촉했다. 나도 인민재판 구경을 하고 싶었지만, 그러면 너무 늦을 것 같아 곧장 은내골로 향했다. 은내골 산굽이를 돌아서자 예상했던 대로 혜선이가 새막에서 이쪽을 보고 있었다. 혜선이는 금방 나를 알아보고 벌떡 일어섰다. 새막에서 당산나무 있는 데로 왔다.

당산나무 밑에는 완장 찬 젊은이들 서너명이 동네 사람들과 막걸리를 마시고 있었다. 껄껄 웃는 웃음소리가 여간 호들갑스럽지 않았다. 지난번에 혜선이 할아버지 말을 들었던 다음이라 이 동네는 무사할 것이라 생각하면서도 혹시 모르겠다 싶었는데, 그들 웃는 모습을 보자 한결 마음이 놓였다.

"너희 동네는 별일 없었냐?"

혜선이가 물었다.

"응. 여기는?"

"광주 오빠도 잘 계시고, 우리 동네도 아무 일 없어. 그런데 말이야. 우리 친척이 옛날로 치면 군수 같은 자리에 앉게 됐다. 인민위원장이라던가, 그런 자리래."

혜선이는 자랑스러움과 두려움이 엇갈리는 표정으로 속삭였다. 지난번에 혜선이 할아버지가 형님한테 이 동네 사람들은 안심이라 하시던 말이 생각났다.

"우리 점심 먹고 진국사에 놀러갈까!"

혜선이는 누가 곁에라도 있는 듯 낮은 소리로 속삭였다. 진국사는 이 동네 뒤에 있는 절이었다.

"새를 봐야지 않아?"

"우리 새막 곁에 있는 애더러 우리 논 새도 좀 봐달라고 했어."

우리는 점심을 먹고 숲이 울창한 뒷산으로 갔다. 혜선이는 팔랑팔랑 앞장섰다. 산길에는 높은 나무들이 서로 가지를 엇질러 녹음을 짙게 드리우고, 매미 소리가 온 산을 뒤덮고 있었다.

"너한테 보여줄 게 하나 있다."

혜선이가 웃으며 낮은 목소리로 속삭였다.

"뭔데?"

"우리 동네서는 나 혼자만 알고 있는 거야."

"그게 뭐야?"

"그걸 보려면 나한테 단단히 약속을 하나 해야 해."

혜선이는 방실방실 웃으며 말했다. 마치 어디에 무슨 보물이라도 숨겨놓은 것처럼 자랑스러운 표정이었다.

"무슨 약속인데?"

"그걸 절대로 다른 사람한테는 말하지 않는다고."

"약속할게."

나는 새끼손가락을 내밀었다. 혜선이는 손가락을 걸고 단단히 흔들었다.

"얼른 말해봐!"

혜선이는 무슨 일인지 공중을 쳐다보며 눈을 희번덕였다. 나도 건성으로 공중을 쳐다봤다.

"너희 동네도 파랑새 있냐?"

혜선이는 손차양을 하고 공중을 더듬으며 물었다.

"파랑새?"

나는 콩밭이나 녹두밭에 떼 지어 다니는 작은 새를 생각했다.

"밭에 떼몰려 다니는 작은 새 말고 말이야?"

나는 어리둥절했다.

"저깄다!"

혜선이는 낮으나 힘진 소리로 말하며 공중을 가리켰다. 숲이 한군데 트인 사이로 무슨 새가 후딱 지나가는 것 같았다. 상당히 큰 새였다.

"아!"

공중을 한참 쳐다보던 나는 나도 모르게 탄성을 질렀다. 비둘기보다는 조금 작지만 제비처럼 날렵하게 생긴 새였다. 파랑새는 날개 양쪽에 동전짝보다 조금 큰 흰점이 선명하게 박혀 있었다. 나는 파랑새를 처음 봤는데 마치 그려놓은 듯 동그란 흰점이 너무도 신기했다. 파랑새는 제 놈을 잘 보라는 듯이 그 흰점 박힌 날개를 활짝 펴고 공중에서 크고 작은 원을 그리며 날아다녔다.

"저게 파랑새구나. 정말 예쁘다. 그런데 색깔이 파랗지 않고 검은 것 같은걸."

"아냐. 밑에서 봐서 그래. 짙은 남색이야."

"보여주겠다는 게 저거야?"

"아냐. 파랑새 집이야. 저쪽에 파랑새 집이 있어. 거기다 지금 새낄 까놨거든."

"새끼?"

"날 따라와!"

혜선이는 낮은 소리로 속삭이며 저쪽을 가리켰다. 한참 올라가던 혜선이가 똥그란 눈으로 조심스럽게 길 위아래를 살폈다. 산길에는 우리 두사람뿐이었다. 혜선이는 나더러 따라오라는 손짓을 하며 잽싸게 한쪽으로 갔다. 큰 바위 뒤로 돌아갔다. 비스듬히 누워 있는 바위로 올라갔다. 혜선이는 가만가만 고개를 밀어 올렸다. 저쪽에 있는 큰 나무 한가운데를 쳐다봤다. 혜선이는 나더러 오라는 손짓을 했다.

"저기 저 나뭇가지 사이로 보이는 큰 나무 몸뚱이에 구멍 보이지?"

"야! 새끼가 내다보고 있다."

구멍에 새끼 한마리가 밖을 내다보고 있었다. 파랑새 새끼는 조금 노란 머리에 검은 무늬가 있는 것 같았으나 예쁘지는 않았다. 고개를 요리조리 내두르고 있었다.

"저거 한마리뿐이냐?"

"아냐. 들어 다니는 구멍이 좁으니까 저렇게 내다보는 건 언제나 한마리뿐이지만, 새끼를 한마리만 까지는 않았을 거야. 속에는 여러마리가 있겠지만 구멍이 좁으니까 한마리씩만 저렇게 내다보고 있다가 어미한테서 밥을 받아먹는 것 같아."

"그럼, 이번에는 저놈이 밥 받아먹을 차례인 모양이지?"

"그런 것 같아."

우리들은 숨을 죽이고 어미 새가 나타나기를 기다렸다. 바위틈이 좁아 우리들은 서로 껴안듯이 몸을 딱 붙이고 파랑새 새끼를 보고 있었다. 어미는 좀처럼 나타나지 않았다. 매미 소리는 온 산에 가득 찬 것 같았다.

"왔다."

혜선이가 엉뚱한 쪽을 가리키며 속삭였다. 파랑새가 저쪽 나뭇가지에 앉았다.

"입에 아무것도 물지 않았는걸."

"저 새는 저렇게 먹이까지도 입속에다 감추고 오는 것 같아. 새끼한테로 곧장 가지 않고 저기 앉아 있는 것도, 혹시 무슨 짐승이 이 근처에 숨어서 제 새끼한테 가지 않나 살피는 것 같아."

"정말 조심스런 새구나."

한참 만에 파랑새가 훌쩍 날아가 제집에 붙었다. 마치 제비가 공중에서 아래로 내리박히듯 매끄럽고 날랜 동작이었다. 새끼가 입을 벌리자 어미는 새끼 주둥이에다 얼른 먹이를 넣고 빼냈다. 다가올 때처럼 저쪽으로 내리박히듯 나무 사이로 사라져버렸다. 새끼 입에 먹이를 넣어주는 건 순간이었다.

"이제 가자!"

혜선이가 속삭였다.

"다른 어미가 오는 걸 한번만 더 보자."

혜선이가 나를 돌아보며 웃었다. 나도 웃어주었다. 정말 예쁜 얼굴이었다. 발그레한 혜선이 볼은 꽃이파리처럼 고왔다.

"왔다!"

이번에는 내가 먼저 발견했다.

암수 두마릴 테니 이건 다른 놈이겠지만 크기나 모양은 똑같았다. 파랑새의 부리는 분홍색이었다. 아까 그놈처럼 이놈도 그 자리에서 한참 시치미를 따고 앉아 조심스럽게 주변을 두리번거렸다. 이내 날렵하게 날아가 새끼 입에 먹이를 넣어주고 미끄러지듯 나무 사이로 사라졌다.

우리는 바위에서 내려왔다.

"어떻게 저기 파랑새 집이 있는 걸 알았지?"

"저 집은 우리 동네서는 나 혼자밖에 아무도 몰라. 얼마 전에 동네 아이들하고 여기 놀러왔다가 파랑새가 여기서 휘딱 날아가는 걸 봤거든. 그런데 날아가는 게 예사롭지 않아 혼자 이쪽으로 와봤던 거야. 그래서 나 혼자만 알게 됐어. 저게 소문이 나면 우리 동네 개구쟁이들이 틀림없이 저리 올라가서 새끼를 내려와버릴 거야."

"그러겠지. 나도 우리 동네서 저보다 더 높은 나무에 올라가서 까치 새낄 내려왔거든."

"야, 그러고 보니 너도."

혜선이는 부러 화난 얼굴로 나를 노려봤다.

"이제부터 나도 그런 짓 않을 거야."

나는 뒤통수를 긁적이며 헤헤 멋쩍게 웃었다.

"그럼. 그것도 약속!"

혜선이는 제법 야무진 표정을 지으며 또 새끼손가락을 내밀었다. 손가락을 걸었다.

"정말 그런 짓 않는 거야?"

혜선이는 손가락을 걸고 다짐을 받았다.

"않을게."

그제야 혜선이는 환하게 웃으며 손가락을 흔들었다.

우리들은 다시 산길을 올라갔다.

"여기 올라가면 절도 있고, 또 큰 미륵도 있다."

"미륵?"

"응. 그 미륵은 말이야. 아주 옛날에 우리 동네서 머슴살이하던 사람이 중이 되어 만든 것이래."

"머슴이?"

"응. 그 머슴이 한동네 사는 양반집 처녀를 마음속으로 죽자 사자 했더래. 그렇지만 옛날에는 머슴하고 양반은 하늘과 땅 차이라 그 처녀는 양반집으로 시집을 가버렸어. 머슴은 그 길로 머리를 깎고 중이 되어 그 미륵을 깎았다는 거야."

"왜 미륵을 깎았어?"

"그건 나도 모르겠어. 그런데, 그 미륵님은 무슨 소원 있는 사람이 그 소원을 빌면 잘 들어주신대. 유독 마음속으로 결혼하고 싶은 사람이 있어서, 그리 결혼해달라고 빌면 그 소원은 제일 잘 들어주신다는 거야. 히히히."

혜선이는 히히 크게 웃고 나도 웃었다.

"그 미륵님은 정말 영험이 있는지 우리 동네 어머니들은 절에 가서 부처님 앞에 공드리는 사람보다 그 미륵님 앞에 공드리는 사람이 더 많아. 우리 엄마도 이따금 여기 와서 공을 드려. 아들을 하나 점지해달라고."

"아, 그래."

혜선이는 밑으로 세살 먹은 계집아이가 하나 있었다.

"그 미륵에는 우리 동네 사람들 말고 윈데 사람들도 더 많이 오시는데, 서울이나 광주에서 오는 사람도 있어."

혜선이는 미륵의 영험을 깊이 믿는 것 같았다. 미륵님이라고 존칭을 붙이는 것이나 웃지 않고 말하는 걸 봐도 그랬다. 조금 가파른 길을 올라서자 산줄기를 옆으로 감고 도는 길과 만났다.

"이리 가면 절이고, 이리 가면 미륵님 계시는 곳이야. 어디를 먼저 갈까?"

"미륵님!"

우리들은 편편한 길로 산줄기를 조금 돌았다. 큰 바위 절벽이 나왔다. 나는 우뚝 걸음을 멈췄다. 그 절벽 밑에 앉아 있는 미륵은 생각보다 우람했다. 예사 집 마당만큼 널찍한 곳에 미륵은 절벽을 등지고 앉아 있었다. 주변은 정갈하게 쓸려 있고, 미륵이 앉아 있는 대석에는 촛농이 여기저기 더뎅이져 있었다.

"너도 무슨 소원 있으면 속으로 빌며 미륵님한테 절을 해!"

혜선이가 말했다. 좀 엉뚱한 말이라 나는 웃고만 있었다.

"나도 작년에 우리 엄마가 아팠을 때 여기 와서 절하며 얼른 나아달라고 빌었거든. 그랬더니 금방 나아버렸어."

나는 그냥 웃고만 했다.

"아무거나 소원이 있으면 빌어봐."

혜선이는 거듭 채근했다 나는 퍼뜩 머리를 스치는 게 있어 혜선이를 봤다. 심상찮은 내 표정에 혜선이는 나를 빤히 건너다보고 있었다.

"너도 같이 절하자!"

"그래."

혜선이는 순순히 나섰다. 미륵 앞에는 납작납작한 돌들이 깔려 있었다. 우리는 신을 벗고 미륵 앞에 섰다.

"내가 절을 할 테니 나 한 대로 따라서 하면 돼."

혜선이는 귀 위쪽으로 두 손을 올리고 엎드린 다음 손바닥을 발딱 뒤집었다가 바로 했다. 꼭 산토끼 춤을 추는 꼴이었다. 나는 혜선이를 따라 절을 했다. 계속 혜선이를 따라 절을 했다. 절은 다섯 자리도 더 했는데 몇자리나 더 해야 하는지 혜선이는 계속 절을 했다. 나는 무릎이 아팠지만 그대로 따라 했다.

"그만하자."

한참 만에 혜선이가 절을 그쳤다. 열자리도 더 한 것 같았다.

"무슨 소원을 빌었어?"

혜선이가 물었다. 나는 골을 붉혔다.

"무얼 빌었어? 말해봐!"

혜선이는 웃으며 다그쳤다. 나는 더욱 골을 붉힐 뿐 대답하지 않았다. 심상찮은 내 표정에서 눈치를 챘는지 혜선이는 무얼 빌었느냐고 짓궂게 다그쳤다. 그렇지만 대답할 수 없었다. 나는 내가 나이를 더 먹으면 혜선이하고 결혼하게 해달라고 빌었던 것이다. 혜선이가 짓궂게 다그치자 내 속마음을 들킨 것 같아 더욱 골만 붉어진 것 같았다.

"너는 뭘 빌었어?"

나는 거꾸로 혜선이한테 물었다.

"남동생 하나 낳게 해달라고 빌었어. 우리 엄마가 새벽에 와서 공을 드릴 때 나도 함께 그렇게 빌었거든."

그러면서 또 나한테 무얼 빌었느냐고 물었다.

"그건 말할 수 없어."

"왜?"

"그저."

“에이, 깍쟁이!”

혜선이는 곱게 눈을 흘겼다. 나는 미처 생각하지도 못했던 소원을 미륵님 앞에 빌고 나자, 나같이 어린 녀석이 그런 것을 빌어도 되는가 좀 사위스럽기도 하고 얼떨떨하기도 했다. 그러나 미륵님은 저 넉넉하고 자비스런 모습으로 보아 틀림없이 그 소원은 들어줄 것만 같았다.

“저기 저 절에 사시는 지우 스님은 옛날에 고아였대. 대여섯살짜리 고아를 저 절 스님이 주워다 길렀다는 거야. 그런 사람이지만 공부도 많이 하여 우리 동네 사람들은 그 스님을 모두 우러러보고, 우리 할아버지하고는 유독 가깝게 지내셔.”

“그럼 네 할아버지도 부처님 믿냐?”

“그런 것 같아. 봄가을로 절에 시주도 하시고, 이 절에도 자주 오셔서 부처님 앞에 절도 하셔.”

우리는 절로 들어섰다. 조그마한 절이었다. 대웅전이 아담하게 앉아 있고 마당 한쪽에 조그마한 집 두채가 앉아 있었다. 정갈하게 쓸려 있는 마당에는 초가을 볕이 눈부시게 내리붓고, 여기서도 매미 소리가 요란스러웠다. 대웅전 섬돌에는 흰 고무신 한켤레가 놓여 있었다. 그 고무신도 유독 정갈했다.

“혜선이가 왔구나.”

부엌에서 할머니가 내다보며 말했다.

“보살할머니 안녕하세요?”

혜선이는 합장을 하며 보살할머니한테 고개를 숙였다. 인사하는 혜선이 모습이 여간 깜찍하지 않았다.

“스님, 안녕하세요?”

“오냐, 혜선이냐?”

스님은 책상머리에 앉은 채 고개를 돌리며 웃었다. 나도 얼떨결에 스님에게 꾸벅 허리를 굽혔다. 스님은 의외로 젊었다. 서른살도 채 못 됐을 것 같았다.

“우리 친척 아이가 놀러와서 절 구경 왔어요.”

“잘 왔다. 할아버님도 안녕하시냐?”

“예.”

“구경하고 오너라!”

우리는 법당 앞으로 갔다. 나는 절 구경이 처음이었다. 황금색으로 휘황찬란한 부처님이며 그 곁의 오밀조밀한 불상들이 모두 신기하기만 했다. 아까 미륵 앞에 섰을 때와는 딴판이었다. 미륵이 털털한 시골 사람이라면, 부처님들은 높은 관리 같았다. 우리는 법당에서 나와 바깥벽 탱화를 구경하며 뒤란으로 돌아갔다. 바위 밑에 큼직한 우물이 있었다.

“이 물 한번 먹어봐!”

혜선이가 바가지로 물을 떠서 나한테 내밀었다. 이만저만 시원하지 않았다.

“절 구경을 했으면 이 집 주인양반한테 인사를 드려야지.”

스님이 말하며 자리에서 일어섰다. 나이는 젊지만 키가 껑충 크고 몸피도 우람했다. 스님은 염주를 만지며 법당 쪽을 갔다.

“나 같은 중들은 부처님을 모시는 머슴 같은 사람이고, 절 주인은 부처님이시다. 둘이 다 부처님 앞에 절을 해라.”

스님은 법당으로 들어서며 말했다. 혜선이가 나를 보고 방긋 웃으며 신을 벗고 법당으로 들어섰다.

"부처님 앞에 절할 줄 알지? 한번 해봐라!"

혜선이는 아까 미륵님 앞에 절했던 대로 절을 했다. 나도 따라 했다.

"잘들 하는구나. 내가 염불을 할 테니 너희들은 계속 절을 해라. 지금 세상이 하도 험하게 돌아가고 있으니 좋은 세상이 오도록 해달라고 부처님께 빌자. 마음속으로 이렇게 비는 거다. '자비로우신 부처님, 이 무서운 전쟁이 어서 끝나서 우리나라 사람들이 더 다치지 않게 해주시고, 어린 우리들도 무사하게 지켜주십시오.' 이렇게 비는 거다. 자, 그럼 절을 해라. 내 염불이 끝날 때까지 절을 해야 한다."

스님은 꿇어앉아 지그시 눈을 감고 목탁을 두드리며 염불을 했다. 우리들은 절을 하기 시작했다. 스님의 염불 소리는 엄청나게 크고 낭랑했다. 마치 가슴을 쥐어짜는 것같이 처절한 소리였다. 무슨 소린지 알아들을 수는 없지만, 스님 염불 소리는 어찌 들으면 통곡소리 같기도 하고, 어찌 들으면 그만큼 애절한 노랫소리 같기도 했다.

나는 마치 어디 꿈속의 세계를 헤매고 있는 것 같았다. 애간장을 쥐어짜내는 것 같은 염불 소리를 부처님을 비롯한 불상들이 숨을 죽이고 듣고 있는 것 같았다. 염불 소리는 땅속으로도 파고들고, 뒷산 바위 속으로도 파고들고, 하늘로도 퍼져, 이 세상에 있는 온갖 귀신이며 산신령이며 하느님한테까지도 들릴 것 같았다.

나와 혜선이는 그 염불 소리에 둥 떠서 마치 몸뚱이가 저절로 그렇게 움직여 절을 하고 있는 것 같았다. 다리가 뻐근해오고 온몸에 땀이 났다. 세어보지는 않았지만 오십자리도 더 한 것 같았다. 이내 스님이 목탁을 따르르 하며 염불을 그쳤다.

"가서 세수하고 오너라."

나는 발이 휘청거렸다. 혜선이도 법당 기둥을 붙잡고 신을 신었다. 스님 염불 소리와 목탁 소리가 그친 절간은 꺼질 것같이 조용했다. 법당 마당에는 따가운 초가을 햇살이 눈부시게 내리붓고, 매미 소리는 스님의 염불 소리를 나름대로 그렇게 내지르고 있는 것 같았다. 나는 도무지 황홀하기만 했다.

우리들은 뒤란으로 가서 세수를 했다. 우물물이 유난히 시원했다. 아까 스님의 염불 소리에 느꼈던, 내 마음에 끼여 있던 무슨 찌꺼기 같은 것도 이 찬물에 모두 씻겨져 나가버릴 것 같았다. 우리들은 요사채로 갔다. 나는 혜선이가 한 대로 스님 앞에 다소곳이 무릎을 꿇고 앉았다.

"이것 먹어라!"

스님은 편히 앉으라며 산자 그릇을 밀어놨다. 하얀 산자가 유난히 희게 느껴졌다. 스님은 그제야 내 이름이며 고향이며 집안 사정을 물었다.

"세상이 이렇게 시끄러워 걱정이구나. 나무관세음보살."

스님은 우리가 먹는 모습을 바라보고 혼잣말로 탄식을 하며 허공에 눈길을 띄웠다. 한참 그렇게 앉아 있던 스님이 무슨 생각을 했는지 이내 입을 열었다.

"너희들은 앞으로 혹시 무슨 어려운 일이 닥치면 관세음보살만 외워라. 관세음보살님은 항상 사람들을 보살펴주시는 보살님이라, 무슨 어려운 일이 있으면 언제든지 관세음보살만 외워라. 그러면 보살펴주실 것이다. 관세음보살."

스님은 말을 이었다.

"저기 강원도에 설악산이란 높은 산이 있다. 그 설악산 산봉우리 밑에 오세암(五歲庵)이란 암자가 있는데, 옛날에 어느 스님이 그 암자에서 다섯살 먹은 아이를 데리고 살았다. 어느 겨울날 식량이 떨어져서 스님이 마을로 식량을 구하러 가게 되었다. 추운 날씨에 어린아이를 데리고 갈 수가 없어서 다섯살짜리를 절에 혼자 두고 가며, 무서우면 '관세음보살' '관세음보살' 하고 관세음보살만 부르면 무섭지 않을 거라 일러놓고 절을 떠났다. 그런데 스님이 암자를 떠날 때부터 눈이 오기 시작하더니 엄청나게 쏟아졌다. 눈이 어찌나 많이 쏟아지는지 산길은 두말할 것도 없고 평지 길도 막히고 말았다. 식량은 구했지만 눈이 너무 많이 쌓여 설악산 산봉우리 바로 밑에 있는 오세암까지 가기는 어림도 없는 일이었다."

스님은 이야기를 계속했다.

"스님은 눈 쌓인 산만 쳐다보며 한숨만 쉬었다. 다섯살짜리를 혼자 두고 왔으니 얼마나 속이 달았겠느냐? 암자에는 식량이 없으니 아이는 굶어 죽을 판이었다. 한달도 더 지나자 눈이 녹기 시작했다. 스님은 허겁지겁 암자로 올라갔다. 그런데 법당에서 웬 염불 소리가 나지 않겠느냐? 스님은 자기 귀를 의심했다. 그런데 관세음보살을 부르는 염불 소리는 틀림없이 그 아이 염불 소리였다. 문을 열어보니 그 아이가 법당에 다소곳이 앉아 염불을 외우고 있었다."

스님은 껄껄 웃었다.

"한달도 넘게 밥을 먹지 않았는데 살아 있었단 말인가요?"

혜선이가 물었다.

"그렇지. 관세음보살님이 그렇게 지켜주셨던 것이다. 관세음보살님은 불쌍한 사람이나 특히 너희들같이 어린이들은 유독 따뜻하게 자비를 베푸시는 보살님이시다. 그래서 그 암자 이름을 오세암이라 지었다는구나. 지금도 그 오세암이 설악산에 있다."

"지금도 그 암자가 있어요?"

"있고말고. 나도 일부러 거기를 가봤다."

혜선이는 감동하는 표정이었다.

나는 다음 날 집에 돌아와서도 절에서 느낀 얼얼한 감동에 싸여 있었다. 부처님이 사시는 극락세계에라도 갔다 온 것처럼 황홀하고, 전부터 부처님과 미륵불 앞에 합장하고 절을 해온 혜선이는 마치 그런 성스러운 세계에 살고 있는 소녀 같았다. 나도 또 그 절에 가서 부처님께 절을 하고 불공을 드리면 그런 세계에 들어갈 수 있을 것 같았다. 나는 이다음에 은내골에 가면 그때도 진국사에 가서 부처님 앞에 절을 하고 미륵불 앞에도 절을 하기로 마음먹었다.

그렇지만 그게 아니었다. 나는 은내골에 다시 갈 수가 없게 되어버린 것이다. 형님이 광주 자기 집에 가시겠다고 우리 집에 인사하러 온 것이다. 혜선이 할아버지가 힘을 써서 이곳 인민위원장 통행증을 구했기 때문에 그 통행증이면 어디든지 갈 수 있다는 것이다. 마음대로 갈 수 있을 뿐만 아니라 광주에 가서도 아무 일이 없을 거라고 한다는 것이다. 나는 손발에 맥이 탁 풀렸다. 형님은 다음 날 떠나버렸고, 나는 그때부터 말을 잃었다.

형님이 혜선이 집에 없으니 나는 은내골에 갈 핑계를 잃어버린 것이다. 그런데 한편으로는 형님이 거기 없다고 내가 혜선이 집에 갈 수 없다는 사실이 도무지 실감되지 않았다. 마치 누가 우리 집에라도 가지 말라고나 한 것처럼 부당하게 느껴졌다. 그러나 따지고 보면 혜선이 집은 외사촌 형님의 이모 집이니 이건 사돈치고도 아득히 먼 사돈이었다.

형님은 길을 떠날 때 형편이 여의치 않으면 다시 오겠다는 말을 남기고 갔다. 혜선이를 다시 만날 수 있는 유일한 희망은 형님이 다시 오는 것이었다. 나는 형님이 가고 난 다음 날부터 읍내서 넘어오는 잿길을 쳐다보는 버릇이 생겼다. 그다음부터 나는 어머니가 장에 갈 때마다 어머니를 졸라 장에 따라갔다. 혹시 혜선이도 그 어머니를 따라 장에 올지도 모른다는 생각 때문이었다.

추석 장이었다. 대목장답게 장판이 몹시 붐볐다. 전쟁 중이었지만 세상은 옛날대로 돌아가고 있었다. 나는 장판에 들어서자마자 전에도 그랬듯이 장판을 휘지르고 다녔다.

“이게 누구야?”

나는 깜짝 놀라 그 자리에 우뚝 섰다. 혜선이가 어머니하고 옷가게서 옷베를 보고 있었다. 혜선이 추석빔 해줄 옷베를 고르고 있는 것 같았다. 나는 가슴부터 두근거렸다. 나는 어떻게 알은체를 해야 할지 잠시 망설였다. 그때 얼핏 뒤를 돌아보던 혜선이와 눈이 부딪치고 말았다.

"아니!"

혜선이는 눈이 둥그레졌다. 혜선이 어머니도 뒤를 돌아봤다.

"오매. 사돈네 총각 아니냐?"

혜선이 어머니가 반색을 했다. 나는 골을 붉히며 인사를 했다.

"너의 어머니도 장에 오셨냐?"

"예. 저기 계실 겁니다."

혜선이 어머니는 형님 안부를 물은 다음 어머니를 좀 만나야겠다며 어머니 계신 데로 가자고 했다. 나는 앞장을 섰다. 그런데 나를 따라오던 혜선이 어머니가 자기 친척인 듯한 여자를 만났다. 그 여자는 그동안 혜선이 어머니를 다급하게 찾고 다닌 것 같았다. 그 여자가 뭐라고 하자 혜선이 어머니는 대번에 얼굴이 굳어버렸다. 친척 누가 잡혀갔다는 것 같았다.

"어머님께는 다음에 뵙자고 해라. 내가 급한 일이 생겼다."

혜선이 어머니는 허겁지겁 그 여자를 따라가버렸다. 혜선이도 하는 수 없이 어머니를 따라갔다. 어머니가 하도 다급하게 서두는 바람에 혜선이는 나한테 말 한마디 못하고 어머니를 따라갔다. 나는 그 자리에 멍청하게 서 있었다. 혜선이는 어머니를 따라가면서 두번이나 뒤를 보며 웃어줬지만, 나는 멍청하게 보고만 있었다.

그다음 날이었다. 인민군이 후퇴한다는 것이다. 세상은 하루아침에 뒤바뀌고 말았다. 세상이 손바닥 뒤집듯이 뒤집혀지자 지난번에 설치던 사람들은 모두 좌익으로 몰려 파리 목숨이 되었다. 우리 동네는 비교적 평온했지만, 다른 동네 소문은 흉흉하기만 했다. 지금까지 숨을 죽이고 있던 사람들이 여태 설치던 좌익들을 보복

하기 시작한 것이다.

수없이 죽이고 죽었다는 소문이 꼬리에 꼬리를 물었다. 어디에는 한 구덩이에 시체가 수십구 묻혔다거니, 어느 동네는 한집도 남기지 않고 모두 불을 질러버렸다거니 무시무시한 소문만 들려왔다. 그러던 어느날 나들이 갔던 동네 아주머니가 우리 집으로 들어왔다.

"지난번에 여기 피난 왔던 조카 친척이 은내골 산다고 했지라?"

"예. 왜 그러시요?"

어머니가 놀라 물었다.

"그 동네는 집이 한집도 없이 다 태져버렸답디다. 좌익들이 후퇴하며 불을 지르고 죽이고, 그다음에는 우익들이 쳐들어와서 죽이고 불 지르고, 동네가 잿더미가 되었다고 합디다. 그 동네는 경찰서장하고 군 인민위원장이 난 동네라 난리를 당해도 그렇게 험하게 당했다는 것 같소."

"오매오매."

어머니는 넋 나간 표정이었고, 나는 멍청하게 그이 얼굴만 보고 있었다. 그렇지만 나는 그 아주머니 말이 도무지 사실로 믿어지지 않았다. 다 타버리고 다 죽었다는 말은 허풍일 것만 같았다. 부처님이나 미륵불이 가만히 보고 계시지 않았을 것 같고, 아무리 험한 세상이라도 죄 없는 사람들까지 죽일 것 같지 않았다. 그러나 한편으로는 시커멓게 잿더미가 되어버린 은내골 모습이 떠오르기도 했다. 나는 저녁 자리에 누워서도 내내 혜선이 집 생각뿐이었고, 그럴리가 없다고 수없이 고개를 저었다.

나는 다음 날 은내골에 가기로 했다. 거기 가서 내 눈으로 보아야 제대로 알 수 있을 것 같았다. 날마다 어디서는 사람을 어떻게 죽이고 어디서는 어떻게 죽였다는 무시무시한 소문만 들려왔지만, 나 같은 어린아이를 누가 해칠 것 같지는 않았다.

나는 그다음 날 아무도 모르게 집을 나섰다. 읍내에 이르자 으스스했다. 그러나 당장 눈앞에서 무슨 일이 벌어지는 것은 아니었다. 나는 읍내를 지나 은내골을 향했다. 길에는 사람들 발길이 뜸했다. 사람이 많이 죽었다는 동네 앞을 지났다. 그 동네 산모퉁이를 돌 때는 누가 금방 총을 들고 튀어나올 것 같았다.

큰길에서 은내골로 들어가는 작은 길에 이르렀다. 은내골 들판에는 벼들이 누렇게 익어가고, 길가에는 들국화가 가을바람에 나풀거리고 있었다.

나는 은내골로 들어가는 산모퉁이가 보이자 저절로 발이 멎었다. 산모퉁이를 돌아가기가 끔찍스러웠다. 산모퉁이를 돌면 귀신들이 드글드글할 것 같기도 하고, 내가 들어가면 불에 타서 죽은 귀신들이 악을 쓰고 덤벼들 것도 같았다.

그러나 여기까지 왔다가 그대로 돌아갈 수는 없었다. 조그마한 산줄기 너머로 은내골 뒷산이 보이고 진국사가 나무 사이로 보였다. 진국사를 보자 용기가 났다. 나는 이를 악물고 발걸음을 옮겼다. 산굽이를 돌아서자 은내골 동네가 보였다. 소름이 쭉 끼쳤다. 동네는 거의 타버리고 한쪽에 서너채만 남아 있었다. 혜선이 집도 타버렸다.

당산나무만 풍성한 가지를 늘어뜨리고 있을 뿐 그 아래 정자에는 아무도 없었다. 나는 그대로 들어가서 정자나무 아래 한참 서 있었다.

나는 동네로 발걸음을 옮겼다. 혜선이 집도 다 타버리고 재만 시커멓게 남아 있었다. 나는 멍청하게 서서 집터를 보고 있었다. 다시 발걸음을 옮겼다. 그러다가 하마터면 소리를 지를 뻔했다. 감나무 곁에 사람이 앉아 있었다. 혜선이 할아버지였다. 나는 혜선이 할아버지가 귀신이 되어 그렇게 나타난 게 아닌가 싶었다. 그러나 곰방대를 물고 있는 게 귀신은 아닌 것 같았다. 귀신이라고 곰방대를 물지 말라는 법은 없겠지만, 틀림없이 귀신은 아니었다. 나는 그 곁으로 다가갔다. 혜선이 할아버지는 그때서야 나를 봤다.

"안녕하세요?"

나는 꾸벅 절을 했다. 할아버지는 나를 빤히 건너다보고 있었다. 나도 그대로 서서 할아버지를 빤히 보고 서 있었다. 나는 그 옆 돌담 골목을 봤다. 혜선이가 어디서 뛰쳐나올 것만 같았다. 내가 곁으로 가자 할아버지가 내 손을 잡았다.

"여기가 어디라고 여기까지 왔느냐?"

할아버지가 낮은 소리로 말하며 내 손을 꼭 쥐었다. 손은 거칠었지만 온기가 있었다. 나는 손을 내맡긴 채 그대로 서 있었다. 그는 아무 말도 하지 않았고 나도 아무 말도 하지 않았다. 그렇지만 그 손은 나에게 수없이 말을 하고 있는 것 같았다.

손을 잡힌 채 서 있던 나는 깜짝 놀랐다. 하늘에 파랑새 두마리가 크게 원을 그으며 날고 있었다. 파랑새는 동네 자리를 크게 원을 그으며 돌고 할아버지와 내 머리 위에서도 돌다가 진국사 쪽으로 날아갔다.

마치 진국사에 가서 혜선이에게 내가 왔다는 말을 전하러 가는 것 같았다. 나는 그 자리에 그대로 서 있었다. 그러나 한참 있어도 파랑새는 나타나지 않았다.

『한국문학』 1987년 9월호(통권 15권 9호); 2006년 8월 개고

우투리
산 자여 따르라 1

다시 계엄령이 내렸다. 이미 내려 있던 부분 계엄령이 전국 계엄령으로 확대되었다는 것이다. 현도는 부분 계엄과 전국 계엄이 어떻게 다른지 그런 것은 알 수 없었으나, 그것이 얼마나 무시무시한 것인가는 사람들의 표정에서 알 수 있었다. 모두가 포수 만난 짐승들처럼 똥그란 눈으로 얼어붙어 있었다.

요 며칠 동안 전남대학교 학생들이 온통 광주 시내를 휘젓고 다니더니 일이 크게 벌어진 모양이었다. 여태까지 대학교 교문에서만 대치하던 전투경찰들을 몰아붙이고 시내를 온통 손아귀에 넣어버렸던 것이다. 그제 저녁에는 횃불을 들고 횃불 데모까지 했었다. 고등학생들까지 낀 데모대는 그 기세가 어마어마했다. 현도는 이제 세상이 한번 제대로 뒤집히는가 하는 기대와 저래도 괜찮을까 하는 조바심이 엇갈린 심정으로 데모를 구경했었다.

현도는 아무래도 우투리를 만나야 할 것 같아 광천동으로 갔다. 우투리는 금방 나가고 집에 없었다. 자기를 찾아갔다는 것인데, 서로 길이 엇갈린 것이 아닌가 싶었다. 현도는 바삐 길을 되짚었다.

우투리는 현도의 고향 친구였다. 우투리라는 별명은 초등학교 때 붙은 것인데, 고향에서는 지금도 그를 그런 별명으로 부르고 있었고, 여기서도 고향 사람들은 그렇게 별명으로 부르는 사람이 많았다. 우투리란 그들의 고향인 남원지방에 있는 옛날이야기의 아기장수 이름이었다. 우투리가 초등학교 국어 시간에 그 아기장수 이야기를 한 것이 계기가 되어 그만 그런 별명이 붙고 말았었다.

우투리는 초등학교는 현도하고 같은 학년이었지만, 나이도 한살 많을 뿐만 아니라, 그런 별명에 걸맞게 덕대가 우람하고 힘도 세었다. 그래서 그는 항상 동네 아이들을 거느리고 다녔다. 지금은 기껏 자동차 부품 공장 공원일 뿐이었으나, 그래도 마을 아이들을 그 공장에 여러명 취직을 시켰고, 현도도 우투리가 손을 잡아주어 지금 다니고 있는 자동차 정비 공장에 취직을 했다.

시내버스 안에서는 승객들이 여기저기서 겁먹은 표정으로 숙덕이고 있었다.

"지금 계엄군들이 전남대학교에 주둔하고 있다는구만."

"전남대학교?"

"그려. 어제저녁 밤중에 들어와서 학생들을 싹 잡아들였다는 것 같어."

"뭣이, 학생들을 싹 잡아들여? 그 많은 학생들을 어뜨코 다 잡아들인단 말이여?"

"조선대학교에도 와 있답디다."

이십대의 젊은이가 끼어들었다.

"조대도?"

"예. 그런디, 이번에 온 계엄군들은 예사 군인이 아니고 공수단이라요."

"공수단? 공수단이라면 군대 중에서 젤 무시무시하다는 군대 아녀?"

"그렇지라우. 전쟁이 일어났다 하면 비행기로 날아가서 적진 한가운데 낙하산으로 떨어지는 군대지라우. 지금 잡히는 족족 학생들을 반 죽이더랍디다."

현도는 금남로에서 내려 일부러 오치 가는 차로 갈아타고 전남대학교 후문께서 내렸다.

"허허. 저 새끼들이 시방 대학생들 다 죽이네."

골목에 몰려 있는 사람들이 모두 길 건너 전남대학교 담을 건너다보며 겁먹은 얼굴로 이죽거렸다. 담에 나 있는 구멍으로 군인들의 옷자락이 언뜻거렸다. 담은 일정한 간격으로 길쭉길쭉한 구멍이 나 있었다. 현도는 그쪽으로 건너가는 대학생들 뒤를 따라갔다. 담벼락 여기저기에는 사람들이 붙어 안을 들여다보고 있었다.

담벼락에 눈을 대던 현도는 깜짝 놀라고 말았다. 한쪽에서는 군인들이 학생들을 패고 있었고, 담 밑에는 팬티만 걸친 학생들이 엉덩이에 두 손을 얹고 담 밑에다 머리를 처박고 있었기 때문이었다. 머리와 두 발로 몸뚱이를 지탱하고 있었으므로 엉덩이가 하늘로 한참 치켜 올라가 있었다.

열댓명이나 되었다. 얼핏 그렇게 생긴 짐승들이 머리를 처박고 먹이를 먹고 있는 것 같았다. 군인들은 그 엉덩이 뒤를 돌아다니며 조금만 자세가 흐트러지면 군홧발로 사정없이 엉덩이를 걷어찼다. 그리고 그 뒤쪽에서는 새로 잡아온 학생들을 무자비하게 패고 있었다.

저쪽 교문께서 군인이 학생 하나를 끌고 왔다. 현도가 이쪽으로 길을 건너올 때 오치 쪽에서 오는 시내버스에서 내려 태연하게 교문으로 들어가던 학생이었다. 노란 바탕에 밤색 체크무늬의 남방샤쓰로 보아 그 학생이 틀림없었다. 군인은 뭐라고 한마디 하는 것 같더니, 손에 들고 있던 곤봉에 잔뜩 힘을 주어 학생의 배를 꾹 찔렀다. 학생은 책가방을 떨어뜨리고 배를 싸안으며 땅에다 무릎을 꿇었다. 얼마나 모질게 질러버렸는지 학생은 죽는 시늉으로 잔뜩 허리를 굽혔다. 군인은 또 군홧발을 학생의 머리 위로 추켜올렸다. 뒤꿈치로 목덜미를 내리찍었다. 학생은 앞으로 픽 고꾸라졌다. 손으로 땅을 짚었으나 맥없이 땅에다 얼굴을 박고 말았다. 학생은 다시 배를 싸안으며 옆으로 피글 굴렀다. 배를 싸안은 두 손은, 아까 곤봉에 배에 구멍이라도 뚫려버려 그리 쏟아지려는 창자를 막고 있는 꼴이었다.

군인은 이번에는 학생의 엉덩이를 냅다 걷어찼다. 맥을 놨던 몸뚱이가 마치 불에라도 덴 듯 팔짝 튕겼다. 튕긴 것이 아니라 안으로 잔뜩 싸안았던 배를 거꾸로 활등처럼 내밀며 몸뚱이가 뒤로 발딱 젖혀진 것이다. 군홧발로 엉덩이뼈를 차버렸던 것 같았다. 학생은 배를 잔뜩 내민 채 몸을 뒤척이며 버르적거리고 있었다. 닭 끌어안은 구렁이 꼴이었다.

군인은 그 학생을 그대로 놔두고 다시 교문께로 갔다. 그때 다른 군인이 교문께서 학생을 하나 또 끌고 왔다. 어깨 밑에 책을 낀 것으로 보아, 이 학생도 아까 그 학생처럼 계엄령이 내려진 줄을 몰랐거나 알았다 하더라도 나는 계엄령 같은 것과는 상관이 없다고 생각하며 공부하러 온 학생 같았다. 일요일 날, 더구나 오늘같이 화창한 5월의 일요일 날, 학교로 공부하러 오는 학생들이라면 공부밖에 모르는 공붓벌레들임에 틀림없었다. 요 며칠 동안 거의 모든 학생들이 그렇게 극성일 때도 그런 일에는 아예 눈을 돌려버리고 도서관 후미진 자리에 앉아 공부나 하고 있었을, 그런 학생 같았다.

군인은 이 학생도 아까 그 학생과 마찬가지로 곤봉으로 배를 꾹 질렀다. 책을 떨어뜨리며 배를 싸안고 무릎을 꿇었다. 군홧발을 학생의 머리 위로 잔뜩 올렸다. 뒤꿈치로 내리찍었다. 학생은 손으로 땅을 짚으며 옆으로 뒹굴었다. 군홧발로 엉덩이를 냅다 걷어찼다. 늘어졌던 몸뚱이가 튕기듯 활등처럼 뒤로 발랑 젖혀졌다. 배를 잔뜩 내민 채 몸뚱이를 뒤척이며 버르적거렸다.

오치 쪽에서 오는 버스에서 또 학생 하나가 내렸다. 그 역시 책가방을 들고 교문 쪽으로 가고 있었다.

"학생, 가지 마!"

큰길 건너 골목에서 젊은이 하나가 내다보며 소리를 질렀다. 그 학생은 걸음을 멈추며 무슨 일이냐는 표정으로 그쪽을 건너다보고 있었다.

"가지 말란 말이여!"

젊은이는 두 손으로 무슨 검불이라도 긁듯 허공을 자기 앞으로 드세게 긁어대며 소리를 질렀다. 젊은이는 교문 안쪽에 붙어 있는 수위실 앞의 계엄군 보초병이 안 보이는 위치에서, 그 보초병한테는 들리지 않도록 소리를 지르며 안타깝게 손짓을 하고 있었다.

"뭐요?"

학생은 멍청한 표정으로 물었다.

꽉 막힌 작자 같았다. 길 건너 젊은이는 보초병 있는 데를 향해 손가락으로 허공을 꾹꾹 찔렀다. 학생은 좀 놀라는 표정으로 몇발짝 교문 쪽으로 가며 밋밋이 교문 안을 들여다봤다.

"이 새끼 이리 와!"

보초병한테 들키고 말았다. 보초병이 나와 학생을 끌고 들어갔다. 그 보초병이 나오자 길 건너에서 소리를 지르고 있던 젊은이는 후닥닥 골목으로 몸을 숨겼다.

"병신!"

끌려가는 학생을 건너다보며 혼자 이죽거렸다. 그 골목 안에는 주민들과 학생들이 여럿 몰려 있었다. 그쪽 시내버스 정류소에서 내리는 학생들은 괜찮았으나, 저쪽 정류소는 교문과 너무 가까워 어떻게 손을 쓸 수가 없었다. 그 학생도 아까 당했던 학생과 똑같이 당하고 있었다. 군인들이 학생들을 조지는 모습은 마치 그렇게 짝을 지어 무슨 무술연습이라도 하고 있는 꼴이었다. 군인은 공격하는 역이고 학생은 당해주는 역인 셈이었다. 그만큼 순서가 정연하고 기계적이었다.

현도는 어렸을 때 회초리로 개구리를 갈기던 일이 생각났다. 학교 갔다 오는 길의 산자락 찬물꼬지에 떼 지어 사는 시커먼 비단개구리를 회초리로 딱 갈기면, 비단개구리는 흰 배를 내놓고 발랑 뒤집히며 앞발을 머리 양쪽에 찰싹 구부려 붙이고 발발 떨었다. 짓궂은 개구쟁이들은 개구리의 그 꼴이 재미있어 "경례" 하고 호령을 하며 개구리를 갈겼다. 앞발을 머리 양쪽에다 구부려 붙이고 발발 떠는 꼴이 꼭 거수경례하는 꼴이었다. 그 거수경례하는 꼴이 신통찮으면 다시 내리쳤다. 그러나 두번째 회초리를 견뎌내는 개구리는 없었다. 거의가 맥을 놓고 늘어져버렸다.

아까 맞았던 체크무늬 학생의 몸뚱이가 꾸물거리는 것 같았다. 그러자 군인이 그 곁으로 갔다. 뭐라고 하며 군홧발로 엉덩이를 걷어찼다. 그러나 아까처럼 세게는 차지 않은 것 같았다. 학생은 일어나려고 안간힘을 쓰는 것 같았으나 몸뚱이가 제대로 말을 듣지 않는 모양이었다.

"일어나 새꺄!"

이번에는 버럭 고함을 지르며 사정없이 걷어찼다. 몸뚱이가 튕기듯 벌떡 일어났다. 아까처럼 엉덩이뼈를 찬 것 같지는 않았으나 늘어졌던 사람 같지 않게 후닥닥 일어섰다. 그만큼 겁을 먹었기 때문인 것 같았다.

군인의 손이 학생의 가슴으로 갔다. 옆으로 홱 챘다. 대번에 남방샤쓰가 반쯤 벗겨졌다. 뭐라 소리를 지르자 학생은 제 손으로 다급하게 옷을 벗기 시작했다. 바지를 벗다가 휘청 옆으로 나가떨어졌다. 앉은 채 군인을 힐끔 쳐다보며 바지를 마저 벗고 발딱 일어섰다.

마치 옷을 입고 있었던 것이 그렇게 맞을 만큼 잘못한 일이기라도 했던 것처럼 러닝샤쓰도 활활 벗어던졌다. 팬티 바람이 되었다.

"엎드려!"

학생은 날랜 동작으로 담벼락 밑에 대가리를 처박고 엎드렸다. 먼저 엎드려 있는 다른 학생들처럼 양손을 엉덩이에 얹어 깍지를 끼고 대가리를 처박은 것이다. 저런 꼴로 엎드리면 몸뚱이 구조가 그렇게 생겼으니 상체의 무게가 온통 머리로 쏠릴 것은 뻔한 일이었다. 군대 갔다 온 사람들한테서 들은 원산폭격이란 기합이 저것이 아닌가 싶었다.

십분만 저러고 있으면 눈알이 튀어나오고, 입으로는 창자가 기어 나올 것 같더라고 했다.

두번째 당했던 학생이 또 꾸물거리는 것 같았다. 군인은 그 학생도 일으켜 세워 옷을 벗겼다. 아까 그 군인과 똑같은 동작이었다. 찌르고 내리찍고 일으켜 세우는 동작도 똑같았고 옷을 채는 동작도 똑같았으며, 학생들의 반응도 똑같았다. 그사이의 시간마저도 너무나 정확하게 똑같았다.

"어머머!"

언제 왔는지 여학생 하나가 현도 옆에 와서 안을 들여다보고 비명을 질렀다. 현도를 보는 여학생의 눈은 튀어나올 것 같았다. 현도는 여학생한테서 눈을 거두어 다시 안을 들여다봤다.

저쪽에서 또 학생 하나가 버스에서 내려 교문께로 가고 있었다. 이번에는 공수단원이 밖에까지 나가 있다가 그 학생을 채 왔다.

군인들은 마치 발을 쳐놓고 거기 걸려드는 고기를 잡아다 갈무리하듯 그렇게 학생들을 잡아다 조져 담 밑에다 차곡차곡 고개를 처박게 하고 있었다.

"또 잡아와요!"

여학생이 저쪽 정류소 쪽을 바라보며 다급하게 말했다. 여학생은 얼굴이 새파랗게 질려 있었다.

"오치 쪽 정류소로 가서 이리 못 오게 해얄 것 같아요."

여학생은 숨을 씨근거리며 다급하게 말했다. 현도더러 어서 그 쪽으로 가서 학생들이 이리 못 오게 하라는 표정이었다. 현도는 정말 그렇게 하는 길밖에 없다고 생각했다. 다급하게 말하고 있는 여학생의 표정은 어서 가라고 현도를 떠미는 것 같았다.

현도는 여학생이 옆에 끼고 있는 책으로 얼핏 눈이 갔다. 제목이 한자로 씌어 있었다.

현도는 여학생의 안타까워하는 눈에서 눈을 거두며 말없이 돌아서고 말았다.

현도는 집을 향해 걸었다. 눈앞의 거리가 갑자기 생소하게 느껴졌다. 저 담벼락 안에서는 저렇게 엄청난 일이 벌어지고 있는데 거리에는 예사대로 사람들이 걸어 다니고 있었고, 차들이 질주하고 있었으며, 건물 또한 모두 그대로였다. 담벼락 안에서 벌어지고 있는 일과 이 바깥세상은 전혀 무관한 딴 세계같이 느껴졌다. 자기는 바로 여기 이 세계에 있어야 하는 건데 잠시 엉뚱한 세계를 들여다본 것 같았다.

현도는 몇발짝 걷다가 뒤를 돌아봤다. 아까 그 여학생이 택시를 잡아 올라타고 있었다. 택시는 현도 앞을 지나 저쪽으로 내빼고 있었다. 그것은 그냥 가고 있는 것이 아니라 내빼고 있는 꼴이었다.

현도는 아까 그 여학생이 자기를 떠밀듯 다급하게 말했을 때 너무나 엉뚱한 소리라는 느낌이었다. 저런 일은 자기하고는 아무 상관도 없다고 생각됐기 때문이었다. 대학생들이라면 중학교를 중퇴한 현도에게는 아득한 다른 세계의 사람들이었다. 겉을 화려하게 꾸미고 완강하게 철대문을 닫고 있는 집들이 자기하고 무관한 것과 마찬가지였다. 그런 집은 안을 어떻게 꾸미고 사는지, 현도는 그들이 사는 모습이 여간 궁금하지 않았지만, 현도는 아직까지 그런 집에 들어가본 적이 한번도 없었다. 대학생들도 마찬가지였다. 그들이 무엇을 공부하는지 그런 공부의 내용이 현도로서는 짐작할 수조차 없었다. 하여간, 그렇게 어려운 것을 배워야 출세를 하는 것이고, 그렇게 출세한 사람들은 화려한 집에서 자기들 끼리끼리만 얼려 사는 것 같았다. 그런 사람들은 현도같이 일이나 하고 사는 사람들과는 아득히 먼 곳에 있었던 것이다. 학생들이 데모를 한 것도, 계엄령이 내려 군인들이 저렇게 학생들을 조지는 것도 자기들끼리의 일일 뿐 현도 자기 같은 사람들과는 무관한 일로 느껴졌다.

그런 일에 어떤 방식으로건 자기 같은 사람이 끼어든다는 것은 마치 들어오라는 소리도 없는 집에 들어서는 것같이 당돌하고 분수를 모르는 짓 같기도 했다. 더구나 저런 무시무시한 대목에서 자기더러 간여하라고 하는 것은 너무나 부당한 일이었다. 아까 말없이 돌아서버렸던 것은 나는 이런 일에 끼어들 대학생이 아니라는 것을 행동으로 보여준 셈이었다.

햇빛이 가로수에 눈부시게 퍼붓고 있었다. 한창 피어오르고 있는 가로수 잎은 물이라도 뿌려놓은 듯 윤기가 흘렀다. 5월의 햇빛이 그 가로수에 쏟아져 어지럽게 반사되고 있었다.

현도는 시골의 가을 들판이 떠올랐다. 누렇게 벼가 익어가는 가을 들판은 지금처럼 윤기가 흘렀다.

현도는 새삼스럽게 진저리가 쳐졌다. 비단개구리를 회초리로 후려갈기던 그 들판 산자락이 떠올랐기 때문이었다. 개구리들은 사람이 가도 거기 웅성거리고 있을 뿐 멀리 도망치지 않았다.

"경렛!"

개구쟁이들은 미리 끊어온 회초리로 비단개구리를 후려갈겼던 것이다. 대가리 양쪽에 거수경례하는 시늉의 개구리를 보며 개구쟁이들은 재미있다고 낄낄거렸었다. 그때 개구쟁이들은 회초리를 맞고 발발 떠는 개구리의 통증은 전혀 아랑곳하지 않았었다. 아니, 그게 통증을 느껴 그런다는 사실 자체를 실감하지 못했던 것 같았다. 개구리가 거수경례하는 시늉을 하며 자기들에게 재롱을 부리는 것으로 알았을 뿐, 발발 떨던 그 모습이 그만한 통증이었던 것을 그때는 정말 느끼지 못했던 것이다. 어렸을 때의 그 짓이 얼마나 잔인했던가, 현도는 새삼스럽게 진저리가 쳐졌다.

현도는 골목을 돌아가며 다시 뒤를 돌아봤다. 멀리서 구경하고 있던 학생들이 하나씩 돌아가고 있었다. 돌아가는 학생들의 모습은 모두가 겁먹은 얼굴이었고 도망치는 꼴이었다. 현도는 대학생들이 데모를 할 때 막연히 잘한다고 생각했었지만, 그때도 자기는 한참 뒷전에서 구경하는 사람이었듯이 지금도 구경꾼일 뿐이었다.

꼬마 하나가 현도 뒤에서 뛰어와 길가의 가게로 쪼르르 들어가며 소리를 질렀다.

"엄마!"

꼬마는 가게 안으로 쓸려들며 더 크게 소리를 질렀다.

"지금 군인들이 전대생들을 막 죽여!"

꼬마는 숨넘어가는 소리를 했다.

"또 데모하냐?"

"아녀. 그냥 학교 가는 학생들이여. 데모도 안 하고 학교만 가는디, 잡아다 곤봉으로 찌르고, 군홧발로 밟고, 옷을 벗기고, 막 죽여."

"옷을 벗겨?"

"응. 빤쓰만 냉기고 다 벗겨서 대가리를 땅에다 처박아놓고 막 차고 때리고……"

"오매오매. 일이 크게 벌어지는갑다. 이놈의 새끼, 인자 바깥에 나가지 마라잉. 다시 나갔다가는 죽을 줄 알어."

그 어머니는 입을 앙다물며 종주먹이었다.

현도가 자기 집 골목 어귀에 이르자 복덕방에서 노인들이 밖을 내다보고 있었다. 바둑도 두지 않고 모두 겁먹은 눈으로 밖을 내다보고 있었다.

"시방 계엄군들이 전대서 학생들을 작살을 낸다든디 못 봤냐?"

평촌영감이었다. 할아버지뻘 되는 현도 고향 영감이었다.

"못 봤어라우."

현도는 가볍게 대답을 하며 그런 일에는 관심이 없다는 듯 골목으로 들어와버리고 말았다.

"너도 더 나댕기지 마라."

평촌영감이 등 뒤에다 대고 한마디 했다. 그는 시골서 얼마 전에야 여기 아들한테로 와서 살고 있었다. 현도가 이 골목에다 방을 얻은 것은 고향 사람이자 일가인 이 영감 집 그늘에 들려는 것이었다.

초인종을 눌렀으나 집에는 아무도 없는 것 같았다. 문설주 뒤로 손을 넣어 대문을 끌렀다. 담장 밑의 무화과나무가 쏟아지는 햇빛을 받아 윤기를 빛내고 있을 뿐, 집안은 나간 집처럼 고즈넉했다. 현도는 이 집의 낯익은 분위기도 아까 거리에서 느꼈던 것처럼 생소하게 느껴졌다.

부엌을 지나 제 방으로 들어섰다. 부엌은 옆방하고 같이 쓰고 있었다. 현도는 이 방이 싸기도 하려니와, 혼자 살기에는 이만한 데가 없을 것 같아 이 방을 얻어 혼자 자취를 하고 있었다. 남의 방에 들어온 것처럼 잠시 서성거리다가 아랫목에 깔려 있는 이불 밑으로 몸을 디밀었다. 현도는 팔베개를 하고 반듯이 누워 천장을 쳐다봤다. 가슴이 벌렁벌렁 뛰고 있었다. 현도는 지옥이나 어디 낯선 세계에 다녀온 것 같은 느낌이었다. 아까 어머 하며 새파래지던 여학생의 똥그란 눈이 떠올랐다. 그 여학생은 지금 어떤 모습을 하고 있을까? 그 여학생 얼굴 위에 미혜의 얼굴이 겹쳤다. 아까 현도는 그 여학생을 보는 순간에도 미혜의 얼굴이 떠올랐었다. 그리고 눈이 미혜를 닮았다고 생각했었다. 미혜가 그 자리에 있었다면 그는 어떤 표정을 지었을까?

현도는 다시 진저리가 쳐졌다. 그 여학생이나 미혜 같은 가냘픈 여자들이 살기에는 이 세상은 너무나 거칠고 험하다는 생각이 든 것이다. 총과 포가 불을 뿜어대고 인간의 눈초리에 증오밖에 없는 전쟁판의 어린애와 소녀들은 얼마나 처참하던가? 전쟁 때의 처참한 영화장면들이 눈앞에 아른거렸다.

현도는 엉덩이를 공중으로 치켜들고 있던 대학생들의 모습이 떠올랐다. 논두렁 밑에 대가리를 처박고 뜸베질하던 엇부루기. 현도는 화창한 고향 들판과 푸른 하늘이 떠올랐다. 그 들판은 한없이 평화롭고 그리고 이런 험한 일과는 전혀 무관한 곳이었다. 현도는 당장 고향으로 달려가고 싶은 생각이 불쑥 떠올랐다. 거기 가면 푸른 하늘이 있고, 푸른 들판이 있고, 맑은 시내가 있고, 어머니와 할머니가 있고, 정다운 고향 사람들이 있었다. 그러나 아무 핑계도 없이 고향에 갈 수는 없는 일이었다.

현도는 다시 아까 그 군인들의 모습이 떠올랐다. 순간 아차 하는 생각이 들었다. 그 군인들 얼굴 모습이 어떻게 생겼던가 떠오르지 않았기 때문이었다. 대학생들의 배를 찌르고 옷을 벗기고 엉덩이를 걷어찰 때의 그 군인들 표정이 어떠했던가 그들의 모습을 더듬었으나 구체적인 표정은 전혀 떠오르지 않았다. 그냥 군복을 입고 군화를 신고 헬멧을 쓴 군인일 뿐이었다. 현도는 무언가 큰 것을 놓친 것 같은 낭패감이 들었다. 그들의 얼굴 표정을 자세히 봤더라면 사람이 사람을 저럴 수가 있을까 하는 의문이 풀릴 법도 하다는 생각이 들었기 때문이었다. 그들도 틀림없이 예사 사람일 터이니 그런 무지막지한 짓을 한 데는 그만한 까닭이 있을 것 같고, 그 얼굴을 자세히 봤더라면 거기서 그런 의문이 풀릴 것도 같다는 막연한 생각이 든 것이다.

그때 골목에서 발짝 소리가 났다. 현도는 귀를 쫑그렸다. 여기는 막바지 골목이라 이 집 말고는 집이 한채밖에 없었다. 우투리가 아닌가 했다. 그러나 남자 발짝 소리가 아닌 것 같았다. 발짝 소리가 대문 앞에 멈췄다. 초인종이 울렸다.

—미혜?

현도는 벌떡 일어났다. 현도가 혼자 마음속으로 좋아할 뿐인 미혜가 여기에 나타날 까닭이 없었다. 그러나 어찌 된 일인지 현도는 틀림없이 미혜일 거라는 생각이 들였다.

"누구세요?"

현도는 부엌으로 나가 부엌문을 열며 태연하게 물었다.

"현도 씨요?"

"예."

현도는 화다닥 뛰어나갔다. 화사한 차림의 미혜가 놀란 눈을 똥그랗게 뜨고 서 있었다. 전남대학교 담 안의 그 무시무시한 광경을 보고 온 얼굴임에 틀림없었다. 시내버스를 타고 왔다면 틀림없이 대학 교문 앞에서 내렸을 것이기 때문이다.

"밖에 나가지 말아요. 군인들이 대학생들을 패고 난리가 났어요."

미혜는 바삐 왔던지 가쁜 숨을 바루어 쉬며 말했다.

"들었소. 쪼깐 들어오시요."

현도는 얼떨떨한 기분으로 겨우 이렇게 대답했다.

"선희 언니 집에 가다가 들렀어요. 정말 밖에 나가지 말아요."

선희는 평촌영감 손녀로 봉제회사의 미싱공이었고, 미혜도 같은 회사에 다니고 있었다.

현도는 더 뭐라 대꾸하지 못하고 멍청하게 미혜만 보고 있었다.

"무시무시해요."

미혜는 진저리를 치며 돌아섰다. 현도는 갑자기 바보가 된 것처럼 아무 말도 못하고 멀어져가는 미혜의 뒷모습만 멍청하게 건너다보고 있었다.

골목을 돌아가려다 말고 미혜가 뒤를 돌아봤다. 미혜는 어서 들어가라는 손짓을 해놓고 골목을 돌아가고 말았다. 현도는 미혜가 골목으로 사라진 다음에도 한참 동안 그쪽을 보고 서 있었다. 골목 블록담에 쏟아지고 있는 햇살이 유난히도 맑았다. 햇살이 블록을 파먹고 있는 것 같았다.

현도는 꿈에서 깨어나기라도 한 것처럼 그제야 대문을 닫고 돌아섰다. 얼떨떨한 기분이었다. 미혜가 다시 돌아올 것만 같은 기분이기도 했다. 현도는 실없이 다시 밖에다 귀를 쫑그렸다. 도대체 미혜가 자기한테 왔었다는 것이 도무지 믿어지지 않았다. 현도는 얼얼한 기분으로 그냥 멍청하게 앉아 있었다. 모든 게 도무지 알 수 없는 일이었다. 아까 초인종이 울렸을 때 현도는 아무 근거도 없이 저게 미혜라고 직감했던 것인데 그게 정말 미혜였다. 도대체 저게 미혜라고 단정한 것도 터무니없는 일이었고, 더구나 여기 올 것이라고 꿈에도 생각해본 적이 없는 미혜가 여기 온 것도 꿈같은 일이었다. 그런데 그런 일이 꿈이 아닌 현실에 나타난 것이다.

미혜는 현도가 조금만 가까이하려 하면 항상 가까이하려 한 만큼씩 더 멀어지던 여자였다. 선희는 현도의 마음을 눈치채고 자꾸 미혜를 만날 수 있는 기회를 만들어주는 것 같았으나, 미혜는 그때마다 나는 너에게 별반 관심이 없다는 사실을 명백하게 알려주기라도 하려는 듯 예사 때보다 더 냉랭했던 것이다. 그러던 미혜가 혼자 여기에 온 것이다. 예사 때 같으면 이건 너무도 황홀한 사건이었으나, 이것도 아까 대학 담 안에서 벌어지고 있던 사건과 같이 엉뚱한 사건처럼 느껴지기도 했다.

그때 또 밖에서 발짝 소리가 났다. 현도는 귀를 쫑그렸다. 미혜가 돌아오는 것이 아닌가 싶은 생각에서였다. 그러나 미혜는 아니었다. 사내들 발짝 소리 같았고 몹시 바쁘게 다가오고 있었다.

"성민아!"

크게 부르며 다급하게 초인종을 눌렀다. 성민이는 저쪽 변소가 달린 별채에서 중학생 동생과 자취를 하고 있는 대학생이었다. 그는 전남대학교 데모 주동자급인 것 같았다. 간혹 형사가 찾아오기도 했고 어쩔 때는 며칠씩 피할 때도 있었다. 친구들이 찾아와 밤늦게까지 숙덕일 때도 있었는데, 현도가 변소에 갔다 오다 조용히 귀를 기울여보면 숙덕이는 소리들이 데모 모의를 하는 것 같았다.

"아무도 안 계세요?"

다시 초인종을 누르며 안에다 대고 소리를 질렀다. 현도가 밖으로 나갔다.

"누구시요?"

"성민이 친구들입니다."

대문을 땄다. 몇번 본 적이 있는 얼굴들이었다.

"저쪽 대학생 없어요?"

"나간 모양인데요."

그들은 현도를 밀치고 들어와 성민이 방 쪽으로 갔다. 그 방에는 자물쇠가 채워져 있었다.

"들어오거든 친구들이 왔다 갔다고 좀 전해주시요. 서문 쪽으로 가더라면 알 거요."

"서문이요?"

"예. 전대 저쪽 징문."

그들은 바삐 골목을 빠져나갔다. 그들은 몹시 긴장되어 있었으나 결의에 차 있는 표정이었다. 그 공수단과 결판을 내자고 작정을 한 것이 아닌가 싶었다. 겁먹은 표정들이었으나 그만큼 눈이 빛나고 있었다. 서문으로 간다는 것이 거기서 붙기로 한 모양이었다.

현도는 그들의 결의에 찬 표정을 보고 나자 아까 자기의 행동이 너무 비겁했다는 생각이 들었다. 저쪽 정류소로 가서 시내버스가 멈출 때마다 교문에서 내리지 말라는 소리만 해줬더라면 그들을 전부 구해줄 수 있었다. 그런데 그는 그런 간단한 일을 안 했던 것이다. 절벽인지 모르고 뚜벅뚜벅 걸어가고 있는 사람을 그냥 멀거니 보고 서서 그들이 절벽으로 굴러떨어지는 꼴을 구경만 하고 있었던 것이다.

아까 골목을 들어올 때 공수단들이 하는 짓 못 보았냐고 노인들이 묻자 또 못 봤다고 했었고, 미혜가 와서 그 이야기를 할 때는 나도 보았다고 하지 않고 들었다고 했었다.

천장을 쳐다보고 누워 있는 현도의 가슴은 몹시 벌렁거리고 있었다. 자신이 너무 옹졸하고 비겁하다는 생각이 들었다. 처음에는 그 여학생의 말이 옳다고 생각했었고, 그때 바로 달려갈까 생각하기도 했었다. 그런데 갑자기 가고 싶지 않았던 것은 그 여학생이

들고 있는 책 표지의 한자 때문이었다. 그 생소한 글자만큼이나 그들과의 사이에 거리가 느껴졌던 것이고, 그런 자기가 그들이 하는 일에 끼어든다는 것은 그만큼 당돌하고 분수에 넘는 짓이라는 생각이 들었던 것이다. 그런데 그들이 당한 고통은 너무도 큰 것이었다. 그게 당돌하고 분수에 넘는 짓이 아니라 그냥 와버린 것이야말로 비겁하고 옹졸한 짓이었다. 미혜가 자기의 꼴을 보았었다면 어떻게 생각했을까? 미혜는 자기더러 밖에 나가지 말라고 여기까지 와서 당부를 했다. 그런데 자기는 학생들의 위험을 눈앞에 보면서도 그냥 돌아오고 말았다.

미혜는 어렸을 적부터 꿈이 초등학교 교사가 되는 것이라 했다. 자기가 다니던 학교에 예쁜 여선생이 있었는데 그 여선생이 일학년짜리 꼬마들을 데리고 개울로 가서 꼬마들 손을 씻겨주는 모습이 그렇게 아름다울 수가 없었다고 했다. 겨울을 지나고 난 시골 아이들은 손등에 때가 더뎅이지게 마련이었다. 그런 아이들의 때를 벗겨주고 있는 미혜의 모습이 떠올랐다. 지금도 미혜는 초등학교 교사가 되는 꿈을 버리지 못하고 있었다. 공장에 다니며 공부를 해서 대학입학 자격 검정시험에는 합격을 했는데, 대학 갈 돈이 제대로 모아지지 않는다고 했다.

그때 또 골목에서 발짝 소리가 났다. 달려오는 소리였다. 저쪽 방에서 자기 형과 자취를 하고 있는 중학생이 아닌가 싶었다. 초인종이 울렸다.

—찍 찍 찌익.

그 중학생이 틀림없었다. 저런 간격으로 누르는 소리는 그들 형제끼리만 약속된 소리였다. 현도가 일어나려는데 뜻밖에 저쪽 그들의 방 쪽에서 문소리가 났다. 방문이 아니라 부엌문 소리였다. 그 형이 나오는 것 같았다. 그러니까, 방에 있으면서도 일부러 밖에서 방문에 자물쇠를 채워놓고 있었던 모양이었다. 자기 친구들이 찾아올 것에 그렇게 대비를 했던 것 같았다.

"성, 클났어 클나."

중학생은 숨넘어가는 소리를 했다.

"왜?"

"오다가 시호 형이랑 만났는디 형은 가지 마. 지금 계엄군들이 학생들을 막 죽여. 곤봉으로 치고 자빠지면 군홧발로 얼굴을 칵칵 짓이겨."

"어디서?"

"전대 교문 앞에서 학교 가는 학생들을 잡아다 그렇게 반 죽여. 학교 가는 교수도 쳤대."

"뭐, 교수도?"

"무시무시해. 시호 형은 형이 들어오면 빨리 서문으로 나오라고 그리 갔는디, 형은 가지 마."

동생은 숨넘어가는 소리로 쫑알거리며 그 형과 함께 부엌으로 들어가는 것 같았다. 성민이한테는 그 학생들밖에는 별로 찾아오는 사람이 없었던 것으로 미루어 밖에다 자물쇠를 채워놓은 것은 그들을 따돌리자는 수작이 분명했다.

성민이의 꼬락서니를 보고 나니 이렇게 이불을 쓰고 있는 자기도 성민이처럼 비겁한 짓을 하고 있는 것 같았다. 현도는 자리에서 일어나 밖으로 나갔다.

골목 어귀 복덕방에는 예사 때보다 영감들이 더 많이 나와 있었다. 현도는 평소에는 여기 들어가본 적이 없었으나 따로 갈 데가 없어 그 앞에서 잠시 서성거리다가 열려 있는 복덕방 한쪽 문으로 밋밋이 몸뚱이를 들여놨다. 안에는 소파 대신 나무 평상이 놓여 있었다. 현도는 평상 한쪽 귀퉁이에 엉덩이를 내려놨다.

"대학생들이 철딱서니 없게 날뛸 때부터 알아봤어."

염소수염을 한 노인이 담배에 불을 붙이며 이럴 줄 알았다는 가락으로 말했다.

"알아보기는 뭘 알아봤단 말이요?"

복덕방 주인영감이 툭 쏘았다. 그는 젊었을 때 시골에서 면 서기를 했다는 사람으로 여기 모인 노인들 중에서 제일 유식하다면 유식한 사람이었다.

"몰라서 묻소? 해도 웬만치 해사제 밤중에 횃불까지 줄줄이 켜 들고 그 난리를 쳐놨으니 가만두겠소?"

"횃불을 들고 난리를 치다니, 난리를 쳤으면 그 횃불로 뉘 집에다 불을 질렀단 말이요, 어디 관청에다 불을 질렀단 말이요? 당신 안 봤어? 양옆으로 횃불 안 가진 아이들이 시줄 니줄로 줄줄이 서고 맨 가운데 한줄만 횃불을 들고 질서가 반듯하게 가잖았소? 그때는 당신 뭐라고 했소? 학생들이 일을 해도 각단지게 한다고 학생들 칭찬에 침이 발았던 사람이 이제 와서는 뭣이 어짜고 으째라우?"

복덕방 영감이 눈을 흘기며 핀잔이었다.

"내가 시방 꼭 횃불만 가지고 하는 소리간디라우. 공부하는 학생들인께 공부는 공부대로 함시로 그래도 방불하게 해사 쓸 것 아니냐, 이말 아니요?"

"공부하는 학생들인께 교실에 틀어박혀서 공부나 하라고? 어디서 많이 듣던 소리구만."

곁에 앉았던 텁석부리 영감이 밖에다 눈을 둔 채 핀잔이었다.

"어디서 듣던 소리라니 그것은 또 먼 소리요?"

염소수염이 발끈하고 나섰다.

"테레비에서 많이 듣던 소리란 말이요. 학생들이라고 할 일 없어서 그런 줄 아시요? 군인들이 정치에 나서갖고 다른 것은 몰라도 농촌 꼴을 뭣을 맨들어놨소? 군사정부 들어섬시로 촌사람들이 쌀값을 한번 제대로 받아봤소, 보리값을 한번 제값 받아봤소. 쌀값 보리값뿐이간디?"

"그런께 시방 학생들이 촌사람들 생각하고 데모를 했다, 이 말씀인가?"

염소수염이 뇌었다.

"촌사람들만 생각했을 것이여? 총칼 앞세우고 몽댕이로 소 몰대끼 몰아붙여, 터져 죽은 놈은 터져 죽고 곯아 죽은 놈은 곯아 죽은께, 서로 방불하게 살라면 민주주의 해사 쓰겠다 이거 아녀? 우리같은 무지렁이들은 입을 두고도 찍소리 한마디 못한께 학생들이 나선 것인디, 그러코 옳은 소리 하고 나섰으면 잘한다고 치사는 못할망정 비뚤어진 소리는 말아사 쓸 것 아녀."

"못써. 아무리 임자 없는 소리라고 한입으로 두말하면 땅속에 뗏장 지고 있는 부모들한테꺼정 욕이 가는 법이여."

얼굴이 꺼무데데한 영감이 늘어진 소리로 핀잔이었다. 그는 자기 아들이 정부에서 장려하는 버섯을 재배하다가 망했다는 사람이었다.

"뭣이요? 부모들한테꺼정 으짜다니 그것이 시방 무슨 이면으로 하는 소리요?"

"이면이랄 것까지도 없잖소. 일구이언(一口二言)이면 이부지자(二父之子)란 소리가 뭐요?"

"뭣이?"

염소수염이 지팡이로 시멘트바닥을 깡 찍으며 소리를 높였다.

"시방 내가 그냥 씨불이는 소리가 아니요. 이러다가 김일성이가 밀고 내려오면 어짤 것이냐 이런 걱정이 앞서서 하는 소리라 이거요. 김일성이가 쳐들어오는 날에는 학생덜 즈그덜이 맨주먹으로 그 작자덜 몰아내겄소?"

"그 소리도 어디서 많이 들어본 소리그만. 그래 김일성이가 쳐내려오면 우리 쪽 군대는 낮잠이나 자고 앉았을 것인가?"

텁석부리였다.

"들어본 소리나 마나 전쟁이 일어나면 죽기는 누가 죽냐 이거요. 싸우는 놈도 죽고 애먼 놈도 죽고 너나없이 다 죽어. 6·25 때 안 봤간디."

염소수염은 입침을 튀겼다.

"저이가 으째서 이얘기가 초장에 파장 타령인가 모르겄네. 그 얘기는 전쟁이 일어났을 때 이얘기고, 내 이얘기는 애초에 김일성이가 전쟁을 못 일으킨다, 이 소리 아니요. 우리 군대는 놔두고 미군들까지 휴전선을 지키고 있고 원자탄까지 있다는디, 지가 어뜨코 전쟁을 일으켜? 미군들은 전쟁하러 온 것이 아니고 휴전선이 무슨 금강산이라고 관광하러 왔간디? 원자탄은 또 그것이 탄이란께 손으로 집어던지는 수류탄 같은 것인 중 알어?"

"김일성이는 뒤 없간디? 저도 쏘련 있고 중공 있고 뒷배가 든든한 놈인디 그만한 마련 없을 것 같어. 시방 그 작자도 할 만한 단도리 다 해놓고 이쪽에 허한 구석이 없는가 소절 난 까마구 똥뒷간 노리듯 하고 앉았다구."

"허허. 그러고 본께 국방장관 깜이 여그 있었는디 박가가 눈이 어두워도 크게 어두웠구만."

텁석부리가 늘어진 소리로 핀잔이었다.

"그래 시방 내 이야기가 틀렸단 말이요?"

"틀렸잖았은께 국방장관 깜이라 했제, 틀렸으면 국방장관 깜이라 했으까. 그런 이야기를 할라면 선후를 알아도 똑똑히 알고 하라구. 김일성이가 못 쳐들어오게 할라면 데모한다고 탓을 할 것이 아니라 으째서 데모가 일어나는가, 그것을 지대로 알아 그걸 고치는 것이 지대로 정치가 아니고 뭐요? 울타리가 부실하면 이웃집 강아지가 침노하더라고, 기왕에 농촌 이얘기가 나왔은께 말이제마는 시방 농촌 꼴을 보면 나라 한 귀탱이가, 그냥 부실한 것이 아니라 불 맞은 비니루 쪽박맨키로 팍 쪼그라졌어. 농사는 천하지대본이라 했는디, 농촌을 저 꼴을 맨들어논 정치가 그것이 말이 삼은 소신이여, 소가 삼은 말 털맹이여?"

"그런 소리는 그만합시다."

그때 평촌영감이 어디서 계엄군이 듣고 있기라도 한 것같이 주변을 살피며 말리고 나섰다.

"제기랄. 잡아갈라면 잡아가라고 혀. 이러코 쪼그랑 망태가 되도록 골 뽑히고 삼시롱도 지대로 말 한마디 못하고 살았던 놈이여."

텁석부리가 배짱을 부리고 나왔다.

"나도 저놈덜한테 덕본 것 없어. 더구나 농촌 이얘기 나오면 눈에 쌍심지가 돋는 놈이라구."

염소수염이 지팡이로 턱없이 크게 시멘트바닥을 깡 찍었다.

염소수염은 색갈이를 칠십가마니나 놓아 장리를 기르고 있다가 5·16 때 고리채 정리로 홀랑 날려버렸고, 또 그 아들은 얼마 전에 돼지를 기르다가 돼지 파동으로 살림이 거덜이 난 사람이었다. 색갈이를 칠십가마니토록 불리면서 한가마니도 떨궈보지 않았다는 것이 그의 자랑거리였는데 박정희가 혁명인가 지랄인가 하는 바람에 날려버리고 말았다고 염소수염은 박정희라면 노상 응짜부터 붙이고 나왔다. 색갈이를 그렇게 불리도록 한가마니도 안 떨궜다면 그가 얼마나 재물에 강밭은 사람이었는지 알 만했다.

"내가 시방 하는 소리는 저 작자들이 이뻐서 하는 소리가 아니고……"

염소수염이 말을 하다가 밖을 내다보며 말을 그쳤다.

"으째서 저 사람이 그냥 돌아오는고?"

평촌영감이 거리를 내다보며 이죽거렸다. 현도 큰방 주인이 과일 리어카를 끌고 바삐 오고 있었다. 충장로나 금남로에서 리어카에 과일을 싣고 다니며 파는 사람이었다. 사내는 잔뜩 겁먹은 얼굴로 땀을 흘리며 리어카를 바삐 밀고 왔다.

"으째서 그냥 들어오는고?"

텁석부리 영감이 내다보며 물었다.

"아이고, 말도 마시요. 시내가 시방 발칵 뒤집혔소."

사내는 수건으로 땀을 닦으며 고개를 내둘렀다.

"시내가 뒤집히다니, 그럼 학생들이 오늘도 시내로 나가 데모를 한단 말이여?"

"충장로 파출소를 때려 부수고 이런 난리가 없소. 계엄군들은 학생이고 시민이고 걸리는 족족 패고 짓밟고 작살을 내는디, 그래도 학생들은 죽을 둥 살 둥 모르고 덤비고 있소그랴."

사내는 절레절레 고개를 내두르며 리어카를 밀고 골목으로 들어섰다. 골목을 돌아가려던 사내가 무슨 생각을 했는지 리어카를 멈추며 뒤를 돌아봤다.

"현도!"

사내가 다급하게 현도를 불렀다.

"예!"

현도는 자리에서 발딱 일어섰다. 마치 선생님한테 호명당한 초등학생 꼴이었다.

"그 자네 친구 있제? 늘 우리 집에 오는?"

"예."

현도는 한발 다가섰다.

"그 사람 겁 없는 사람이더만. 얼른 가서 데려오든지 해야겄데. 시방 금남로 근방에서 얼쩡거리고 있어. 계엄군한테 걸렸다 하면 바로 걸린 자리가 초상난 자리여."

"금남로 어디 있어요?"

"광주은행 앞에서 봤는디, 여그가 어디라고 얼쩡거리고 있냐 해도 들은 척도 안 해. 하마 안 잽혀갔는지 모르겄네. 얼른 가보게."

사내는 다시 수건으로 땀을 훔치고 나서 리어카를 힘껏 밀었다.

"만수 말이냐?"

평촌영감이 물었다. 만수는 우투리의 본명이었다.

"예. 얼른 가서 데리고 올라요."

현도는 밖으로 나갔다.

"조심해라잉."

현도는 버스를 탔다. 계림동 근방은 아무 일도 없었다. 중앙초등학교 사거리 동문 다리께서 버스를 내렸다. 금남로를 통과하는 버스인데, 노선을 엠비씨 쪽으로 변경해서 다니고 있었기 때문이었다.

현도는 광주은행 쪽으로 갔다. 사람들이 여기저기 웅성거리고 있었다. 지하도 공사를 하다 말았기 때문에 광주은행 쪽은 거리가 어수선했다. 골조 공사만 끝내고 길바닥에 흙을 골라놨을 뿐 아직 포장은 하지 않은 상태였다. 여기서도 데모가 한바탕 심하게 벌어졌던 것 같았다.

"여그 온 공수단놈의 새끼들은 전부 경상도 놈들인 것 같어. 이 새끼들이 전라도 놈들 씨를 말려불겄다고 악을 쓰더라구."

웅성거리고 있는 사람들 속에서 젊은이 하나가 입침을 튀겼다.

"뭣이, 그럼 시방 경상도 군인들이 전라도 사람들 씨를 말리러 왔다 이 소리여? 그 소리를 정말 당신이 직접 들었어?"

"그려. 아까 그놈들이 저그 미도장 쪽에서 나옴시롱 악쓰는 소리를 내가 저그 야구연습장에 숨어서 똑똑히 들었는디, 그 새끼들 말소리가 전부 경상도 놈들이여."

"그럼 시방 학생들은 얼매나 잡혀갔소?"

"말도 마시요. 여그서만도 여러 트럭 잡아갔소. 학생들만 잡아간 것이 아니라 이 개새끼들이 미도장에 든 손님들까지 몽땅 잡아갔는디, 신혼여행 온 부부까지 께를 할딱 벳겨갖고 실어갔소."

"뭣이, 신혼여행 온 부부를 신부까지 께를 할딱 벳겨갖고 싣고 갔단 말이요?"

"신부는 못 봤는디, 신랑이 잡혀간 것은 틀림없소. 이 새끼들이 신랑은 또 얼마나 무지하게 뚜드러 패부렀는가, 눈텡이야 입이야 얼굴이 완전히 작살이 났는디, 나는 신혼여행 온 사람이라고 싹싹 빌어도 소용이 없습디다. 그것도 내가 야구연습장 뒤에 숨어서 똑똑히 봤소."

미도장 앞의 공지에 야구연습장이 있었다.

"그럼 신부는 어뜨코 됐소?"

"그것이사 내 눈으로 안 봤은께, 누가 알갔소? 신랑 내쫓아놓고 잡아묵었는지 볶아 묵었는지……"

"오매, 그 새끼들이 사람이여?"

젊은이 하나가 주먹을 쥐었으나 다른 사람들은 그저 겁먹은 얼굴일 뿐이었다.

현도는 우투리가 더 염려스러워 조심조심 금남로 쪽으로 갔다.

"와!"

도청 쪽으로 학생들이 몰려가며 함성을 질렀다. 시민들은 연도에서 학생들 뒤를 따라가고 있었다. 학생들은 마구 돌멩이를 던지며 몰려갔다. 저 앞에 전투복을 입고 있는 사람들은 공수단이 아니고 전투경찰인 것 같았다.

전경들은 학생들 기세에 차츰 뒤로 밀리며 최루탄만 쏘아댔다.

그때였다. 그쪽에서 펑 소리가 나며 연기가 한무더기 크게 피어올랐다. 불길이 솟고 있었다. 가스차였다.

"와!"

학생과 연도의 시민들이 환성을 질렀다.

"계엄령 해제하라!"

"전××이 찢어 죽여라!"

차에서 솟는 불길에 기세가 오른 학생들은 전투경찰들을 향해 정신없이 돌멩이를 집어던지며 악을 썼다. 연도의 사람들도 악다구니를 썼다. 순식간에 엄청난 군중이 몰려나왔다. 모두 골목으로 숨었던 사람들이었다. 불길은 엄청난 기세로 타고 있었다.

계엄군들은 어디로 가버렸는지 보이지 않고 저쪽 전경들은 최루탄만 쏘아댈 뿐 이쪽으로 밀고 오지는 못했다. 대학생들의 기세에 그만큼 기가 죽은 것 같았다. 학생들도 불어났고 연도의 시민들도 점점 불어나고 있었다.

한참 그렇게 기세가 오르고 있을 때였다. 데모대 앞쪽이 조금 물러서는 것 같았다.

"공수단이다!"

앞쪽에서 소리를 지르며 뒤로 도망치기 시작했다. 연도의 시민들은 공수단이란 소리에 정신없이 뛰고 있었다. 공수단들은 장갑차까지 앞세우고 서서히 밀고 왔다. 도망치던 시민들이 멈추기 시작했다. 현도도 중앙교회 한참 지나 멈췄다. 밀고 오던 공수단이 멈춘 것이다.

공수단은 일렬로 길을 가로막고 서 있었다. 공수단들이 더 쫓아오지 않고 그렇게 멈추자, 무슨 일인가 학생들도 머쓱한 표정들이었다. 공수단은 학생들을 도청으로 접근만 못하게 지키려는 듯했다. 멀찍이 서서 그쪽을 보고 있던 학생들이 조금씩 다가가며 멀리서 그들을 향해 돌멩이를 던졌다. 그러나 공수단 있는 데까지는 어림도 없었다. 학생들은 점점 가까이 다가가며 돌멩이를 던졌다. 멀리 날아간 돌멩이 하나가 공수단원 가슴팍에 맞았다. 그러나 그는 꿈쩍도 하지 않고 서 있었다. 마치 쇠로 만든 로봇 병정 같았다. 그걸 본 학생들은 되레 겁이 나는지 조금 물러섰다. 학생들이 다시 한발씩 다가가며 돌멩이를 던졌다.

돌멩이가 공수단원 몸에 맞기도 하고 옆으로 떨어지기도 했다. 그러나 그들은 고개를 돌린다거나 쫓아오지도 않았다. 학생들이 더 다가가며 돌멩이를 던졌다.

그제야 공수단들은 우르르 쫓기 시작했다. 마치 백 미터 선수가 출발선에서 튀겨 일어나는 꼴이었다. 학생들은 우케 멍석의 참새 떼들처럼 우르르 도망쳤다. 연도의 시민들도 마찬가지였다. 현도는 도망치는 사람들에 밀려 골목으로 쏠려 들어갔다. 막다른 골목이었다. 그러나 사람들은 계속 몰려들고 있었다. 사람들은 어느 집 대문을 밀치고 몰려 들어갔다. 사람들이 마당에 가득 차고 말았다. 사람들은 계속 몰려들고 있었다. 누가 대문을 닫아버렸다. 사람들은 다른 집으로도 들어가는 것 같았다. 발짝 소리가 그치더니 좀만에 다시 발짝 소리가 났다. 이번에는 당당한 발짝 소리였다.

"문 열어!"

대문을 냅다 걷어찼다. 공수단이 틀림없었다. 마당에 웅성거리고 있던 사람들은 부엌이며 방으로 쏠려들었다. 현도도 방으로 들어갔다. 신을 신은 채였다.

"문 안 열어?"

공수단원은 몸뚱이를 냅다 문에다 부딪치는 것 같았다. 철문이 깡 벼락치는 소리를 내며 열렸다. 뒤안으로 몰려간 사람들은 뒷담을 넘는 것 같았다. 방에 몰려들었던 사람들은 윗방으로 몰려가기도 하고 부엌으로 나가기도 했다. 농문을 열어 이불을 꺼내 뒤집어쓰고 아랫목에 눕는 사람도 있었다. 현도는 농 위를 올려다봤다. 올라갈 수만 있다면 제일 안전할 것 같았다. 밖에서는 여기저기서 비명소리가 찢어졌다. 현도는 텔레비전 상자를 딛고 농 위로 몸뚱이를 홱 굴려 올렸다. 용케 농 위에 허리를 걸칠 수 있었다. 허리를 잔뜩 굽히고 기어올라가 농 위에 몸뚱이를 눕혔다. 윗방에서 몇사람들이 다시 이 방으로 오는 것 같더니 농문을 열고 농 안으로 들어가며 농문을 닫는 것 같았다.

"나는 아니요. 이 집 아들이요."

"새끼!"

—딱.

"윽."

—딱.

"윽."

부엌에서는 비명소리가 계속되었다.

이내 방으로 들어오는 것 같았다. 이불을 젖히는 것 같았다.

"아이고. 선생님 살려주십쇼. 나는 데모 안 했소."

"새끼!"

—딱.

"윽"

정통으로 머리를 내리치는 것 같았다.

농문이 열리는 소리가 났다.

"나와. 이 새끼들아!"

—딱.

—딱.

공수단원들이 나가는 것 같았다. 집안 여기저기서 신음소리가 났다. 그러나 현도는 몸이 굳어 꼼짝달싹할 수가 없었다. 끼여 있는 공간이 좁아서가 아니었다. 가위눌린 것처럼 몸뚱이가 굳어버린 것이다. 현도는 억지로 몸뚱이를 움직였다. 방바닥부터 내려다봤다. 세사람이 피를 흘리며 늘어져 있었다. 내려가려 했으나 농이 너무 높아 쉽게 내려갈 수가 없었다. 내가 여기를 어떻게 올라왔던가 의심스러울 지경이었다. 현도는 아래로 몸을 늘어뜨려 내려왔다.

그사이 한사람은 피가 흐르는 머리를 싸안고 밖으로 나가고 있었고 두사람은 피를 흘리며 그대로 누워 있었다. 피가 방바닥을 흥건히 적시고 있었다. 부엌에서는 사람들을 떠메고 나가는 소리가 났다.

"여기도 있소."

현도가 밖에다 소리를 질렀다.

"워매 저그도 죽었네."

사람들이 몰려 들어왔다

"죽든 않은 것 같소. 어서 병원으로 옮깁시다."

사람들이 두사람을 떠메고 나갔다. 현도는 건성으로 그들 뒤를 따라가고 있었다.

"저 때려죽일 놈들."

골목 어귀에서 사람들이 이를 갈았다. 저쪽 금남로에서 공수단원들이 옷을 홀랑 벗긴 사람들을 트럭에 던져 싣고 있었다. 팬티만 입고 늘어져 있는 몸뚱이들을 양쪽에서 손과 발을 잡아 두어번 구른 다음 마치 튀긴 돼지라도 싣듯 트럭 짐칸으로 던지고 있었다. 사냥판에서 잡은 돼지나 노루 같은 것을 싣고 있는 꼴이었다.

거리에 쓰러뜨렸던 사람들을 모두 주워 싣자 트럭은 유유히 빠져나갔고, 공수단원들은 다시 아까 그 자리로 돌아갔다. 아까 섰던 모양으로 다시 늘어섰다. 한탕 사냥을 하고 나서 사냥감들이 다시 몰려들기를 기다리는 꼴이었다.

학생들은 다시 거리로 몰려나오기 시작했다. 시민들도 몰려나왔다.

"전××이 찢어 죽이자!"

"계엄령 해제하라!"

"신××이 물러가라."

학생들과 시민들이 점점 많아지고 있었다. 공수단원들은 다시 쇠로 만든 로봇처럼 꼼짝 않고 서 있었다. 학생들은 아까보다 훨씬 멀찍이 서서 구호만 외치고 있었다. 시민들은 학생들 한참 뒤에 서서 구경을 하고 있었다. 학생들은 주력부대고 시민들은 응원부대 꼴이었다.

그때 현도는 깜짝 놀랐다. 우투리가 보도 위로 가고 있었던 것이다.

"우툴아!"

현도가 뛰어나가며 큰 소리로 불렀다. 우투리가 돌아봤다.

"너 시방 어짤라고 그러고 댕겨?"

현도는 잔뜩 나무라는 투로 소리를 질렀다.

"너는 들어가, 인마!"

우투리는 한마디 던져놓고 돌멩이 쥔 손에 잔뜩 힘을 주며 가던 길을 다시 갔다. 이런 덴 너 같은 녀석은 나올 데가 아니라는 투였다.

"우툴아!"

현도는 다시 쫓아가며 불렀다. 우투리가 다시 돌아봤다.

"저놈들이 얼마나 무지막지한 놈들인 중 알어? 나는 시방 너 찾으러 왔단 말이여. 얼른 가자!"

현도는 우투리 어깨를 잡아끌었다.

"놔 인마!"

우투리는 현도 손을 홱 뿌리쳤다. 우투리 눈에는 이미 살기가 돌고 있었다.

"큰일난단 말이여."

현도는 안타깝게 소리를 질렀으나 우투리는 들은 척도 않고 저쪽으로 가고 있었다.

현도는 그 자리에 멍청하게 서 있었다. 아무래도 저 녀석이 무슨 일을 당하고 말 것만 같았다. 그러나 하는 수 없는 일이었다. 우투리가 한번 고집을 부려 코를 숙였다 하면 아무도 그 고집을 꺾을 수 없다는 것을 현도는 누구보다도 잘 알고 있었다.

대학생들은 구호를 외치며 공수단 있는 쪽으로 조금씩 다가가고 있었고, 연도의 시민들도 대학생들을 따라 구호를 외치며 뒤처져 따라가고 있었다.

현도는 자기 혼자라도 돌아가야겠다고 생각했다. 여기 얼씬거리고 있다가는 어느 곤봉에 대가리가 빠개질지 모를 일이었다. 만약, 아까 그 집에서 당한 사람들처럼 자기도 당했더라면 어떻게 됐을 것인가? 어머니나 할머니가 그 소리를 들으면 기절을 하고 말 것이다.

현도는 구역 쪽을 향해 걸음을 빨리했다. 현도처럼 겁을 먹고 돌아가는 사람도 있었으나, 변두리에서 금남로 쪽으로 오고 있는 사람들도 있었다. 그 사람들이 돌아가는 사람들보다 더 많았다

"지금도 데모하요?"

그들은 금남로 사정이 궁금한지 연방 물으며 오고 있었다.

"아이고, 말도 마시요. 걸렸다 하면 죽는 판이요."

빠져나가는 사람들은 고개를 절레절레 저으며 겁을 주었으나 그런 소리를 듣고 돌아서는 사람은 없었다. 가던 길을 더 빨리 재촉할 뿐이었다.

"현도야!"

현도는 깜짝 놀라 고개를 돌렸다. 저쪽 인도에서 선희가 이쪽을 건너다보고 있었다. 미혜도 같이 있었다. 미혜를 보는 순간 현도는 가슴에서 쿵 소리가 나는 것 같았다.

"가지 마!"

현도는 지레 손사래부터 치며 그쪽으로 건너갔다.

"우투리는?"

선희가 다급하게 물었다.

"우투리 걔 큰났어."

"왜?"

현도는 우투리를 잔뜩 나무라는 투로 말했다. 그러나 이런 판국에 집으로 돌아가고 있는 꼴이 이들한테 어떻게 비칠 것인가 하는 생각이 언뜻 머리를 스쳤다.

"걔는 지금 데모를 하고 있어."

"데모를 해? 어디서?"

선희가 질겁을 했다.

"정신없는 자식이 공수단한테 돌멩이를 던지고 지랄이여."

"오매. 그러다 어짤라고?"

"내가 아무리 가자고 끌어도 기어코 코를 숙이고 저쪽으로 몰려갔다구."

그때였다. 금남로 쪽에서 군중들이 이쪽으로 우르르 몰려오고 있었다.

"내빼!"

현도가 소리를 지르며 뛰었다. 세사람은 한참 도망치다가 군중들 속에 휩싸여 골목으로 들어갔다. 군중들은 계속 도망쳐 오고 있었다. 큰길로 도망치고 있는 사람들은 뒤를 돌아보며 더 다급하게 달리고 있었다. 공수단원들이 여기까지 쫓아오고 있는 것 같았다.

"오매!"

공수단원 두사람이 젊은이 하나만을 목표로 죽어라 쫓고 있었다. 앞서 쫓던 공수단원이 손에 들었던 곤봉을, 도망치는 젊은이 뒤통수를 향해 홱 던졌다. 곤봉이 젊은이 뒤통수에 정통으로 맞았다. 젊은이는 그만 그 자리에 고꾸라지고 말았다. 공수단원들은 젊은이를 차고 밟고 짓이겼다. 얼굴이고 머리고 가리지 않았다. 두사람은 양쪽에서 젊은이 발을 하나씩 잡아 질질 끌고 가고 있었다. 젊은이의 남방샤쓰와 러닝샤쓰가 머리 위로 밀려 등때기 맨살이 그대로 아스팔트 위에 쓸리고 있었다.

"이 개백정 놈들아!"

저쪽에서 젊은이들이 공수단원들을 향해 돌멩이를 던지며 악을 썼다. 다른 사람들도 덩달아 악을 썼다.

그때였다.

"이 개새끼들아!"

인도 쪽에서 웬 젊은이 두사람이 악을 쓰며 몽둥이를 들고 공수단원들을 향해 쫓아갔다. 공수단원들은 끌고 가던 다리를 놨다. 맞붙을 판이었다. 그때 저쪽에서 공수단원 세사람이 달려왔다. 그들을 본 젊은이들은 그만 도망치기 시작했다. 두사람은 죽어라 도망쳤다. 공수단원들이 비호같이 뒤쫓았다.

"아니, 저건?"

선희가 깜짝 놀라 소리를 질렀다. 쫓기는 젊은이 하나가 우투리였다. 뒤쫓던 공수단원들이 걸음을 멈췄다. 거리가 너무 떨어져 포기를 한 것 같았다. 우투리와 다른 젊은이는 그들 쪽을 할기시 돌아보고 있었다.

"우투리!"

선희가 달려가며 악을 썼다.

그때 또 군중들이 이쪽으로 우르르 도망쳐 오고 있었다. 저쪽에서 공수단원들이 다시 쫓아오는 모양이었다. 우투리는 저쪽 골목으로 들어가는 것 같았다. 세사람은 군중들에 싸여 도망쳤다.

"아이고!"

선희가 비명을 지르며 길바닥에 나동그라지고 말았다. 현도가 걸음을 멈췄다. 선희는 일어서려 했으나 일어서지 못했다. 발목을 삔 모양이었다. 현도와 미혜가 부축을 했다. 두사람은 선희를 양쪽에서 부축하고, 마치 운동회 때 삼각 경주하듯 뛰었다. 도망치던 군중들이 멈추는 것 같았다. 그제야 선희는 오만상을 찌푸리며 온몸의 무게를 두사람한테 내맡겼다.

"빨리 집으로 가자!"

미혜가 소리를 질렀다.

"우투리는 어디로 갔지?"

경황 중에도 선희는 뒤를 돌아보며 뇌었다.

"빨리 가자!"

두사람은 선희를 부축하고 대인시장 쪽으로 바삐 걸었다. 또 공수단이 쫓아올 것만 같았다. 그쪽 길에는 아직도 택시가 다니고 있었다. 현도가 택시를 잡았다. 미혜가 먼저 탄 다음 안에서 선희를 부축해 들였다.

“현도 넌 우투리하고 같이 와야지.”

선희 말에, 엉덩이를 차 안으로 들여놓으려던 현도는 엉거주춤 엉덩이를 뽑아냈다.

“얼른 문 닫으시요!”

운전사가 소리를 질렀다. 현도는 멋쩍은 표정으로 미혜를 보며 택시 문을 닫았다. 마치 뉘 집에 들어가려다 문전에서 쫓겨난 꼴이었다. 현도는 멀어지는 택시를 멀거니 건너다보고 서 있었다. 미혜가 뒤를 돌아봤다. 현도는 거기 한참 서 있었다. 마치 쥐구멍에 들어간 벌처럼 엉거주춤한 꼴이었다.

사람들은 금남로 쪽으로 다시 몰려가고 있었다. 현도는 그쪽으로 가지 않고 중앙로 쪽으로 발길을 돌렸다. 우투리는 제멋대로 놔둬버릴 수밖에 없었다.

저쪽에서 사람들이 젊은이 하나를 부축해 오고 있었다. 얼굴이 피투성이였고, 다리 하나는 거의 끌다시피 하고 있었다. 길가의 병원으로 데리고 들어갔다. 그들을 부축하고 가던 젊은이 하나가 병원 문을 들어서려다 말고 군중들을 향해 돌아섰다.

“저놈들은 개백정 놈들이요.”

젊은이가 거기 있는 사람들을 향해 주먹을 휘두르며 악을 썼다.

“자전거 타고 가는 사람을 저렇게 조졌소. 곤봉에 대가리가 터졌고 군홧발로 면상을 차서 앞니가 몽땅 나가부렀소. 저 새끼들을 다 잡아 죽입시다."

젊은이가 고래고래 악을 썼다. 그러나 사람들은 겁먹은 얼굴로 그 젊은이만 건너다보고 있을 뿐 얼른 열을 받지 않았다.

현도는 중앙로 쪽으로 갔다. 공수단원들은 중앙교회 쪽으로 또 사람들을 쫓아가고 있었다. 그때 웬 신사복을 입은 젊은이 하나가 천연스럽게 광주은행 모퉁이 쪽으로 다가가고 있었다.

그때 저쪽으로 쫓아가던 공수단원들이 다시 제자리로 돌아가고 있다가 그 젊은이를 봤다. 젊은이는 우뚝 멈춰 섰다. 공수단원 두 사람이 그 젊은이 쪽으로 다가왔다. 젊은이는 태연하게 서 있었다. 나는 데모하고는 상관없는 사람이라는 것을 그렇게 의젓한 태도로 보이려는 것 같았다. 다가오던 공수단원이 대번에 곤봉을 들어 청년의 대가리를 내리갈겼다. 젊은이는 앞으로 픽 고꾸라지고 말았다.

"워매!"

현도 곁에 서 있던 사람이 절망적인 비명을 질렀다. 고꾸라지는 꼴이 한대에 죽은 것 같았기 때문이다. 젊은이는 사지를 발발 떨었다. 공수단원들은 그 젊은이는 그대로 놔두고 저쪽으로 가버렸다.

"저 개새끼들!"

사람들은 욕설을 퍼부었으나 아무도 그 젊은이 있는 쪽으로 가서 거들려는 사람은 없었다. 모두 겁먹은 표정으로 건너다보고 있을 뿐이었다. 젊은이는 얼굴을 땅에 처박고 앞으로 엎어진 채 계속 손발을 떨고 있었다. 손발 떠는 시간이 저렇게 오래가는가 싶었다. 이내 떨던 손발이 멎는 것 같았다.

"워매."

멎었던 손발이 마지막 한번 더 떨더니 아주 멎고 말았다. 마치 사람이 숨이 멎을 때 마지막 한번 크게 숨을 내쉬고 멎는 꼴이었다.

현도는 돌아섰다. 언 오줌 누고 난 사람처럼 현도는 새삼스럽게 진저리를 쳤다. 그 젊은이가 손발 떨고 있는 것을 보는 순간, 다시 옛날 비단개구리 꼴이 떠오르며 자기 손발도 그 젊은이 손발처럼 떨리는 것 같았다.

동문 다리께는 아직도 버스가 다니고 있었다. 현도는 마치 공중에 서서 걷는 것 같은 기분으로 버스에 올라탔다. 등받이에 등을 기대자 몸이 어디로 푹 가라앉는 것 같았다. 물에 던져진 돌멩이처럼 물속으로 한없이 가라앉고 있는 것 같았다.

현도가 골목 어귀에 이르자 영감들이 복덕방에서 내다보고 있었다.

"아니, 만수 그 자석이 데모를 하더람서?"

평촌영감이었다.

"예."

현도는 힘없이 대답하며 골목으로 들어서고 말았다. 대문 앞에 이르자 주인집 아주머니가 뭐라 혼자 구시렁거리고 있었다.

"참말로 학생들 땀시 우리는 굶어 죽게 생겼구만. 날이면 날마다 그놈의 데모 통에 장사가 말이 아니등마는, 인자 통행금지 시간까지 앞당겨놨으면 우리 같은 사람은 어뜨코 살란 말이여. 우리는 저녁장사가 한몫인디, 우리 같은 사람은 굶어 죽으라는 소리구만. 굶어 죽으라는 소리여."

주인 아주머니는 수돗가에서 푸성귀를 다듬으며 구시렁거리다가 현도를 쳐다봤다.

"자네는 어디를 그러고 댕기는가? 젊은 사람이라면 학생이고 누구고 잡히는 족족 반 죽여서 싣고 가더라는디 어디를 함부로 나댕이고 있어? 저러코 무지막지하게 잡도리를 하면 학생들은 쪼깐 물러서제 총칼 든 사람들을 즈그덜이 어뜨코 당할 것이여? 그런디 언제까지 이럴 것이라던가?"

"그걸 어뜨코 알겄소?"

"이 집 속없는 남정네 하는 꼴 한번 봐. 데모를 하면 즈그덜끼리 하는 것인디, 잡아갈 사람이 없어서 자기 같은 사람을 다 잡아갈 중 알고 하던 장사를 안 하고 쬐하니 내빼 왔구만. 자기가 무슨 대학생인 중 안 모냥이여. 그나마 해 있을 적에 하나라도 더 포는 것이 아니라, 아이구."

아주머니는 변소에 다녀오는 현도한테 남편 핀잔이었다. 그러고 보니 과일 리어카가 없는 게 남편을 다시 내쫓은 것 같았다.

성민이 방에는 여전히 자물쇠가 채워져 있었고, 방 안은 조용했다.

방에 들어온 현도는 다시 이불을 뒤집어쓰고 자리에 누웠다. 가슴이 몹시 벌렁거리고 머릿속이 얼얼하기만 했다. 선희가 어쩌고 있는가 궁금했으나 가고 싶지가 않았다. 미혜 앞에 자기 꼴이 얼뜨게 보일 것 같아서였다.

시내에서 벌어지고 있던 광경들이 눈앞에 아른거렸다. 튀긴 돼지처럼 트럭에 던져지고 있던 벗은 몸뚱이들, 방바닥에 피를 쏟으며 늘어졌던 사람들, 앞니가 온통 깨져 병원으로 가던 젊은이, 곤봉 한대에 앞으로 고꾸라져 한식경이나 손발을 발발 떨던 신사복. 그렇게 무지막지하게 얻어맞고 트럭에 실려 간 사람들은 지금 어디에 어떤 꼴을 하고 있을까?

우투리는 지금 무사할까? 만약 그때 그쪽으로 지원 나온 공수단원들이 없어 그들과 맞붙었더라면, 우투리는 그 공수단원들을 작살냈을는지 모른다. 우투리는 힘도 셀 뿐만 아니라 동작도 날랬다. 더구나 아까 그가 들었던 몽둥이는 공수단원들이 들고 다니는 곤봉보다 배나 더 길었다.

현도는 오늘 시내에서 본 광경들이 마치 우투리가 초등학교 때 학생들 앞에서 그 이야기를 하고 우투리란 별명을 얻었던 바로 그 옛날이야기 속의 장면들같이 느껴졌다. 그 무시무시하던 장면 하나하나며 사람들이 소리를 지르고 몰려다니던 일들이 정말 그 옛날이야기가 실제로 그렇게 벌어지고 있었던 것만 같았고, 작대기를 들고 다니던 우투리는 그 이야기 속의 장수같이 느껴졌다.

그 우투리 이야기는 우투리 할아버지가 그 이야기를 할 때 이만저만 구수하지가 않았다. 현도는 어렸을 때 우투리 할아버지가 그 이야기 하는 것을 여러번 들은 적이 있었다. 우투리 또래의 동네 꼬마들이 모여 우투리 할아버지한테 옛날이야기를 해달라고 조르면 우투리 할아버지는 인자한 얼굴에 함박웃음을 웃으며 한참 비싸다가 이야기를 해주었던 것이다. 옛날이야기를 할 때면 우투리 할아버지는 그 우투리 이야기를 제일 여러번 했었다. 그 이야기는 언제 들어도 재미가 있었기 때문에 아이들은 그 이야기를 해달라고 졸랐던 것이다.

"옛날에 옛날에, 어느 시골에 가난하디가난한 사람이 애기를 한나 났는디, 아 이놈이 에미 뱃속에서 나오자마자 펄펄 걸어 댕기고 말까지 하는구나."

"하!"

아이들은 이야기 내용을 뻔히 알고 있으면서도 모른 척 감탄을 했다.

"맞다. 이름을 우투리라고 지었는디, 하루는 즈그 어매가 밭을 매고 와서 젖을 줄라고 방 안을 들여다본께 애기가 없다그랴. 별일이다 하고 시렁을 쳐다본께 이놈이 덜렁 시렁에 올라앉아서 방실방실 웃고 있잖겄냐? 즈그 어매가 깜짝 놀라 애기를 내려갖고 젖을 줌시로 본께 양쪽 어깨 밑에 웬 날개가 뾰쪼롬 돋아나고 있구나. 이것을 본 애기 어매는 얼굴이 새파래지고 말았다그랴. 오매, 이 일을 으째사 쓸고, 시방 내가 애기를 나도 영웅을 났구나. 어매는 영웅을 났다고 좋아하는 것이 아니라, 그만 손발에 떡심이 탁 풀리고 말았다그랴. 예로부터 이런 영웅을 나면 삼족이 멸한다는 얘기가 있었거던."

"영웅을 나면 왜 삼족이 멸한다요?"

"영웅이라면 임금님을 없애불고 지가 임금 자리를 차지할라고 할 것인께, 잘되면 모르제마는 못되면 역적이 될 판이니 삼족이 멸할 밖에 없잖겄어? 그래서 고 어매는 집안에 닥칠 환난을 미리 막을라고 이놈을 맷돌짝으로 눌러서 죽일 작정을 했구나. 그런디 이놈이 영웅도 큰 영웅이었던가 그 어매가 그런 작정을 하자마자 그 어매

마음속을 환히 들여다봐부렀어. 어무니 지가 어무니 걱정하는 것을 다 알고 있소. 지가 어무니 손에 죽는 것보담도 내 발로 집을 나갈라요. 내 발로 나갈 것인께 내 소원을 한가지만 들어주시요. 소원이 무엇이냐. 소원이 다른 것이 아니요. 좁쌀 서되하고 메밀 서말하고 겨릅대, 겨릅대란 것은 껍질을 벗겨불고 난 삼대가 겨릅댄디, 그 겨릅대 서른단하고 이렇게 시가지만 마련해주시요, 이러는구나."

"하!"

"즈그 어매가 부랴부랴 좁쌀 서되하고 메밀 서말하고 겨릅대 서른단하고 시가지를 다 준비를 해줬다그랴. 그런께 이놈이 그것을 모두 간동그려 짊어지고 집을 나서는구나. 어무니, 나 가요. 내가 시방 어무니를 하직을 하고 가는디 어무니가 혹시 저를 보고 싶거든 이것을 가지고 바닷가에 와서 이것으로 바다를 탁 치시요. 그러면 나를 만날 수 있을 것이요. 이러고 종우때기 한장을 주고 간다그랴."

"흐음."

"그런디, 그때 이태조 이성계가 이씨조선을 세워 임금이 될라고 조선팔도 산신들한테 허락을 받으러 댕기고 있었구나. 지가 임금이 되고 싶은께 허락을 해주십시요, 이러고 팔도 산신들한테 제를 지냄시로 허락을 받고 댕기고 있었어. 저그 백두산 산신부터 묘향산·구월산·금강산, 이러코 우리나라 명산이라고 생긴 명산은 다 찾아댕김시로 허락을 받고 마지막 지리산 산신한테 허락을 받을라고 이리 내려왔다그랴. 저그 운봉에 여원재라는 재가 있어. 그 여원재에 산신단이 있는디 이성계는 그 산신단에다 제물을 걸게 진설을 해놓고 제를 지내는구나."

남원 운봉 여원재에는 옛날부터 지리산 산신에게 제를 지내는 산신단이 있었다. 신라시대나 고려시대는 국가에서 지리산 산신 제를 지냈다는데 그 제를 바로 여기서 지냈다고 전해 내려오고 있었다.

"그런디, 그때 어떤 소금장수가 소금 짐을 짊어지고 그 재를 넘어가다가 날이 저물어부렀구나. 이거 큰일이다 하고 섰는디, 마침 거그 큰 고목나무가 한그루 있는디, 이 고목나무가 어찌나 늙었던지 그 밑둥에 항아리만 한 구멍이 하나 뚫려 있잖겄냐? 옳제. 여그 들어가서 자면 비가 오더래도 끄떡없겄구나. 소금장수는 그 고목나무 밑에다 소금 짐을 받쳐놓고 그 고목나무 속으로 들어가서 잠을 갔다그랴. 쿨쿨 잠을 자고 있는디, 어디서 누가 부르는 소리가 나는 것 같거든. 고목나무 목신(木神), 고목나무 목신, 이러고 부른께, 어이 하고 대답을 하는디 들어본께 그 대답하는 소리는 그 소금장수가 자고 있는 고목나무가 대답하는 소리여. 우리가 달래 자네를 찾아온 것이 아니고, 시방 이성계가 임금이 될라고 지리산 산신령님한테 제사를 지낸다고 하글래 그 귀갱 가자고 왔네. 고맙네. 나도 그 소문을 들었네마는, 나는 오늘 저녁에 우리 집에 손님이 들어서 못 가겄은께 자네들이나 가서 귀갱 잘 하고 내전밥 내놓거든 맛있게 얻어묵고들 오소. 그런디 올 적에도 그냥 가불지 말고 제지낸 이얘기나 쪼깐 해주고 가소. 어이. 그럼 다녀올라네. 이러고 가거든."

"하, 귀신들도 사람들맨키로 친구들하고 놀러 댕기는구나. 낄낄."

꼬마들은 모두 웃었다.

"그렇지. 낮은 사람 세상이고 밤은 귀신들 세상이라 그러고 댕기는 것이다. 그 소금장수가 다시 쿨쿨 잠을 자고 있는디, 저쪽에 또 부르는 소리가 나는구만. 고목나무 목신, 고목나무 목신 하고 부른께 또 이쪽에서 대답을 하는구나. 귀갱 잘 하고 오는가, 이러고 물은께 아이고, 귀갱이나 마나 이성계 그 작자 사람이 얼매나 칠칠찮은 작잔가 멧밥이라고 밥을 차려놨는디, 멧밥에 구랭이가 똬리를 틀고 앉았잖겄는가? 산신령님이 왔다가 퉤퉤 침을 뱉음시로 너굽을 놓고 달아나불데. 우리도 그것을 보고 난께 지금도 구역질이 나올라고 속이 매슥매슥하네."

"오매. 밥에 구랭이가 똬리를 틀고 앉았어?"

"그 구랭이라는 것이 뭣이냐 하면, 그런께 여자들이 멧밥 질 때는 그것을 젤 조심해야 하는 것인디, 구랭이가 다른 것이 아니고, 사람 머리카락이 귀신들한테는 구랭이란다. 그런께 그 멧밥에 머리카락이 들었던 것이여."

"하."

"담날 아침 그 소금장수는 참말로 묘한 일도 다 있다, 이러고 구시렁거림시로 소금 짐을 짊어지고 재를 오르다본께 저쪽에서 사람들이 내려오는디 찬찬히 본께 그것이 이성계 행차 같구나. 소금장수가 가까이 가서 당신이 이성계냐고 한께 그렇다고 하거든. 그래서 소금장수는 이성계를 한쪽으로 데리고 가서 내가 어제저녁 여차여차하고 여차여차해서 여차여차하고 여차여차했다고 그날 저녁에 듣고 봤던 일을 죄다 늘어논께 이성계 상판이 대번에 새파래

진다그랴. 한참 만에 이성계가 소금장수한테 하는 말이, 내가 당신한테 보답은 톡톡히 할 것인께 오늘 저녁에도 다시 가서 그 고목나무 속에서 잠을 잠시로 귀신들이 하는 이얘기를 들어보라지 않겠냐? 그래 소금장수는 다시 소금 짐을 지고 그 고목나무로 와서 어제저녁맨키로 그 구멍으로 들어갔다그랴. 소금장수는 그날 저녁에는 일부러 잠을 안 자고 좋그고 있은께 대차나 또 그 귀신들이 와서, 오늘 저녁에 이성계가 다시 제사를 지낸다고 한께 귀갱 가자고 하거든. 그러자 그 고목나무 귀신이 오늘 저녁에도 손님이 들어 못 가겄다고, 갔다 옴시로 제지낸 귀갱 이얘기나 해달라고 하는구나. 또 한식경이나 있은께 영락없이 그 귀신들이 돌아오는구만. 귀갱 잘 했는가 하고 물은께, 어이 오늘 저녁에는 멧밥도 정갈하게 짓고 내전밥도 정갈하게 차려놔서 산신령님도 잘 잡수시고 우리도 맛있게 얻어묵고 오네. 그러먼 산신령님께서 이성계보고 임금이 되라고 허락을 하던가? 아녀. 그것은 허락을 안 하더만. 왜 허락을 안 혀? 나는 이미 임금이 되라고 허락을 한 사람이 있은께 이성계한테는 허락을 못하겄다는 거여. 그것이 누구라던가? 우투리라더구만. 아 그 우투리? 그려. 우투리라여."

"하, 그 귀신들도 우투리를 알고 있었구나."

"그려. 담날 소금장수가 또 소금 짐을 짊어지고 재를 올라가는디, 어제맨키로 또 이성계 행차가 내려오는구나. 소금장수는 어제저녁에 들은 이얘기를 여차여차하고 여차여차하더라고 늘어놨잖겄냐. 그 소리를 듣더니 이성계 상판이 대번에 연기 쐰 괭이 상판으로 험하게 으등거려짐시로 우투리란 놈이 어떤 놈이라더냐고 묻는구나. 그것은 안 들어봐서 모르겄다고 한께 하여간 고맙다고 소금장수한테 사례를 하고 나서, 이성계는 그날부터 조선팔도 방방곡곡 우투리란 놈을 찾으러 나섰다그랴. 그런디 팔도 구석구석 안 간 데 없이 다 찾아댕겨도 우투리란 놈을 찾을 길이 없어. 그렇게 몇년을 헤매고 댕기다가 하루는 저그 강원도 동해안 어느 시골 마을을 지나는디, 누가 '우투리 어매' 하고 이웃집 여자를 부르거든. 우투리 어매? 오냐 우투리란 놈 집이 여그구나. 이성계는 그 집으로 썩 들어가서 우투리 어디 갔냐고 묻는구나. 그 어매 대답이 우투리는 없다고, 옛날에 죽어부렀다고 이러거든. 거짓말 말라고 다그쳐도 참말이라고, 정말 거짓말할 테냐고 얼러도 끝내 참말이라고 버티거든. 이러코 한참 실랑이를 치다가 이성계는 이렇게 해서는 안 되겄구나 생각하고 이번에는 금이야 은이야 비단이야 그런 보화를 있는 대로 내놈시로 그 어매를 살살 달랬구나. 그러자 그 여편네가 그만 그 금은보화에 눈이 뒤집히고 말았다그랴. 실은 여차여차해서 여차여차했는디 집을 나감시로 내가 보고 싶거든 이 종우때기를 가지고 바닷가에 와서 바다를 치면 자기를 볼 수 있을 것이라고 하더란 말까지 다 함시로 그 종우때기를 품속에서 내놓는다그랴."

"어허."

"이성계는 인자 됐다 하고 바닷가로 달려가서 그 종우때기로 바다를 탁 친께, 그 망망대해 넓은 바다가 두쪼각으로 쫙 쪼개짐시로, 거그서 무지무지하게 큰 산이 하나 덜렁 나타난다그랴. 그 산이 나타나자 이성계는 그 부하들을 시켜 그 산을 말짱 뒤지게 했잖겄냐?

그런디 아무리 찾아도 우투리는커녕 그 넓은 산 속에 어리친 강아지 새끼 한마리 없구나. 헌디, 산 한쪽에 무시무시하게 큰 바우가 하나 있는디, 그것을 찬찬히 본께 우투리란 놈이 이 산에 숨어 있다면 숨어 있을 데라고는 그 바우 속밖에는 없겠그덩. 그러제마는 그 바우를 열 재간이 있어야 말이제. 이성계는 그 바우를 내려다보고 쳐다보고 빙빙 돌다가 하는 수 없이 다시 또 우투리 어매한테로 갔구나. 혹시 우투리를 날 때 무슨 이상한 일이 없었더냐고 물은께 있었다고, 그놈을 나놓고 아무리 태를 끊을라고 해도 안 끊어져서 애를 먹었다고, 가새로 잘라도 안 잘라지고, 칼로 잘라도 안 잘라지고, 낫으로 잘라도 안 잘라지고, 내중에는 작두로 잘라도 안 잘라지더라고."

"와. 작두로 잘라도 안 잘라져? 낄낄."

"그래서 어뜨코 잘랐냐고, 아무리 잘라도 안 잘라져서 산에 가서 억새풀을 끊어다 그것으로 자른께 거짓말같이 잘라지더라고."

"으째서 억새풀로 자른께 잘라졌으까?"

"그 억새풀이 일테면 백성인디 그런께 그것이 조화치고도 묘한 조화제."

"억새풀이 백성?"

"하여간 그 소리를 들은 이성계는 번개같이 말을 달려 억새풀을 끊어갖고 가서 그것으로 바우를 내려친께, 그 천장 만장 높은 바우가 거짓말같이 두쪼각으로 쫙 갈라진다그랴. 갈라놓고 그 속을 들여다본께 또 이런 장관이 없구나. 그사이 좁쌀은 모두 군사가 되고, 메밀은 투구가 되고, 겨릅대는 말이 되어서, 수만명 군사들이 투구를 쓰고 말을 타고 돌아댕기는구나. 우투리는 그때사 비로소 처음으로 말을 탈라고 한 발은 말 잔등에다 얹고 다른 쪽 발은 막 땅에서 뗄라고 하는 참이었다그랴. 그런디 그만 바로 그때 바우가 열려부렀으니 일판이 어뜨코 됐겄냐? 바우가 벌어져서 이 속세의 바람이 그 속으로 들어간 통에 병정들이 모두 스르르 눈 녹듯이 싹 녹아버리고, 우투리도 그만 스르르 녹아 없어져불고 말았다그랴. 한순간만 더 있었더라면 되는 것인디, 그 한순간 차이로 그 꼴이 되고 말았구나."

"애 참."

"이성계는 그렇게 우투리를 없애불고 임금이 되었는디, 임금이 되아갖고 옛날에 지리산 산신이 자기가 임금 되는 데 반대했다고 동해안에 있던 지리산을 여그 전라도로 귀양을 보내부러서 시방 지리산이 저렇게 전라도로 와 있는 것이여. 그리고 지리산 세석에는 해마다 억새풀이 그 병정들처럼 엄청나게 우거지는디, 이성계는 그것이 무서와서 그걸 일삼아서 비어부렀더란다. 그러제마는 억새가 비어분다고 안 돋아날 것이냐? 해마둥 또 돋아나고 또 돋아나고 매년 돋아나고 있어."

현도는 누가 밖에서 방문을 찌걱이며 부르는 소리에 잠에서 깼다. 눈을 씀벅이며 방문을 열었다. 저쪽 방 대학생이었다.

"오늘 현도씨한테 신세를 좀 집시다."

"신세라니요?"

"지금 검거령이 내려 대학생들을 몽땅 잡아들인다는 말이 있소. 내 방은 형사들이 알고 있어놔서 저기 있다가는 독 안에 든 쥐 꼴이 될 것 같소."

"그렇게 하시죠."

현도가 선선하게 대답했다.

"친구들이 둘이 더 있는데……"

"좁더라도 같이 있죠."

성민이는 고맙다며 자기 방으로 가서 친구들을 데리고 왔다. 아까 여기 왔던 대학생들이었다. 그들은 고맙다면서 들어왔다.

"벌써 시간이 이렇게 됐나?"

아홉시였다. 현도는 배가 출출했다. 점심을 거리에서 풀빵으로 때웠던 것이다.

"미안하지만 기왕 신세를 진 김에 한가지 더 부탁합시다."

"뭔데요?"

"저 유리창 좀 터놉시다. 내가 나중에 발라줄 테니."

뒤쪽 유리창 문을 가리켰다. 문바람을 막으려고 테두리를 돌려가며 발라놓은 종이를 트자는 것이다.

"이제 여름인께 다시 바를 것도 없지요."

현도가 웃으며 부엌으로 나가 칼을 가져다 문틈을 죽죽 그은 다음 문을 열었다. 대학생들이 문 뒤를 넘어다봤다.

"바로 옆집이구나."

도망치기에는 안성맞춤이었다. 문으로 올라서면 바로 옆집 담을 뛰어넘을 수가 있었다.

"식사는 어떻게들 했어요?"

"나는 먹었고 이 친구들은 저쪽에서 라면을 끓이고 있습니다. 현도씨는?"

"나도 라면이나 하나 끓여 먹어야겠소."

"그럼 저쪽에서 하나 더 끓이라고 합시다."

"내가 갔다 올게."

금방 들어온 대학생이 일어섰다. 현도는 자기가 가겠다고 했으나, 그는 가만있으라며 재빨리 밖으로 나갔다.

그는 한참 만에 라면을 냄비째 소반에다 얹어가지고 왔다. 반찬은 깍두기 한보시기뿐이었다. 현도는 부엌에서 밥그릇을 챙겨 왔다.

그 학생은 아랫도리 포켓에서 두홉들이 소주 두병을 꺼내놨다.

"어디서 났어?"

"저쪽 골목."

"야, 후식이 너 술 챙기는 것 하난 알아 모셔야겠어."

후식이는 이빨로 병마개를 까고 밥그릇을 들어 현도한테 먼저 권했다.

"아닙니다. 먼저."

현도는 다급하게 손을 저었다.

"주주객반이라던가, 술은 주인이 먼저 받는 거랍디다."

후식이는 현도를 향해 양재기에다 술을 철철 따랐다. 두사람 앞에도 따라놓고, 잔이 부족하자 자기는 병째 들며 마시자고 했다. 모두 죽 들이켰다.

"시호라고 합니다."

현도 곁의 학생이 현도한테 잔을 권하며 수인사를 했다.

"야, 이거 바쁘다보니 인사도 못했구나. 전 김후식입니다. 공장에 다니신다죠?"

후식이는 새로 술병을 까서 시호가 건넨 잔에 술병을 들이대며 물었다.

"부끄럽습니다."

"무슨 말씀을. 부끄러운 놈들은 우리 같은 먹물들이죠. 학문입네 깻묵입네 함시로 다른 놈들 딛고 올라설라고 박이 터지는 놈들이지요."

"오늘 보니 대학생들 정말 용감하던데요."

후식이가 엉뚱한 소리를 하자 현도는 얼떨결에 말머리를 돌려버리고 말았다.

"어디서 봤어요?"

"금남로에서요."

"그러고 보니 형씨도 나왔었군요."

"나는 멀찍이서 구경만 하다가 돌아왔어요. 대학생들 많이 잡혀갔죠?"

"아닙니다. 잡혀간 것은 거의 구경하던 사람들입니다."

"너무 무지막지하던데요. 낼은 아마 잠잠할까요?"

"두고 봐야죠."

그때 초인종 소리가 나며 대문께서 누가 현도를 불렀다. 선희 남동생 선호 소리 같았다. 초인종 소리에 깜짝 놀랐던 학생들은 이내 안심하는 표정이었다. 현도가 밖으로 나갔다

"우투리 형은 어떻게 됐어?"

"모르겄다. 나도 그뒤로는 못 봤어."

"자취하는 집에 전화를 해봤는디 아직도 안 들어왔다는 것 같어."

"선희는 좀 어떠냐?"

"발목이 팅팅 부어 꼼짝도 못해. 누나가 형더러 집에 좀 다녀가랴. 미혜 누나도 있어."

그때 누가 저쪽 골목 어귀에서 달려오고 있었다.

"성민이 있어요?"

그는 땀을 뻘뻘 흘리며 숨을 씨근거리고 있었다. 처음 본 얼굴이었다. 그때 부엌문이 열렸다.

"성준이냐?"

성민이가 반색을 했다.

"야, 야단났다. 금방 공용터미날에서 크게 한판 붙었는디 여럿 죽을 것 같다."

"죽어?"

"여럿 죽었다는 것 같어."

"지금도 붙고 있냐?"

"흩어졌어."

"들어가자."

"나 잠깐 다녀올 데가 있소. 곧 오겄소."

현도는 성민이한테 말을 해놓고 선호를 앞세웠다. 선희 집은 골목길로만 갈 수 있어 통금시간이지만 위험하지는 않았다. 선희는 발목에 물수건을 얹어 냉수 찜질을 하고 있었고, 미혜가 곁에서 거들고 있었다.

"우투리가 지금까지 집에 안 돌아왔다는디, 그뒤로 못 봤어?"

선희가 겁먹은 표정으로 물었다.

현도는 고개를 저었다.

"누나. 공용터미날에서는 금방까지 데몰 했는데 여러명 죽었다."

선호는 방금 들었던 소리를 늘어놨다.

"현도 왔냐?"

저쪽 방에서 평촌영감이 알은체를 하며 밖으로 나왔다.

"예. 진지 잡수셨소?"

"너도 낼 일찍 시골로 내려가거라. 오늘 저녁에 대학생들을 몽땅 잡아들인다는 것 같다. 저놈들 오늘 젊은 놈들 작살내더라는 소리 들어본께 여그서 얼씬거리다가는 어느 그물에 싸일지 모르겄더라. 오늘도 잡혀간 사람들은 대학생들이 아니고 거진 구경하던 사람들이라더구나. 애먼 놈 옆에 벼락 맞는다고 이런 난세에는 원래 죄는 도깨비가 짓고 벼락은 고목이 맞는 법이니라. 낼 아침에 일찍 떠나."

"데모하는 디 안 가면 되제 집에 가만있는 사람이사 으짤랍디여?"

"저놈들 한다는 소리 들어본께 심상치가 않다. 그만한 짐작이 있어서 하는 소린께 내 말 들어. 느그 부모들이 나한테 너를 돌봐달라고 당부할 적에는 이럴 때 앞뒤 가려주라고 당부한 것이제 그런 소리가 그냥 허텅으로 하는 소리겄냐? 여깄다, 차비."

평촌영감은 주머니에서 천원짜리 한장을 꺼내 현도 앞에 내밀었다.

"차비는 저한테도 있어라우."

"받아둬!"

"그냥 두시요."

"어서!"

평촌영감은 집에 가겠다는 다짐을 이렇게 받으려는 듯 위압적으로 나왔다. 현도는 하는 수 없이 돈을 받으며 얼핏 미혜 쪽을 봤다. 미혜는 이쪽을 보지 않고 있었다.

"우투리는 어짜까?"

선희가 혼잣소리로 이죽거리며 이게 우투리 자취하는 집 전화번호라며 종이쪽지를 내밀었다. 우투리는 선희한테만 그 집 전화번호를 가르쳐줬던 것 같았다.

현도는 내일 아침에 다시 오겠다며 돌아섰다. 골목 구멍가게 빈지 한짝이 뱦끔하게 열려 있었다. 현도는 두홉들이 소주 두병과 땅콩 한봉지를 샀다.

대문 앞에 이르자 자기 방에서 느닷없이 큰 소리가 나는 것 같았다. 아까 현도가 나갈 때 들어오던 성준이라는 학생 소리 같았다. 현도는 잠시 귀를 쫑그리고 있다가 슬그머니 대문을 따고 들어갔다. 저렇게 낯을 붉히고 있는 자리에 선뜻 들어가기가 민망스러워 잠시 밖에서 서성거리고 있었다.

"그러니까, 앞장서서 큰소리치던 놈들이 도망치자 이거 아냐?"

"그게 어째서 도망치는 거야?"

"아까 공용터미날 싸움이 얼마나 치열했는 줄 알아? 그 사람들은 모두가 목숨을 걸고 싸웠어. 낼 보란 말이야. 더 치열해진다구. 진짜 싸움은 이제부터야. 이 판에 소위 주력부대가 도망을 친다?"

성준이라는 학생은 주먹으로 방바닥이라도 치는 것 같았다.

"흥분하지 말고 들어봐. 지금 저렇게 무지막지하게 나오는데 그 앞에 어떻게 덤벼? 군대라는 저 엄청난 조직에 덤빈다는 것은 달걀로 바위 치는 것이 아니고 뭐야? 도대체 그런 무의미한 소모전을 할 필요가 있어? 잠시 피하는 것이지 도망치는 것이 아냐. 사태를 관망한 다음에 전열을 가다듬어 대처하자는 거야."

"바로 그게 네가 항상 말하던 지식인의 기회주의적 태도가 아니고 뭐야? 조금만 위험이 닥치면 자기를 합리화하고 기만하고. 이것은 전쟁이야. 목숨을 걸지 않고 싸우는 전쟁이 어딨어? 나는 오늘 저놈들의 잔인성을 똑똑히 봤어. 저놈들은 착취나 수탈이 아니라 그냥 인간의 육신을 먹고 사는 육식동물, 아니 악마야. 바로 그게 저놈들의 본질이야. 여태까지 감언이설로 분식을 하다가 다급해지니까 제 본질을 드러낸 거라구. 그 잔인성에 겁을 먹고 물러설 때 바로 그 무지막지한 잔인성에 모든 것은 끝장이 나고 말 거야. 오늘 여러명이 죽었고, 수백명이 무지막지하게 얻어맞고 어디론가 실려 갔어. 제대로 치료를 받지 못하면 그들도 반 이상은 죽을 거야. 그들을 얼마나 잔인하게 작살을 내서 얼마나 잔인하게 실어갔는 줄 알아? 그들은 지금 병원에 있는 것이 아니라, 어디 지하실이나 창고 시멘트바닥에 뒹굴고 있을 거라구. 이 판에 도망치자고? 그래 도망치면 살겠지. 살아서 내중에 그들 묘 앞에 꽃다발을 가지고 가고, 추몹네 위령입네, 무슨 정신 계승입네 지랄을 하겠지. 4·19를 팔아먹고 사는 개새끼들처럼. 도망치라구. 도망쳐서 오래오래 살라구. 검은 머리가 파뿌리 되도록 오래오래 잘들 살란 말이야."

부엌 안에서 방문이 벼락치는 소리가 났다. 현도는 찔끔하며 집 모퉁이로 몸을 피했다.

"야, 인마. 너만 잘났냐?"

후식이가 따라 나오며 소리를 질렀다.

"그래. 잘났다. 도망치는 새끼들보다는 잘났어."

성준이는 경황 중에도 한마디 해놓고 대문도 또 벼락을 치며 휑하니 나가버렸다.

"내가 따라갔다 올게. 너희들은 여깄어."

후식이가 방에다 대고 말해놓고, 바삐 대문을 나갔다. 현도는 그들이 나간 뒤에도 한참 거기 서 있었다. 방에서는 아무 소리도 없었다.

현도는 금방 밖에서 들어오는 것처럼 천연덕스럽게 방문을 열었다.

"다른 분들은 어디 가셨소?"

"예. 잠깐 나갔습니다."

현도는 부엌에서 잔을 챙겨가지고 안으로 들어갔다.

"오다가 가게 문이 열렸길래 사왔습니다."

현도는 술병과 안주를 내놓으며 웃었다. 그들은 몽둥이라도 맞은 놈들처럼 멍청하게 앉아 있었다.

"한잔씩 합시다."

현도는 양재기에다 술을 따라 그들 앞에 놨다.

"듭시다."

모두 잔을 들었다. 술을 많이 따랐는데도 그들은 대번에 들이켜버렸다. 서로 잔을 바꿨다. 이내 성민이가 입을 열었다.

"우리는 방금 내일도 데모를 해야 한다거니, 저렇게 무지막지하게 나오니 잠시 피해서 사태를 관망해야 한다거니, 한바탕 언쟁이 벌어졌습니다."

성민이가 침착하게 말했다. 그러나 아직 흥분이 가시지 않았는지 말을 조금 더듬거렸다. 현도는 성민이만 건너다보고 있었다.

"낮에 구경했다니 말이지만, 그렇게 무지막지한 놈들 앞에 맨주먹으로 덤빈다는 것은 만용이 아닐까요? 더구나, 그놈들은 총을 가졌습니다. 이럴 때 이런 소리는 맹물 같은 소리로 들릴는지 모르지만, 이럴 땔수록 흥분을 가라앉히고, 빗방울이 바위를 뚫는 이치를 생각해야 할 것 같아요."

현도는 건성으로 고개를 끄덕였다.

"아까 성준이 말도 옳아. 그렇지만, 이런 상황에 대처하는 방법이 어디 한가지뿐이겠어? 성준이가 말한 것도 한가지 방법일 뿐이야. 그 방법이 최선이라고는 말할 수 없어."

시호였다. 술기가 올라가자 두사람은 말이 많아졌다.

"현도씨는 어떻게 생각하십니까?"

성민이가 현도한테 잔을 넘기며 물었다.

"나야 그냥 구경이나 하는 구경꾼 아닙니까?"

"그게 무슨 말씀입니까?"

시호가 당찮은 소리라는 투로 퉁기고 나섰다.

"이 군바리 놈들 독재정치에 가장 크게 고통을 받고 천대받는 사람들이 바로 당신들인데 구경꾼이라니요. 따지고 보면 맨 앞장을 서서 싸워야 할 사람들이 바로 당신들입니다. 당신들이 당신들 형편을 모르고 잠을 자고 있으니까, 우리들이 대신 싸워주고 있는 겁니다. 4·19도 학생들이 대신 싸웠기 때문에 결과가 그 꼴이 됐던 거예요. 생각해보십시오. 당신들은 백날 일을 해봤자 계속 뜯기기만 하는 노동자들이고 농민들이지만, 우리는 이렇게 싸우다가도 대학을 졸업해서 사회에 나가면 당신들 저 윗자리에 출세할 사람들입니다."

시호는 계속 입침을 튀겼다.

"글쎄요."

현도는 어정쩡한 표정으로 멋쩍게 웃었다.

"글쎄요가 아닙니다. 내 말은 조금도 과장이나 둘러댄 말이 아닙니다. 형씨도 농사짓다 농사지어가지고는 도저히 살아갈 수가 없기 때문에 도시로 나온 거 아닙니까? 허지만, 도시에 나오니 어떻소? 지금 형씨가 받는 월급이 형씨가 일한 것하고 비교해서 그것이 정당한 값이라고 생각하십니까? 보리 한되 값이 커피 한잔 값인데, 형씨가 지금 하루 뼈 빠지게 일한 값은 얼맙니까? 왜 그런 줄 아십니까?"

시호는 연방 입침을 튀겼다. 그는 농민과 노동자가 손해 본 만큼의 이익을 누가 보는가 하나하나 그 예를 들어 설명한 다음, 그런 무리한 짓을 계속하자니까 저렇게 무자비하게 사람까지 죽이면서 탄압을 하지 않을 수 없는 거라고 계엄령이 내려진 경위를 자세하게 설명했다. 좀 아리송하기는 했으나 모두 옳은 소리 같았다. 특히 뼈 빠지게 일한다는 소리 같은 대목에서 친밀감이 느껴졌다.

성준이를 따라 나갔던 후식이는 밤늦게까지 돌아오지 않았다. 성민이와 시호는 자기들끼리만이라도 피해야겠다며 아침 일찍 집을 나갔다. 시골로 가겠다는 것이다.

현도는 어제저녁 선희가 준 전화번호로 우투리가 자취하는 집에 전화를 걸었다. 주인 아주머니가 전화를 받는 것 같았다. 어제저녁 돌아오지 않았다며 근심스런 목소리로 되레 이쪽에다 어찌 된 일이냐고 물었다.

현도는 두 학생이 떠나는 것을 보니 조바심이 났으나 우투리 때문에 선뜻 떠날 수가 없었다. 고향에 가면 그 할아버지며 부모들이 우투리 소식부터 물을 것인데 모른다고 대답할 수가 없었기 때문이었다. 현도는 어떻게 할까 망설이면서 아침밥을 먹었다.

큰방 아주머니는 아침부터 남편한테 설레발이 요란스러웠다.

"오늘도 데모 일어나면 집으로 쬐하니 들어와부씨요잉. 데모는 즈그덜끼리 하는디, 장사하는 당신이 무슨 상관이 있다고 내빼 오냐 말이요, 내빼 오기를? 이 골목에서 데모하면 저 골목으로 빕더서서 폴고, 저 골목에서 데모하면 이 골목에서 폴 일이제, 데모를 하면 그것이 장사꾼들 장사한다고 데모하간디, 허겁지겁 내빼라우. 계림시장 뒷골목이나 서방시장 아파트 골목 같은 디는 어지간한 시골 장판보담 존 목입디다."

그때 또 선호가 왔다.

"아직 고향에 안 갔으면 빨리 집에 좀 다녀가랴."

"누가?"

"할아부지가."

"아직 우투리 소식 모르지?"

"엊저녁에 집에 안 들어왔다는 것 같어. 공용터미날 말고도 여러 군데서 사람들이 죽었다는 것 같은디 괜찮은가 몰라?"

선희 집에 들어서자 평촌영감이 마루에 기다리고 앉아 있었다.

"일찍 가라고 했등마는 일찍 안 가기를 잘했다. 느그 할머니가 가슴애피가 도졌다고 지난번 그 약방에 가서 그 약을 두어첩 지어 가지고 오라는 전화가 왔다. 얼른 지어갖고 가봐라. 돈 여깄다."

평촌영감은 또 돈을 내밀었다. 현도는 잠시 망설이다가 돈을 받았다.

"그럼 다녀올라요."

현도는 평촌영감한테 꾸벅 고개를 숙였다.

"기왕 갈라고 하던 길인께 집에 가거든 여그가 조용해질 때까지 집에 진득허니 있다가 온나."

"알겄소."

현도는 옆방을 들여다봤다. 선희는 어제와 같은 모양으로 발에 물수건을 싸매고 있었고, 미혜는 곁에서 거들고 있었다.

"우리 할머니가 편찮으시당께 하는 수 없이 다녀와야겄구만. 우투리 소식이 궁금하기는 한디 별일이사 있겄어?"

"우투리가 웬일이까?"

선희는 다친 다리를 안고 상을 찌푸리며 말했다.

"글쎄. 나도 그것이 궁금하기는 한디……"

현도는 우물쭈물 말꼬리를 흐렸다.

"잘들 있어."

현도의 말에 미혜가 현도를 보며 고개를 까닥했다. 그러나 별다른 표정은 없었다.

"잘 다녀와."

선희는 눈을 자기 다리께다 두고 건성으로 말했다.

현도는 다시 평촌영감한테 인사를 하고 집을 나왔다. 현도는 뒤통수가 뒤로 당기는 것 같았으나 붙잡아 끌듯 대문을 나오고 말았다. 이것으로 그들과 인연을 다 끊어버리기라도 하는 것 같은 생각이 들었다. 미혜하고도 그만이라는 생각이 들기도 했다.

현도는 집에서 옷을 갈아입고 조그마한 가방을 챙긴 다음 주인아주머니한테 고향에 다녀오겠다는 인사를 했다.

"오매. 잘 생각했그마. 잘 생각했어. 글안해도 총각이 걱정이 되아서 내가 시방 애가 빠직빠직 타등마는 잘 생각했어. 나도 시방 자네보고 고향으로 가라고 하까 으짜까 하고 있던 참이었어. 어서 다녀오겨. 어서 다녀와. 이러코 난리가 나서 야단일 때는 꽃등에는 피하랬어. 꽃등에는 피하고 보는 법이여. 암 피해사제. 옛말 그른데 없등만."

현도가 골목을 나오자 무슨 일인지 복덕방 안이 시끌벅적했다.

"내가 시방 돈을 띠어묵겄다고 했어, 으쨌어? 문서에 적히기를 날짜가 오늘로 적혀 있은께 오늘밤 열두시까지만 돈을 주면 되잖냐 이 말이여? 법에다 내놓고 보더라도 내 말이 그른 데 있어?"

염소수염 영감이 웬 낯선 사람한테 고래고래 악을 쓰고 있었다.

"여보시요. 보자 보자 한께 이 영감이 해도 너무하네."

복덕방 영감이 깡 소리를 지르고 나왔다.

"밤 열두시가 어쩌고 법이 어째라우? 이 사람 말은, 오늘 데모가 커져서 은행이 문을 닫아불면 이 사람은 계약금 백만원을 날리게 생겼은께 기왕에 오늘 줄 것, 얼른 은행에 가서 찾아달라는 소리 아니요? 그런 편리 좀 못 봐주겄다는 것이요?"

복덕방 영감은 삿대질까지 하면서 소리를 질렀다.

"그것은 댁네 사정이여."

"댁네 사정인께 기왕 오늘 줄 돈을 몇시간 상관으로 그런 큰 손해를 봐도 좋다 이 말씀이요? 예끼 여보시요!"

복덕방 영감은 염소수염 영감을 잔뜩 노려보며 소리를 질렀다.

"어이구."

곁에 앉았던 텁석부리 영감이 잔뜩 비위가 상한다는 표정으로 복덕방을 나왔다.

"저놈의 영감쟁이가 시방 왜 저러코 버티고 있는 중 알어?"

바깥 의자에 앉아 있는 영감한테 말했다.

"6·25 같은 전쟁이라도 나잖을까 하고 시방 잠시라도 돈을 틀어쥐고 앉었자는 것이라구. 벌써 돈은 어제 은행에서 찾아다 놨어."

"못된 놈의 영감태기."

현도는 선희 집 쪽 골목을 보며 거기 잠시 충그리고 있었다.

"시골 가는가?"

의자에 앉았던 영감이 알은체를 했다.

"예. 할머님이 편찮으셔서."

"할머니고 누구고 얼른 가게. 대학생들은 엊저녁부터 오늘 아침 사이에 거진 광주를 빠져나갔다는 것 같네. 저놈들이 시방 눈이 뒤집혀도 보통으로 뒤집힌 것이 아니네. 그런 눈에 대학생이고 누구고 지대로 가려 보이겄는가?"

현도는 그들에게 꾸벅 고개를 숙여 인사를 하고 시내 쪽으로 발걸음을 옮겼다. 한약방에서 약을 지어가지고 시내버스를 탔다. 계림동에 중간 정류소가 있었으나 공용터미널 가는 버스를 탄 것이다.

시내버스가 신역에 이르자 공용터미널 쪽에는 또 데모가 벌어졌다며 노선을 변경해서 운행하겠다고 운전사가 말했다. 정말 그쪽에 사람들이 웅성거리고 있었다. 사람들이 그쪽으로 몰려가고 있었다. 현도도 그들 틈에 끼여 조심조심 그쪽으로 다가갔다. 그러나 공수단원은 보이지 않았다. 터미널 앞 로터리에서 학생들이 구호를 외치고 있었다.

"온다!"

저쪽에서 군중들이 소리를 지르며 이쪽으로 우르르 몰려왔다. 젊은이들은 대부분 손에 돌멩이를 들고 있었고, 작대기를 든 사람도 있었다. 돌멩이를 든 사람들 눈에는 핏발이 서 있었다. 어제보다 훨씬 더 살기가 느껴졌다.

공수단원들이 로터리 가운데로 나와 서성거렸다. 오륙명 되는 것 같았다.

"저 새끼들이 오늘 아침에는 멀쩡한 시내버스까지 멈춰갖고 젊은 사람들이라면 닥치는 대로 조자 트럭에다 싣고 갔소. 지금 실려간 사람들은 거진 죽어갈 거요. 저 새끼들을 다 때려죽입시다."

젊은이 하나가 몰려선 군중들을 향해 악을 썼다.

"전××이 찢어 죽여라!"

그러나 군중들은 따라 외치지 않았다. 앞에 선 젊은이들이 돌을 던지며 차츰 로터리 쪽으로 몰려갔다. 군중들도 따라갔다. 공수단원들은 다시 저쪽으로 몰려갔다.

그때 터미널에서 버스가 한대 이쪽으로 나오고 있었다. 버스는 제대로 다니는 것 같았다.

군중들이 터미널 가까이 몰려갔다. 저쪽에도 군중들이 몰려 공수단원들을 향해 돌멩이를 던지고 있었다. 현도는 바삐 소방서 쪽으로 갔다. 거기서 터미널로 건너갈 참이었다.

"온다!"

갑자기 군중들이 이쪽으로 우 몰려왔다. 현도는 재빨리 소방서 쪽 골목으로 들어섰다. 사람들이 계속 도망쳐 오고 있었다. 사람들은 상점이나 다방으로 쓸려 들어갔다. 현도는 거기 있는 맥줏집으로 사람들을 따라 들어섰다. 군중들은 계속 몰려오고 있었고, 맥줏집은 사람들로 가득 차버리고 말았다.

"오매. 안 되겄소. 문을 닫아붑시다."

맥줏집 아가씨가 문을 닫아걸어버렸다. 현도는 셀로판지로 바른 유리문 사이로 밖을 내다봤다. 삽시간에 거리는 텅 비어버리고 말았다. 공수단원 둘이 곤봉을 들고 소방서 쪽으로 죽어라 뛰어가는 것이 보였다. 한사람을 겨냥해서 쫓고 있는 것 같았다.

그때 터미널 쪽에서는 금방 차에서 내린 듯한 시골 할머니가 보퉁이를 이고 이쪽으로 건너오려고 서성거리고 있었다. 현도는 그 할머니를 보는 순간 자기 할머니 같다는 착각을 느꼈다. 허리가 조금 굽은 것까지 자기 할머니를 닮은 모습이었다.

공수단원들이 쫓아갔던 젊은이를 붙잡은 것 같았다. 양쪽에서 젊은이 다리 하나씩을 잡아 질질 끌고 가고 있었다. 얼굴이 피범벅이 된 젊은이는 맥을 놓은 것 같았다.

"저런 개새끼들!"

현도하고 같이 밖을 내다보고 있던 사람이 이를 갈았다. 그때였다.

"오매 오매. 사람 죽네."

저쪽 시골 할머니가 이고 있던 보퉁이를 내던지며 공수단원 쪽으로 쫓아갔다. 할머니는 공수단원 손목을 잡았다.

"사람 죽소. 사람 죽어."

"이런 쌍!"

공수단원은 곤봉으로 할머니 등짝을 냅다 갈겨버렸다.

"아이고매."

할머니는 길바닥에 폭삭 나동그라지고 말았다

"야, 이 개새끼들아!"

저쪽 다방 입구에서 젊은이들이 뛰어나오며 악을 썼다. 그러나 공수단원을 더 쫓아가지는 못했다. 할머니는 그 자리에 버르적거리고 있었다. 현도는 저도 모르게 이를 악물며 주먹을 쥐었다.

"야, 이 개백정 놈들아!"

저쪽에서 젊은이들이 뛰어나와 할머니 곁으로 갔다. 할머니를 떠메고 이쪽으로 왔다. 할머니는 거의 맥을 놓고 있었다. 할머니 이마에서는 피가 흘러내리고 있었다. 그 피를 보는 순간 현도는 자기 몸뚱이가 하늘로 붕 뜨는 것 같았다.

"아가씨 이 가방 좀 맡깁시다."

현도는 탁자 위에다 가방을 내던져놓고 밖으로 나갔다. 저만치 길가로 갔다. 가로수 받침목을 쭉 뽑았다. 현도는 받침목을 꼬나쥐며 이를 앙다물었다. 현도는 자기 몸뚱이가 하늘로 붕 뜨는 것 같았다.

"저놈들을 죽입시다."

현도는 골목에 웅성거리고 있는 사람들을 향해 악을 썼다.

"죽이자!"

군중들도 따라 악을 썼다.

현도는 몽둥이를 들고 로터리 쪽을 향했다. 저쪽에서도 악을 쓰며 군중들이 몰려들고 있었다. 몽둥이를 든 현도는 갑자기 다른 사람이 되어버린 것 같았다.

『창작과비평』 1988년 여름호(통권 60호)

| 해설 |

송기숙 소설의 웃음 미학

조은숙(전남대 강의교수)

1. 웃음판 벌이기

살다 보면 삶은 때때로 너무나 절망적이어서 위안조차 생각할 수 없을 만큼 막막한 상황에 부딪히기도 한다. 송기숙 소설은 이런 상황에 처한 사람들에게 웃음으로 위안을 준다. 그의 작품 속에 등장하는 노인들은 능청으로 웃음판을 벌이고, 절묘한 입담으로 독자들을 사로잡은 후, 그들로 하여금 한바탕 박장대소하며 응어리진 것들을 풀어내게 한다. 이렇듯 송기숙에게 웃음의 서사전략은 중요한 창작방법론으로 작용한다.

송기숙에게 소설 쓰기란 웃을 수 없는 현실 속에서 웃음을 건져 올리는 일이었다. 그는 웃음을 건져 올리는 방법으로 우리 민중이

즐겨 사용했던 익살·해학·야유·풍자를 활용한다. 국립국어원 사전에 의하면 익살은 일부러 남을 웃기기 위한 우스운 말이나 행동을 말하고, 해학은 익살스러우면서도 조소가 섞여 있는 말이나 행동을 의미한다. 그리고 야유는 남을 빈정거려 놀리는 말이나 몸짓을 의미하며, 풍자는 남의 결함이나 부정적인 측면을 비웃으면서 날카롭게 폭로하는 것을 말한다. 송기숙은 그의 소설에서 이 네가지 웃음의 기법을 적절히 조합하여 우스꽝스러운 상황이나 인간상을 구현한다.

『개는 왜 짖는가』에는 기존 작품집에 실려 있지 않던 「백포동자」「신 농가월령가」「우투리 — 산 자여 따르라 1」과 기존 작품집에 실려 있던 「개는 왜 짖는가」「부르는 소리」「파랑새」를 합해서 모두 여섯 작품이 실려 있다. 여기에 실린 작품들은 모두 송기숙이 1978년 교육지표 사건과 1980년 5·18민주화운동으로 투옥 생활을 한 후 쓴 작품들이다. 그가 교육지표 사건으로 재판을 받으면서 "여기에서 있었던 모든 일들을 소설로 쓸 것이다"라고 말했듯이, 그에게 소설 쓰기는 당대의 모순을 직시하는 창이었으며, 민중을 역사의 주체로 바로 세우는 작업이었다. 그는 교육지표 사건으로 청주교도소에 수감되었을 때, 나무젓가락 사이에 샤프심을 끼워서 실로 고정한 후, 국어사전 제일 아래에 한줄씩 써서 '암태도 소작쟁의'를 소재로 장편소설 『암태도』의 초고를 완성했다. 그리고 광주민주화운동으로 광주교도소에 수감되었을 때 '동학'을 소재로 한 대하장편소설 『녹두장군』의 집필 계획을 세웠다. 이러한 작업으로 인하여 그는 민중의 주체성 구현의 가능성에 대해 구체적인 확신을 가질 수 있었다.[1] 송기숙이 그의 작품 속에서 익살·해학·야유·풍자를 많이 활용한 데는 당대 민중이 살아가는 이야기를 그들의 언어와 정서로 표현하기 위함이었을 것이다.

민중의 이야기는 민중의 양식으로 담았을 때 가장 가독성이 있다. 민중들은 현실의 규범이나 부정적인 대상을 공격할 때 웃음을 자아낸다. 송기숙은 「신 농가월령가」에서 해학을 통해 '새마을운동'으로 농촌 마을이 오히려 '헌마을'이 되어버린 상황을 보여주거나, 「개는 왜 짖는가」에서 풍자의 웃음을 통해 '개'만도 못한 인간을 한없이 추락시킨다. 그리고 「우투리 ―산 자여 따르라 1」에서는 '아기장수 우투리' 전설 속에 담겨 있는 유머와 해학을 통해 절망 속에서도 존엄과 인간성을 잃지 않는 웃음을 보여준다. 이렇듯 그는 전통적인 골계미를 창조적으로 전승하여 현실의 문제점을 능청으로 비튼 후, 상황을 웃음판으로 만들어서 익살로 풀어낸다. 송기숙에게 웃음은 위안이며, 저항이며, 해방이다. 그러했기에 그의 소설을 읽고 나면 마치 한바탕 춤사위를 벌인 이후에 찾아온 시원함처럼 카타르시스를 느낄 수 있다.

2. 능청으로 비틀기

송기숙의 작품에는 영감이 주요 인물로 등장한다. 「불패자」의

---

1) 조은숙 『송기숙의 삶과 문학』, 역락 2009 참조.

악발영감, 『자랏골의 비가』의 곰영감, 「가남 약전」의 가남영감, 『녹두장군』의 조망태, 「당제」의 한몰영감, 자리실영감, 「신 농가월령가」의 방촌영감, 「고향 사람들」의 장태호 영감, 「제7공화국」의 매실영감, 『은내골 기행』의 절곡영감, 「북소리 둥둥」의 상쇠 영감, 「개는 왜 짖는가」의 민 영감, 좁쌀영감, 털보영감, 굴때장군, 호적계장 등이 있다.[2] 이들은 모두 세상을 향해 감시하듯 무서운 눈초리를 지니고 있으며, '되바라진' 일에는 참지 못한다.

그렇다면 송기숙은 왜 노인이라고 하지 않고 영감이라고 했을까? 이는 그가 추구했던 강인한 민중상과 연관시킬 수 있을 것이다. 그가 추구했던 민중상은 타인의 존경을 받을 만한 윤리의식과 어떠한 상황에서도 웃음을 웃을 수 있는 유머 감각을 지닌 동네 어른이었다. 송기숙은 한 마을이 형성되기 위해서는 다섯가지 조건이 형성되어야 한다고 산문집 『마을, 그 아름다운 공화국』(화남 2005)에서 밝히고 있다. 그 첫째가 동네 사람들의 존경을 받는 동네 어른이고, 두번째가 늘 말썽만 부리거나 버릇없는 후레자식이며, 세번째가 일삼아서 이 집 저 집으로 말을 물어 나르는 입이 잰 여자이고, 네번째가 틈만 있으면 우스갯소리로 사람들을 웃기는 익살꾼이며, 다섯번째가 좀 모자란 반편(半偏)이나 몸이 불편한 장애인들이다. 「개는 왜 짖는가」는 첫번째 요소와 두번째 요소를 통해서 1980년대 언론의 비판적 기능 저하를 풍자하고 있다.

「개는 왜 짖는가」에서 민 영감, 좁쌀영감, 털보영감, 굴때장군,

2) 같은 책 185면 참조.

호적계장도 통새암에서 사람들로부터 존경받고 항상 두려운 존재로 자리매김하고 있다. 신문기자 영하도 마찬가지다. 영하는 이 동네로 이사 오기 위해 집을 흥정할 때 영감들이 나서서 "하나하나 그 집 흠집을 들춰 얀정머리 없이 집주인을 윽대기며 집값을 후"(28면)려쳐서 싼값에 집을 구할 수 있었다. 그리고 이삿짐을 정리하고 있는데 유자나무를 가져와서 손수 정원에 심어주기까지 하였다. 그런데 영하는 이들을 존경하는 마음보다 두려운 마음이 더했다. 아내로부터 영감들이 이 동네에서 말썽을 부린 '세무서 과장'을 혼쭐낸 이야기와 버릇없이 굴다가 고두백배 사죄를 한 '경찰서 형사' 이야기를 듣고 난 이후부터는 가능하면 마주치지 않으려고 피해 다녔다.

영하가 영감들을 피해 다니는 표면적인 이유는 이들이 신문에 대한 불만을 자신한테 몽땅 덤터기 씌우거나 기자란 직업 때문에 달갑지 않은 부탁을 했을 때 거절하기 어렵다는 것이다. 하지만 영하가 도시에서 통새암으로 이사 온 까닭을 살펴보면 이들을 피해 다니는 심층적인 이유를 알 수 있다. 영하는 한달에 특종을 세번이나 낼 정도로 취재를 할 때 꼬치꼬치 따지며 파고드는 버릇이 있었지만, 최근에는 "산에 나무하러 간 게으른 머슴이 나무를 베어 대충대충 가든그려 지고 오듯, 건둥건둥 정리하여 부장 데스크에 던져버리는 것으로, 나무를 져다 부린 머슴 녀석처럼 하루 일을 끝내고"(26면) 마는 무기력증에 빠져 있었다.

그러던 중 아내가 구독하지 않는 신문을 배달하는 아이를 잡고 "모두가 판에 박은 듯이 똑같은 신문을 무엇 하러 세가지나 보냔 말이야. 고양이도 낯짝이 있더라고 좀 염치가 있어야지. 한번만 더 넣었다가는 가만두지 않을 테야"(29면)라고 닦달하는 소리에 영하는 현재 자신의 위치를 깨닫게 된다. 그는 기자이면서도 사람들이 삶과 직접 관련이 있는 "정치나 시국 이야기"를 하면 질색을 했고, "음담패설이나 낚시·분재·등산 같은"(26면) 가벼운 화제만 즐겼다. 그러니 아내의 말처럼 사람들에게 더이상 '쓸모없는' 그런 기사를 쓰는 신문은 아무 필요가 없었다. 영하 스스로도 제대로 된 기사를 쓰지 못하는 자신이 "멀쩡한 나무를 (…) 싹뚝싹뚝 자르고, (…) 비틀고 철사로 묶"(33면)어 키우는 '병신 중에서도 상병신 꼴'의 분재로 느껴져서 도시에서 벗어나 통새암으로 이사를 왔던 것이다.

영하가 통새암으로 와서 제일 먼저 느낀 기분은 '해방감'이었다. 더이상 기사를 제대로 쓸 수 없는 상황에서 오는 절망감이나 분노를 느끼지 않도록 '신문기자'를 그만두기로 하면서 '숨통'이 트였던 것이다. 그런데 통새암거리 영감들이 자신이 기자라는 것을 아는 순간 그의 해방감은 두려움으로 변했다. 영하가 통새암거리 영감들을 두려워한 것은 '염치' 때문이다. 통새암거리 영감들이 혼쭐을 내는 사람들은 '염치'없는 사람들이기 때문이다.

영감에 대한 이런 두려움이 한층 더해진 것은 그 이삼일 뒤였다.

"또철아, 또철아, 가만있어, 가만!"

영하는 처음에는 누구를 꾸짖는 소리인 줄 알았다. 그런데, 그 또철이는 셰퍼드 이름이었다. 이 또철이도 사람 이름인 것 같았는데 이또오처럼 유명인사 이름인 것 같지는 않았다. 그러나 개 한테 저런 이름을 붙인 것 보면 그 이름 임자가 이또오처럼 예사 사람은 아닌 것 같았다. 저 쪼그마한 영감 어디에 저런 악착스런 오기가 들어 있는지 영하는 어이가 없었다. 작은 고추가 맵다고 저 작은 체구가 온통 오기로 뭉쳐진 것 같았다. (39면)

영하는 영감들이 염치없는 행동을 했던 '이또오 히로부미'나 마을 사람 '또철'이를 개 이름으로 능청스럽게 부르는 모습을 보고 두려움을 느낀다. 이는 영하에게 무언의 압력으로 '염치'있는 삶을 요구하기 때문이다. 영감들은 부모에게 불효를 하고 있는 '또철'이를 '개만도 못하다'고 풍자의 대상으로 삼고 있듯이 자신이 제대로 된 기사를 쓰지 못할 때는 부정적인 대상으로 추락시켜 웃음을 자아낼 수 있기 때문이다. 또철이라는 개가 실제 인물 또철을 향해 짖고, 또철이가 자신을 향해 짖고 있는 개 또철을 향해 고래고래 소리 지르는 우스꽝스런 상황에서 영감들은 능청스럽게 언론의 무능력을 비틀어 말한다. 그들은 마치 영하를 떠보기라도 하듯이 "신문이란 것이 세상의 시시비비를 가려서 잘한 것은 잘한다고 내고, 못한 일은 못한다고 내는 것 아니요?"(42~43면)라고 말하면서 부모에게 불효한 또철이를 신문에 내줄 것을 부탁한다.

송기숙은 1980년대 언론의 비판적 기능 저하를 직접적으로 비판하기보다는 말썽을 부릴 때마다 동네 사람들의 지탄의 대상이 될 수밖에 없는 인물인 또철이를 통해서 보여준다. 학식이나 인품이 있는 영감들이 또철이를 혼내는 것은 그 집단의 도덕적 기준에 따른 평가이기 때문에 그 공간에 있는 모든 사람들은 스스로 도덕적으로 문제가 없는지 자신을 점검하는 기회를 갖게 된다. 영하 또한 굴때장군이 "개는 짖으라고 있고 신문은 나팔을 불라고 있는 것"(61면)이라고 하자 그 말을 듣고 기사를 쓴다. 하지만 편집국의 싸늘한 분위기와 정치부장의 우거지상을 본 후, 신문에 내면 죽이겠다고 했던 또철이의 눈을 떠올리며 쓴 기사를 쓰레기통에 버린다. 이로써 '신문기자가 개만도 못한' 상황으로 전락하게 된다. 이렇듯 송기숙은 신문기자 영하의 개만도 못한 참담한 상황을 그대로 보여줌으로써 1980년 신군부가 '건전언론 육성과 창달을 위한 결의문'을 빙자해서 언론통폐합을 단행했던 상황을 날카롭게 풍자하고 있다.

3. 익살로 풀어내기

송기숙은 첫번째 작품집 『백의민족』을 낼 때도 새로 고친 것이 많아 "처음 발표했던 곳을 밝혀야 할 필요를 느끼며, 정리를 해보았더니 삼분지 이 정도" 되었다고 할 정도로 개작을 많이 하는 작가이다. 그는 "자기가 보아서 더 고칠 데가 없다 할 때까지는 고쳐야" 할 정도로 문장의 정확성을 추구하는 한편, 당시 시대상을 제대로 반영하려고 노력했다. 그는 2003년 여덟번째 단편집 『들국화 송이송이』를 낸 후 2007년 7월까지 새로운 작품을 창작하기보다는 그때까지 자신이 발표한 중·단편소설을 개고하는 작업에 매진했다.

그 결과 개고한 「신 농가월령가」는 이전에 이문구·최일남·송기숙 3인 연작 소설집 『그리고 기타 여러분』(사회발전연구소 1985)에 발표한 것에 비해 문장이 훨씬 매끄럽고, 각 장의 제목이 구체적이다. 예를 들면 6장 '개 먹는다 시비 말고 깜둥이 사람 취급이나'를 '개고기 시비 말고 깜둥이 사람 취급이나'로, 7장 '이놈의 소야, 뭣 하려고 여기까지 건너와서'를 '이놈의 소야, 뭣 하러 미국서 건너와서'로, 10장 '88에 한몫 보려면'을 '88올림픽에 한몫 보려면'으로 고쳤다. 송기숙은 개고 과정에서 '이놈의 소'를 '미국 소'로 구체화하면서 칠성이와 같은 농민들이 어떻게 정부 정책의 희생양이 되었는지 보여주고 있다.

칠성이는 밤이 늦어서야 술이 곤드레가 되어 돌아왔다.

"나락 매상해서 일만이 빚 갚고 한잔했구먼. 그런데 나 오늘 존 노래를 하나 배웠구먼. 들어봐."

칠성이는 동네가 떠나가라 고래고래 노래를 불렀다.

나에 살던 고향은 꽃피는 산골
미국 쌀 일본 쌀 수입 등쌀에
매상가격 시장가격 똥값 된 동네
그 속에서 사는 농민들 행복합니다. (180면)

칠성이가 술에 취해 아내에게 들려주는 '존 노래'는 한국인이면 누구에게나 익숙한 한국의 대표 동요 「고향의 봄」이다. 그런데 고향에 대한 그리움이 깊게 밴 이 동요를 칠성이는 매판자본에 의해

'똥값 된 동네'로 패러디하고 있다. 더이상 고향에 봄은 없다. 칠성이는 정부의 정책만 믿고 소를 키우고 돼지를 사육했지만, 소값과 돼지값이 폭락하면서 전 재산을 날리고 빚을 지게 된다. 정부는 양파 농사를 잘 지으면 '양파'를 수입해서 '양파값이 똥값'이 되게 하고, 딸기 농사를 잘 지으면 '딸기'를 수입해서 '딸기값이 똥값'이 되도록 한다. 칠성이가 부르는 노래처럼 이제 농촌은 '미국 쌀 일본 쌀 수입 등쌀'에 '매상가격 시장가격'이 '똥값'이 되었기에 그 속에서 사는 농민들은 더이상 '행복'할 수 없다.

이는 칠성이가 이전에 어린이들이 아침 청소를 하면서 부르는 동요 「새 나라의 어린이」를 듣고 호통을 치는 부분에서도 나타난다. 칠성이는 지금까지 늦잠 한번 자지 않고 열심히 일했지만 빚만 늘어나는 삶을 떠올리며, 오히려 "일찍 일어나는 사람치고 사람대접 받는 사람 없어. 잠꾸러기 많은 나라 우리나라 좋은 나라야."(172면)라고 노래 가사를 패러디한다. 어린이들은 이 노래 가사를 듣고 깔깔거리며 웃고, 칠성이도 그런 아이들을 보면서 웃는다. 김열규는 『한국인의 유머』에서 깔깔거리는 웃음은 어린 소녀의 밝음이 있다고 하였다. 어린아이들의 밝은 웃음과 칠성이의 '쓴웃음' 차이에서 벌어지는 희극적인 상황은 읽는 이로 하여금 또다른 웃음을 짓도록 유발한다. 독자는 아이들이 불렀던 동요를 통해 '새마을운동'을 연상하면서, 칠성이가 패러디한 동요를 통해 새마을운동으로 '헌마을'이 된 진밭실을 떠올릴 것이다. 이렇듯 송기숙은 두편의 동요를 익살스럽게 패러디함으로써 유쾌한 웃음으로 극적 반전의 재미를 선사하고 있다.

「신 농가월령가」에서 유쾌한 웃음으로 극적 반전을 보이는 또다른 인물은 방촌영감과 도래실영감이다. 두 영감은 진밭실 동네의 정자나무처럼 마을에 정신적인 지주 역할을 한다. 방촌영감은 아침에 일어나면 온 동네를 돌며 집집마다 안부를 묻거나 그때그때 농사와 관련해서 해야 할 일을 알려준다. 마치 조선시대에 지어진 「농가월령가」가 당시 농가의 행사나 세시풍속뿐만 아니라 당시 농촌 풍경을 그림으로 그리듯 표현하고 교훈적인 내용을 담았듯이, 방촌영감도 농사와 관련된 일뿐만 아니라 세시풍속과 관련된 세세한 일들을 알려주는 역할을 한다. 도래실영감도 동네 청년 대용이가 딸기 재배를 위해 보증을 서달라고 하자 흔쾌히 승낙한다. 대용이가 빚을 갚지 못해 논 일곱마지기가 날아가서 장 사장의 소작농으로 전락하지만 도래실영감은 대용이를 책망하지 않는다. 오히려 대용이가 빌려 쓴 사채로 도래실영감의 논을 차지한 장 사장을 우스꽝스럽게 만들어서 희화화한다.

그러면서도 도시로 나가겠다는 일만이를 붙잡기 위한 방편으로 춘심이와 짝을 지어주려 한 두 영감이 술값 이만오천원 때문에 주모에게 망신을 당하는 장면은 해학적이다. 더구나 평소에 마을 사람들에게 보여준 품위 있는 말과 행동으로 인해 도래실영감이 돈이 아까워서 잠바 주머니에 손을 넣었다 뺐다를 반복하는 행위나 돈을 세는 손이 달달 떨리는 모습을 보고 박장대소를 하게 된다. 결국 소설 말미에 일만이가 서울로 떠나고, 텅 빈 마을을 보며 방촌영감이 「신고산타령」을 쓸쓸하게 부르는 모습에서 슬픈 고향의 풍경을 읽어낼 수 있다.

4. 구술된 민중의 노래, 다시 부르기

「우투리 ─산 자여 따르라 1」은 '1'에서 볼 수 있듯이 작가가 연작으로 구성했음을 알 수 있다. 작가는「아직도 문학작품은 엄두가 안 나」(『실천문학』 1990년 여름호)에서 이 작품을 연작으로 쓰려고 했으나 5·18민주화운동이 일어난 지 8년밖에 되지 않아 당시 현장에서 경험한 충격이 너무 커서 더이상 쓰지 못했으며, '우투리'의 모델은 다음과 같다고 밝혔다.

> 부분적인 모델이 있는 셈인데 그것은 항쟁 수습에 대한 이견으로 내 목에다 총을 들이댔던 젊은이와의 충돌 같은 것이 그것이다. 나이는 30여세쯤이었고 조금 호리호리한 몸매의 보통 키에 노동자 같은 인상이었다. 부상을 당했던지 왼쪽 팔굽 위 전부를 붕대로 두껍게 감고 있었으며 처음 들어올 때부터 노리쇠 부분의 총목을 잡아 총을 공중으로 받쳐 들고 있었다. 상당히 격렬하게 싸웠던지 그때까지도 눈이 새빨갛게 충혈되어 있었으며 기가 팔팔했다. 27일 도청 탈환 작전 때 죽은 것이 아닌가 싶다.

그렇다면 송기숙은 왜 이 젊은이를 '우투리'라는 아기장수 전설 속 인물로 명명했을까? 그리고 소설 속 주인공을 우투리가 아닌 데모와 전혀 상관없는 구경꾼 현도로 상정하였을까? 이는 소설 제목인「우투리 ─산 자여 따르라 1」을 '우투리'와 '산 자여 따르라'로 나누면 그 의미가 명확해진다. '우투리'는 우리나라 전역에서 전승되고 있는 '아기장수 전설'에서 몸이 완전치 못한 상태로 태어난 인물이다. 그는 비범한 능력을 가지고 태어나지만, 능력을 제대로 펼쳐보지도 못한 채 관군에 의해 비극적 결말을 맞이한다. 그러했기에 민중은 아기장수가 체제 모반적인 인물로 다시 살아나 자신들이 이루지 못한 일을 성취하기를 기원한다. 역사 속에 끊임없이 반복되었던 정여립이나 김덕령같이 「우투리 — 산 자여 따르라 1」에서 우투리(만수)는 '산 자여 따르라'와 만나면서 광주항쟁 마지막 날, 도청을 떠나지 않고 쳐들어온 계엄군에 맞서다가 장렬하게 전사한 시민군 대변인 윤상원이 된다.

'산 자여 따르라'는 「임을 위한 행진곡」에 나오는 가사다.[3] 그런데 「임을 위한 행진곡」이 5·18민주화운동 당시 시민군 대변인이었던 윤상원과 1979년 들불야학을 운영하다 숨진 노동운동가 박기순의 영혼결혼식을 기념해서 만든 노래라는 점에서 윤상원은 좌절된 역사 속의 비극적 인물인 아기장수 우투리가 된다. 그는 아기장수 우투리처럼 죽음을 두려워하지 않고 앞서 나가 싸우면서, '산 자여 따르라'고 현도에게 외친다.

시내에서 벌어지고 있던 광경들이 눈앞에 아른거렸다. 튀긴 돼지처럼 트럭에 던져지고 있던 벗은 몸뚱이들, 방바닥에 피를 쏟으며 늘어졌던 사람들, 앞니가 온통 깨져 병원으로 가던 젊은

3) 「임을 위한 행진곡」의 가사는 백기완이 1980년대 서빙고 보안사에서 고문을 당할 때 쓴 시 「묏비나리」 중 일부를 소설가 황석영이 개작한 것이다.

이, 곤봉 한대에 앞으로 고꾸라져 한식경이나 손발을 발발 떨던 신사복. 그렇게 무지막지하게 얻어맞고 트럭에 실려 간 사람들은 지금 어디에 어떤 꼴을 하고 있을까? (317~18면)

현도는 친구 우투리를 찾으러 시내로 갔다가 공수단원이 민간인에게 폭력을 가하는 장면을 목격한다. 그는 우투리처럼 공수단원과 맞서기보다는 농 위로 올라가서 숨는다. 그때까지 현도는 전남대학교 후문에서 공수단원들이 대학생들을 개구리 잡듯이 군홧발로 차고 팬티만 입힌 채 원산폭격 시키는 장면을 보고도, 자신과 무관한 일이라고 생각하는 구경꾼이었다. 그런데 농 위에 숨어 있으면서 '피를 바닥에 흥건히 적시며' 죽어가는 시민을 직접 목격하면서 괴로워한다. 그러면서도 일반 시민들이 왜 공수단원의 곤봉에 맞아야 하며, 그들이 죽어가야 하는지, 그리고 '마치 튀긴 돼지처럼 트럭 짐칸'에 실려 가야 하는지 그 이유를 알지 못한다.

작가는 표면적으로는 현도가 친구 우투리를 데리고 가고자 하는 단순한 이유 때문에 '전남대학교 후문–광주역–금남로–도청앞–광주역–전남대학교 근처–자취집'으로 이어지는 이동 경로를 마치 영화의 '카메라아이(camera eye) 기법'처럼 보여준다. 그렇기 때문에 현도의 시선 이동을 따라가다 보면 5·18민주화운동이 어떻게 시작되었는지, 그리고 당시 상황이 어떠하였는지 알 수 있다. 그러면서도 심층적으로는 영화의 '클로즈업 기법'처럼 각각의 장소에서 벌어지고 있는 공수단원의 폭력적인 모습을 압축해서 보여준다. 예를 들면 전남대학교 후문에서 보여준 공수단원의 무자비함은 "데모도 안 하고 학교만 가는디, 잡아다 곤봉으로 찌르고, 군홧발로 밟고, 옷을 벗기고, 막 죽여"(287면)라고 말하는 꼬마의 말에 "오매오매. 일이 크게 벌어지는갑다"(같은 곳)라고 말하는 엄마의 대화 장면이나 복덕방 노인들의 시국담 장면을 통해 드러낸다. 그리고 금남로에서 공수단원이 무자비하게 내리치는 곤봉에 무고한 민간인이 비명을 지르거나 피 흘리는 전쟁과도 같은 참혹한 현장을 생생하게 보여줌으로써, 공수단원이 민간인에게 가하는 폭력의 다양한 양상을 세밀하게 보여준다. 그러므로 현도가 친구 우투리를 데리고 가고자 하는 단순한 이유 때문에 모든 상황을 관찰자적 시선으로 바라봄으로써, 구체적인 장소에서 들려주는 사람들의 적나라한 시국담이 오히려 공수단원의 잔인함을 극명하게 드러내는 효과가 있다.

현도가 시내에서 민간인에게 곤봉을 휘두르는 공수단원에게 몽둥이로 대적하고 있는 우투리(만수)를 보며 '아기장수 우투리' 전설을 떠올리는 것은 구경꾼이었던 현도가 우투리처럼 항쟁에 참여하게 된다는 개연성을 부여한다.

할머니 이마에서는 피가 흘러내리고 있었다. 그 피를 보는 순간 현도는 자기 몸뚱이가 하늘로 붕 뜨는 것 같았다.

"아가씨 이 가방 좀 맡깁시다."

현도는 탁자 위에다 가방을 내던져놓고 밖으로 나갔다. 저만치 길가로 갔다. 가로수 받침목을 쭉 뽑았다. 현도는 받침목을 꼬나쥐며 이를 앙다물었다. 현도는 자기 몸뚱이가 하늘로 붕 뜨는 것 같았다.

"저놈들을 죽입시다."

현도는 골목에 웅성거리고 있는 사람들을 향해 악을 썼다.

"죽이자!"

군중들도 따라 악을 썼다.

현도는 몽둥이를 들고 로터리 쪽을 향했다. 저쪽에서도 악을 쓰며 군중들이 몰려들고 있었다. 몽둥이를 든 현도는 갑자기 다른 사람이 되어버린 것 같았다. (343~44면)

우투리에 대해 걱정을 하면서도 아직 '어정쩡한' 태도를 보이고 있던 현도는 공수단원이 노약자인 할머니에게 폭력을 가하자 '우투리'처럼 항쟁에 참여하게 된다. 이로써 몽둥이를 들고 공수단원을 향해 뛰어가는 현도도 전설 속 인물인 아기장수 우투리처럼 죽을 것이다. 하지만 그는 또 전설 속 아기장수가 되어 우리들 가슴에 살아남을 것이다. 작가가 전설을 차용한 또다른 이유가 바로 '기억하기'이기 때문이다. 송기숙은 전설을 구전된 역사의 또다른 결과물로 본다. 이는 지배자들에 의한 기록된 역사가 왜곡되었기 때문에 민중의 입에서 입으로 전해진 입말을 민중의 역사로 본다는 의미이다. 전설의 특징은 구체적인 시간과 장소 등이 제공되기 때문에 전승자는 그 사건이 진실하다고 믿는 것이다. 그래서 송기숙은 전설을 차용하여 광주라는 장소에서 1980년 5월 18일에 있었던 사건을 민중이 기억하고 후손에게 구술해줄 것을 소망하였을 것이다. 그러므로 「우투리 — 산 자여 따르라 1」은 민중의 구술된 역사이다.

5. 다시, 웃음판을 꿈꾸며

송기숙 소설의 주요 창작방법론인 웃음의 미학을 중심으로 정리하다보니 중편 「신 농가월령가」 「개는 왜 짖는가」 「우투리 ―산 자여 따르라 1」을 중심으로 살펴보았다. 이 작품 이외에 「백포동자」 「파랑새」 「부르는 소리」도 의미 있는 작품이다. 송기숙이 초기 작품에서부터 마지막 작품집 『들국화 송이송이』에서까지 분단문제 해결 방안을 우리 사회의 현안으로 보고 있듯이, 「백포동자」와 「파랑새」는 분단의 아픔을 형상화하고 있다. 「부르는 소리」는 대기업은 하청업체를 착취하고, 하청업체는 노동자의 노동력을 착취하고 있는 모습을 통해 대기업 독점자본의 문제를 고발하고 있다.

송기숙 작품을 읽다 보면 『마을, 그 아름다운 공화국』에서 그가 밝힌 네번째 조건의 인물이 송기숙과 동일시된다. 송기숙이 '틈만 있으면 우스갯소리로 사람들을 웃기는 익살꾼'이기 때문이다. 그래서 그의 작품은 '6·25전쟁, 노동문제, 언론통폐합, 근대화의 허구성, 5·18민주화운동' 등 무거운 주제를 담고 있음에도 불구하고 '입으로는 웃으면서 눈으로는 울게' 한다. 그가 벌인 한바탕 판소리 마당처럼 그의 농익은 아니리에 '얼쑤' 추임새를 넣으며 광장에서 다시 한번 웃음판을 벌이고 싶다. 마을, 아름다운 그 공화국을 꿈꾸며. 그 공화국에서는 「부르는 소리」에서 명자처럼 어려움에 처해 있는 사람들을 부르는 희망의 소리가 들릴 것이며, 「백포동자」에서 태곤의 할아버지처럼 자신의 핏줄이 아니지만 '만호'를 호적에 올려주는 이가 있고, 「파랑새」에서처럼 전쟁이 없는 세상에서 어미 파랑새가 아기 파랑새를 키우는 아름다운 모습을 웃으며 지켜보는 혜선이와 '나' 같은 어린이들이 있을 것이다.

| 초판 작가의 말 |

내가 소설 쓰는 일을 택했던 것을 새삼스럽게 잘한 일이었다고 생각하게 되었다. 이것은 여태까지 써온 내 작품의 문학적 성과랄까를 종합한, 무슨 중간결산 같은 평가를 해보고 얻은 결론이 아니고 지난 일년 동안 사회와 격리된 생활을 하면서 갖게 된 느낌이다.

우리 현실의 저 뒷골목의 또 더 깊숙한 뒷골목에 수없이 너부러져 있는 사정들이 나에게 가해오는 긴장들은 소설이 아니고서는 도무지 주체할 수 없는 것들이었기 때문이다.

같이 살을 부비고 지내던 동료들의 사정은 또 놔두고 살인 강도 강간 폭력 절도 등 죄명만 들어도 끔찍스런 죄수들과 나도 같은 죄수라는 동일한 처지에서, 그들을 격리시킨 바깥 세계를 바라보는 느낌은 전혀 새로운 경험이었다. 억울한 사정이 너무도 많다거나, 또 그중에는 너무나 선량한 사람이 많다거나 하는 것들은 거기 안 가고도 짐작할 수 있는 일이겠지만, 그런 죄를 짊어지고 그 선량한 사람들이 철창 속에서 살아가는 모양들은 쉽사리 상상할 수 없을 만큼 절실한 것들이었다. 삶의 진정한 모습은 언제나 일상의 저 밑바닥에서야 볼 수 있는 것이지만 거기서 겪은 하나하나의 체험은 거개가 충격적인 것이었다.

여기 실린 글은 물론 이런 특수한 체험의 바탕 위에서 쓴 것이 아니고 모두가 그 이전의 것들이다. 그러나 언젠가 그런 체험들이 작품으로 승화될 때도 내가 지금까지 써온 이런 이야기 방식에서 그 테두리를 크게 벗어나지는 않을 것이다.

나는 글 쓰는 속도가 더디고 또 여러번 고쳐 써야 하는 습성이어서, 처음 쓸 때 청탁에 쫓겨 쓴 것들은 손을 보지 않을 수 없었는데 좀더 완벽하게 고치지 못한 것이 아쉽다.

내가 감옥에 있는 동안 너무도 뜨겁게 성원해준 여러 문우들에게 이 자리를 빌려 감사를 드린다. 또 신자 여부를 따지지 않고 끊임없이 격려해준 교계(教界)에 감사를 드리고 홍남순(洪南淳), 이돈명(李敦明), 지익표(池益表), 이기홍(李基洪), 홍성우(洪性宇) 등 변호인들은 내 개인적인 감사를 떠나 우리 사회가 기억해주기를 바랄 뿐이다. 이 글은 출감하고 나서 처음 쓰는 글이라 자꾸 이런 인사 쪽으로만 붓이 달리려 하지만 계제가 그렇지 못해 이런 치레 정도의 감사 표시로 그치려 한다.

발사(跋辭)를 써준 이문구 형, 고맙다고 해야 할지 면구스럽다고 해야 할지 도무지 이건 좀 이형이 너무한 것 같고, 어려운 출판 사정을 돌보지 않고 책을 내주시는 시인사의 조태일 형에게는 여태

져온 빚이 가중되는 것 같아 어떻게 책이나 좀 팔려 큰 손해나 없기를 빌 뿐이다.

1979년 7월
송기숙

* 전집 편집 과정에서 본 작품집과 초판 『개는 왜 짖는가』(한진출판사 1984)의 구성이 완전히 달라졌고, 초판 작가의 말은 중편 「어머니의 깃발」에 대한 내용이 대부분이어서 해당 작품이 포함된 전집 『어머니의 깃발』에 수록했다. 여기에는 『재수 없는 금의환향』(시인사 1979)의 작가의 말을 싣는다—편집자.

| 수록작품 발표지면 |

개는 왜 짖는가 『현대문학』1983년 7월호(통권 343호)

백포동자 『지 알고 내 알고 하늘이 알건만』(창비 1984)

신 농가월령가 『그리고 기타 여러분』(사회발전연구소 1985)

부르는 소리 『매운 바람 부는 날』(창비 1987)

파랑새 『한국문학』1987년 9월호(통권 15권 9호)

우투리—산 자여 따르라 1 『창작과비평』1988년 여름호(통권 60호)

| 연보 |

1935년 7월 4일(음력) 전남 완도군 금일면 육산리 산9번지에서 부 송복도 씨와 모 박본단 씨 사이에서 출생.

1939년(5세) 외할아버지가 동학농민운동에 참가했다는 것을 들음.

1942년(8세) 외할아버지 사망. 진도 산립초등학교 입학. 초등학교 입학 당시 이름은 송귀식(宋貴植)이었음.

1947년(13세) 4학년 때 전남 장흥군 용산면에 위치한 계산초등학교로 전학. 글쓰기를 잘해서 선생님께 칭찬받고 소설가의 꿈을 키움.

1950년(16세) 5월 4일 계산초등학교 졸업. 6월 3일 장흥중학교 입학.

1951년(17세) 송기숙(宋基琡)으로 개명.

1952년(18세) 문학에 흥미를 가졌으며, 소설을 창작.

1953년(19세) 3월 31일 중학교 졸업. 4월 10일 장흥고등학교 입학. 소설 창작에 많은 영향을 준 국어교사 김용술을 만남.

1954년(20세) 꽁뜨 「야경」(『학원』) 발표.(심사 최정희)

1955년(21세) 장흥고등학교 문예부 활동. 3학년 들어 문예부장을 하면서 교지 『억불』을 창간. 교지에 단편소설 「물쌈」과 장흥 보림사 사찰에 대한 글을 발표.

1956년(22세) 3월 10일 장흥고등학교 졸업. 4월 8일 전남대학교 문리대학 국어국문학과 입학(인문계 수석).

1957년(23세) 8월 22일 휴학. 8월 29일 학적보유병(학보병)으로 육군에 입대.

1959년(25세) 4월 30일 복학. 군대 내 비리를 고발하는 「진공지대」(『국문학보』 창간호) 발표.

1960년(26세) 4·19혁명 시위에 참가. 작가 손창섭, 황순원 등과 함께 앙드레 말로, 알베르 까뮈 등의 작품을 읽으며 본격적으로 소설 창작.

1961년(27세) 5월 10일 전남대 대학신문사에 입사해 전임기자로 편집업무에 종사함(~1965. 3. 31). 8월 30일 전남대 졸업.

1962년(28세) 2월 8일 전남대 대학원 국문과에 입학. 3월 3일 장흥군 장흥읍 평화리 출신 김영애(金永愛)와 결혼.

1964년(30세) 2월 26일 전남대 대학원 졸업(석사학위논문 「이상론 서설」). 9월 1일 전남대 국문과 시간강사로 '소설론' 강의. 조연현의 추천을 받아 「창작과정을 통해 본 손창섭」을 『현대문학』 9월호에 발표.

1965년(31세) 4월 9일 목포교육대학 전임강사 부임. 석사학위논문을 수정한 「이상 서설」(『현대문학』 9월호)로 추천완료 되어 평론가로 등단.

1966년(32세) 「진공지대」를 수정하여 「대리복무」(『현대문학』 11월호)

발표.

1968년(34세) 「어떤 완충지대」(『현대문학』 12월호) 발표.

1969년(35세) 「백의민족·1968년」(『현대문학』 7월호) 발표.

1970년(36세) 평론 「이상(오감도)」(『월간문학』 6월호) 발표.

1971년(37세) 「영감님 빠이빠이」(『월간문학』 3월호, 이듬해 「영감은 불속으로」로 개고해 『백의민족』에 수록), 「사모곡 A단조」(『현대문학』 4월호), 「휴전선 소식」(『현대문학』 8월호) 발표.

1972년(38세) 「어느 해 봄」(『현대문학』 1월호), 「낙제한 교수」(『월간문학』 8월호), 「전우」(『현대문학』 10월호), 「테러리스트」(『월간문학』 10월호), 「재수 없는 동행자」(소설집 『백의민족』) 발표. 첫 소설집 『백의민족』(형설출판사) 출간.

1973년(39세) 3월 16일 단편집 『백의민족』으로 제18회 현대문학 소설부문 신인문학상 수상. 6월 1일 전남대 교양학부 조교수로 인사 발령받아 목포에서 광주로 이사. 「지리산의 총각샘」(『현대문학』 1월호), 「갈머리 방울새」(『현대문학』 5월호), 「전설의 시대」(『문학사상』 9월호), 「어느 여름날」(『월간문학』 9월호) 발표. 「흰 구름 저 멀리」 집필.

1974년(40세) 귀속재산 처리의 문제점을 제기한 『자랏골의 비가』 연재(『현대문학』 1974년 2월호~1975년 6월호).

1975년(41세) 「추적」(『창작과비평』 가을호) 발표.

1976년(42세) 「불패자」(『문학사상』 9월호), 「재수 없는 금의환향」(『현대문학』 9월호, 「김복만 사장님 금의환향」으로 개고해 본 전집에 수록), 「귀향하는 여인들」(『월간중앙』 10월호) 발표.

1977년(43세) 「가남 약전」(『월간문학』 9월호~11월호 연재), 「칠일야화」(『현대문학』 10월호) 발표, 『자랏골의 비가』(전2권, 창비) 출간으로 민중문학의 거봉으로 주목받음.

1978년(44세) 5월 1일 자유실천문인협의회 단식농성 참가를 위해 상경을 시도했으나 경찰 방해로 참석하지 못함. 6월 27일 전남대 교수 10명과 함께 교육민주화 선언문인 「우리의 교육지표」를 발표. 「국민교육헌장」 비판으로 대통령 긴급조치 9호를 위반한 혐의로 체포, 중앙정보부로 압송. 7월 4일 구속 기소. 8월 12일 광주지법에서 첫 공판. 8월 17일 교육공무원법 55조 위반 혐의로 교수직에서 파면당함. 8월 28일 선고 공판에서 징역 4년, 자격정지 4년 선고. 「만복이」(『문예중앙』 봄호), 「도깨비 잔치」(『현대문학』 6월호), 「몽기미 풍경」(『한국문학』 7월호), 「물 품는 영감」(『월간문학』 8월호, 1986년 「뚱바우 영감」으로 개고해 『테러리스트』에 수록) 발표, 두번째 소설집 『도깨비 잔치』(백제출판사) 출간.

1979년(45세) 7월 17일 제헌절 특별사면으로 출소. 한승원을 주축으로 광주에 있는 소설가 9명이 참여한 『소설문학』의 동인으로 활동. 파면 후 복직되지 않아 전남대 농과대학 시간강사로 교양국어 강의. 청주교도소에서 나무젓가락 사이에 샤프심을 끼워 실로 고정한 연필로 국어사전 아래 여백에 한줄씩 써내려갔던 장편 『암태도』를 3회 분재(『창작과비평』 1979년 겨울호~1980년 여름호).

지리산 화엄사에 12월부터 석달 기거. 「청개구리」(『소설문학』 2월호), 「유채꽃 피는 동네」(『재수 없는 금의환향』), 「낙화」(『현대문학』 12월호) 발표. 세번째 소설집 『재수 없는 금의환향』(시인사) 출간.

1980년(46세) 광주 5·18민주화운동 기간에 시민수습위원회 참여, 학생수습위원회 조직. 6월 27일 '수습을 빙자한 폭동 지휘자'의 누명을 쓰고 체포, 형법 87조 '내란중요임무종사 위반' 죄명으로 징역 10년 구형받고 1981년 3월 31일 5년형 확정. 광주교도소에서 복역. 「사형장 부근」(『실천문학』 봄호), 「살구꽃이 필 때까지」(『한국문학』 6월호) 발표.

1981년(47세) 1월 12일 송기숙(宋基琡)에서 송기숙(宋基淑)으로 개명. 4월 3일 대법원 확정판결 후 관할관 확인과정에서 형 집행정지 출감. 대하소설 『녹두장군』(『현대문학』 1981년 8월호~1982년 10월호) 1부 전반부 연재, 암태도 소작쟁의를 소재로 한 『암태도』(창작과비평사) 출간.

1982년(48세) 3월 민중문화운동협의회 상임고문으로 재야와 연계하여 반정부 활동. 박석무, 고은, 황석영, 박현채, 김지하 등과 교류. 12월부터 『녹두장군』 집필을 위해 지리산 피아골(전남 구례군 토지면 평도리)에 들어가 이듬해 8월까지 칩거.

1983년(49세) 8월 15일 내란중요임무종사 위반 등의 선고에 대한 복권. 김지하와 동학농민운동 배경지를 탐방하며 숙식 함께함. 12월 20일 해직교수아카데미 조직, 전국 강연. 「오늘의 시각으로 고쳐 쓴 옛 이야기」 연재(『마당』 1983년 1월호~1984년 7월호). 「당제」(『공동체문화』 6월호), 「개는 왜 짖는가」(『현대문학』 7월호) 발표.

1984년(50세) 3월부터 『정경문화』에 『녹두장군』 재연재 시작. 8월 17일 해직 7년 만에 전남대에 특별 신규임용(조교수)으로 복직. 「어머니의 깃발」(『한국문학』 1월호), 「백포동자」(14인 소설집 『지 알고 내 알고 하늘이 알건만』, 창비) 발표. 네 번째 소설집 『개는 왜 짖는가』(한진출판사) 출간.

1985년(51세) 8월 9일 부산 가톨릭센터에서 민중문학에 대한 강의. 8월 17일 '학원안정법' 제정 반대 투쟁. 「신 농가월령가」(소설집 『그리고 기타 여러분』, 사회발전연구소) 발표. 첫 산문집 『녹두꽃이 떨어지면』(한길사) 출간.

1986년(52세) 4월 18일 시국선언 서명에 적극 참여. 다섯번째 소설집 『테러리스트』(흔겨레출판사) 출간.

1987년(53세) 6월 18일 한국인권문제연구소 위원 자격으로 시국선언문 「현 시국에 대한 우리의 견해」 시국 선언문 발표. 7월 23일 '민주화를위한전국교수협의회' 창립, 초대 공동의장(1987~89년). 전남 승주군 선암사 해천당에 집필실을 마련해 이후 매주 나흘씩 7년간 『녹두장군』 집필. 10월 1일 부교수 승진. 12월 30일 독일학술교류처(DAAD)의 초청으로 출국해 석달간 유럽 체류. 「부르는 소리」(13인 소설집 『매운 바람 부는 날』, 창비),

「파랑새」(『한국문학』 9월호) 발표.

1988년(54세) 전남대 인문과학대학 국어국문학과장(1988. 3. 1~1989. 2. 28). 「우투리 ―산 자여 따르라 1」(『창작과비평』 여름호)로 5·18민주화운동에 대한 연작을 시작하였으나, 쓸 엄두가 나지 않아 더이상 집필하지 못함. 5월 23일 '한국현대사사료연구소' 설립, 초대 소장. 5·18민주화운동에 대한 본격적인 자료 조사와 연구 시작. 리영희, 강만길, 백낙청, 김진균, 이수인 등 이사로 참여. 「제7공화국」(『한국문학』 12월호) 발표. 여섯번째 소설집 『어머니의 깃발』(심지), 두번째 산문집 『교수와 죄수 사이』(심지), 일곱번째 소설집 『파랑새』(전예원) 출간.

1989년(55세) 3월 15일 성명서 「현대 노동자들의 생존권 확보 투쟁을 지지하며」 발표 주도. 4월 30일 전남대에서 한국현대사사료연구소, 4월혁명연구소, 전남사회문제연구소 공동 주관 '5·18민중항쟁 9주년 학술토론회' 개최. 민담집 『보쌈』(실천문학사) 출간.

1990년(56세) 5월 30~31일 '광주 5월 민중항쟁 10주년 기념 전국 학술대회' 개최. 한국현대사사료연구소 『광주오월 민중항쟁 사료전집』(풀빛) 발간.

1991년(57세) 민족문학작가회의 부회장(~1994년).

1992년(58세) 어린이와 청소년을 위한 소년 역사소설 『이야기 동학농민전쟁』(창비) 출간.

1993년(59세) 6월 12일 '균형 사회를 여는 모임' 공동대표(1993~95

년). 7월 8일 민주평화통일자문위원 위촉.

1994년(60세) 12년 만에 대하소설 『녹두장군』(전12권, 창비) 완간. 『녹두장군』으로 제9회 만해문학상 수상. 민족문학작가회의 회장 및 이사장(1994~96년).

1995년(61세) 제12회 금호예술상 수상.

1996년(62세) 민족문학작가회의 이사장직 사임. 제13회 요산문학상 수상. '문학의 해 조직위원회' 위원. 한국현대사사료연구소 해체. 전남대 5·18연구소 설립 주도, 자료 및 재산 이양. 5·18연구소 초대 소장(1996. 12. 10~1998. 5. 31). 「고향 사람들」(16인 소설집 『작은 이야기 큰 세상』, 창비), 「산새들의 합창」(『내일을 여는 작가』 9월호, 「보리피리」로 개고해 본 전집에 수록), 「가라앉는 땅」(『실천문학』 가을호) 발표. 장편소설 『은내골 기행』(창비) 출간.

1997년(63세) 8월 20일 전남 화순군 화순읍 대리 산18-2번지로 이사. 12월 22일 칼럼 「전·노씨 사면, 역사의 후퇴라 생각」을 『한겨레신문』에 특별기고.

1998년(64세) 민족문학작가회의 상임고문.

2000년(66세) 총선연대에 관여. 8월 31일 전남대 정년퇴임. 장편소설 『오월의 미소』(창비) 출간.

2001년(67세) 「길 아래서」(『창작과비평』 가을호), 「들국화 송이송이」(『실천문학』 여름호) 발표.

2002년(68세) 「북소리 둥둥」(『문학동네』 봄호), 「성묘」(『문학과경계』 여름호), 「꿈의 궁전」(『실천문학』 가을호), 「돗돔이 오는 계절」

(『현대문학』 11월호) 발표.

2003년(69세) 여덟번째 소설집 『들국화 송이송이』(문학과경계) 출간.

2004년(70세) 2월 문화중심도시조성위원회 위원장(총리급).

2005년(71세) 세번째 산문집 『마을, 그 아름다운 공화국』(화남) 출간.

2006년(72세) 11월 30일 순천대학교 학술문학상 시상식 초청강연회 강연.

2007년(73세) 6월 용봉인 명예대상 수상. 8월 남북정상회담 자문위원단 참여. 설화 총 53편을 정리한 설화집 『거짓말 잘하는 사윗감 구함』 『제 불알 물어 버린 호랑이』 『모주꾼이 조카 혼사에 옷을 홀랑 벗고』 『정승 장인과 건달 사위』 『보쌈 당해서 장가간 홀아비』 『아전들 골탕 먹인 나졸 최환락』(창비)을 출간.

2008년(74세) 『녹두장군』 개정판(전12권, 시대의창) 출간. 『오월의 미소』가 일본에서 번역 출간(『光州の五月』, 藤原書店).

2009년(75세) 한국작가회의에서 주관한 '독재 회귀 우려' 시국 선언에 참여. 광주시교육감 시민추대위 활동.

2010년(76세) 6월 광주 YMCA 무진관에서 열린 '교육지표 사건' 32주년 기념식 참석.

2013년(79세) 교육지표 사건, 재심에서 35년 만에 무죄판결 받음.

2014년(80세) 교육지표 사건 무죄판결로 받은 형사보상금 전액을 전남대 장학금으로 기부.

2015년(81세) 『녹두장군』으로 제5회 동학농민혁명 대상 수상.

2018년(84세) 5·18민주화운동으로 인한 고문 후유증으로 투병 중.

송기숙 중단편전집 4

개는 왜 짖는가

초판 발행 • 2018년 2월 9일

지은이 / 송기숙
펴낸이 / 강일우
엮은이 / 조은숙
책임편집 / 박주용 신채용
조판 / 황숙화 박지현
펴낸곳 / (주)창비
등록 / 1986년 8월 5일 제85호
주소 / 10881 경기도 파주시 회동길 184
전화 / 031-955-3333
팩시밀리 / 영업 031-955-3399 · 편집 031-955-3400
홈페이지 / www.changbi.com
전자우편 / lit@changbi.com

ISBN 978-89-364-6041-9 04810
978-89-364-6987-0 (세트)